# Rattrapée par son passé

*Mariah Stewart*

# Rattrapée
# par son passé

Traduit de l'américain
par Isabelle Tolila

*Titre original :*

THE PRESIDENT'S DAUGHTER

Ivy Books, published by The Ballantine Publishing Group,
a division of Random House, Inc., N.Y.

*À l'incomparable Linda Marrow,
avec toute mon affection et ma
gratitude pour avoir eu confiance en moi.*

# Prologue

La femme émergea de l'ombre d'un immeuble Art déco, ses talons claquant sur le sol au rythme de son pas déterminé. Malgré l'élégance du quartier, l'éclairage sur cette portion de Connecticut Avenue laissait à désirer : mis à part les feux du croisement, à quelques mètres de là, il n'y avait pas de lumière.

Arrivée à l'angle, la femme s'arrêta en frissonnant. Cette nuit, même son manteau de fourrure et ses gants en cashmere ne suffisaient pas à la protéger du froid.

Au téléphone, la voix lui avait dit qu'une voiture s'arrêterait de l'autre côté de la rue à deux heures précises. Ce délai était dépassé de quelques minutes, mais elle savait que la voiture viendrait...

Elle poursuivit son chemin. Drôle d'heure pour un rendez-vous, même si elle pouvait tout à fait le comprendre ; cette rencontre avait toutes les raisons de rester secrète.

C'était une situation extrêmement délicate, et elle concevait parfaitement que l'on ne veuille pas être vu en sa compagnie... Même si l'on ne savait pas à quel point la situation était délicate.

Elle rentra les épaules, autant pour se protéger d'un soudain coup de vent que devant la perspective de ce qu'elle allait devoir affronter. Elle se serait

7

volontiers passée de cette rencontre, mais il n'y avait aucun moyen de l'éviter; c'eût été trop lâche. Et puis comment aurait-elle pu refuser? La personne au téléphone avait insisté, exprimant un besoin crucial de lui parler...

Comment aurait-elle pu la repousser?

Le feu passa au vert et elle descendit du trottoir; relevant son col, elle traversa pour se diriger vers l'endroit convenu. Elle avait à peine effectué quelques pas quand la voiture arriva sur sa gauche. Elle l'avait aperçue avant de traverser, mais n'y avait pas prêté grande attention : garée, tous feux éteints, elle était immobile.

Mais elle se déplaçait, maintenant.

Et vite.

Elle n'eut pas le temps de s'écarter de sa trajectoire, ni même de pousser un cri. Elle était morte avant que la voiture ne s'arrête un peu plus loin pour faire brutalement marche arrière et passer une deuxième fois sur le corps sans vie.

Trois véhicules passèrent le croisement avant qu'enfin quelqu'un ne s'arrêtât pour se pencher sur la silhouette immobile qui, quelques instants auparavant, était encore une belle femme débordant de vie.

# 1

*Début février 2002*

L'argent dépensé l'avait été à bon escient.

La silhouette s'arrêta sur le seuil de la porte, découpée en ombre chinoise dans la faible lueur du couloir, et balaya la pièce du regard. Les patients étaient installés çà et là dans leurs fauteuils, chacun d'entre eux flottant dans son univers propre, quelque part entre de lointains souvenirs et le flou du présent. L'objet de l'attention du visiteur se trouvait à sa place habituelle, près de la baie vitrée surplombant une immense pelouse, d'où il pourrait observer le changement des saisons, année après année, tant que son âge avancé et les caprices du destin le lui permettraient. Destin qui peut se montrer imprévisible, comme chacun sait ; tout peut changer en quelques secondes. Un instant de lucidité, un souvenir recouvré et la vie monotone du vieil homme ne serait plus qu'une trace dans la mémoire de ses proches.

Traversant la pièce à grandes enjambées, le visiteur prit un siège pour s'asseoir en face de lui.

— Bonsoir, Miles.

— Bonsoir.

Le vieillard hocha la tête.

— Comment allez-vous ?

— Je vais bien, répondit-il comme un automate.

— Avez-vous passé une bonne journée ?

— Oui.

— Qu'avez-vous fait, aujourd'hui ?

— J'ai pris le train pour Chicago, répondit le vieil homme en souriant doucement. Avec Dorothy.

— Vraiment ?

— Oui.

Son sourire s'épanouit.

— Et qui est Dorothy ?

— Dorothy est...

Il fronça les sourcils.

— Dorothy est... quelqu'un.

Son visage se plissait sous l'effort qu'il faisait pour se rappeler. Il avait failli y arriver, pourtant ; maintenant il ne savait plus.

— Dorothy était votre sœur, lui rappela-t-on. Elle est morte depuis longtemps.

— Je vois, marmonna l'autre en tirant sur un fil de son luxueux pull.

— Vous souvenez-vous de la mort de Dorothy ?

— Non...

Il secouait la tête.

— ... Mais je me rappelle du temps où elle était à Chicago.

— De quoi d'autre vous rappelez-vous, Miles ?

Le vieil homme regarda par la baie vitrée, comme s'il pouvait y retrouver un indice familier.

— Vous souvenez-vous de l'époque où vous viviez à Washington ?

— Non.

— Vous souvenez-vous de vos années à la Maison-Blanche ?

— Nous avons occupé une maison blanche, autrefois, près de Newport. Il y avait un étang, derrière. Teddy s'est noyé dans l'étang alors qu'il était tout petit...

Son regard glissa de nouveau vers la baie vitrée, contemplant le soleil couchant qui commençait à dessiner des lignes orange dans le ciel d'un pâle bleu lavande.

— Teddy était votre petit frère.

Un doigt effleura le visage du vieillard pour attirer son attention.

— Je ne parlais pas de cette maison blanche; je voulais dire *la* Maison-Blanche, à Washington. Celle où vit le président. Vous rappelez-vous y avoir travaillé?

Un regard égaré fut la seule réponse de Miles.

— Vous souvenez-vous de Graham Hayward, du président Hayward? Il était votre ami, votre meilleur ami, même. Vous travailliez ensemble à Washington.

— Je devrais me souvenir? Je n'y arrive pas.

— Ce n'est pas grave.

Un tapotement clément sur les mains du vieil homme lui assura que tout était pour le mieux.

— C'est bien.

Après quelques instants de silence, il reprit:

— C'est mieux pour vous que vous ne vous souveniez pas.

Le visiteur resta encore quelques instants auprès du retraité, soulagé qu'aucun souvenir n'ait refait surface, qu'il n'y ait aucune décision à prendre aujourd'hui.

— Vous souvenez-vous de moi?

— Non.

Le vieillard observa le visage qui s'était rapproché tout près du sien. Une image assez précise, mais fuyante, surgit du passé pour disparaître presque aussitôt, avant qu'il n'ait pu la reconnaître.

— Non, répéta-t-il avec prudence, comme pour se persuader lui-même de l'insignifiance de ce maigre souvenir.

Son visiteur sourit pour la première fois depuis son arrivée dans la maison de retraite, puis se leva et rangea la chaise à sa place, contre le mur. Profitant de ce bref laps de temps, le regard du vieil homme avait à nouveau dérivé vers la baie vitrée pour se perdre dans le monde qui s'ouvrait au-delà.

— Au revoir, Miles. Je reviendrai bientôt.

Paroles qui tombèrent dans le vide.

Un arrêt dans le couloir, juste le temps de glisser un petit paquet dans la main de l'aide-soignant en blouse blanche qui attendait devant la porte.

— Comment avez-vous trouvé votre... vieil ami?

— Comme d'habitude.

L'aide-soignant hocha la tête et escorta le visiteur jusqu'au foyer, à présent plongé dans l'obscurité; il avait déverrouillé la porte de derrière. Dans sa poche, ses doigts jouaient avec l'enveloppe qui contenait, en liquide, l'équivalent d'un mois de son salaire. Tout ça pour surveiller un vieil homme et écouter ses divagations; les riches étaient vraiment des gens bizarres.

Mais après tout, qu'est-ce que ça pouvait lui faire, tant que la grasse enveloppe tombait chaque mois dans sa poche? Et puis il ne faisait rien d'illégal ni d'immoral. En fait, à bien y regarder, il ne faisait quasiment rien.

— Appelez-moi s'il y a un changement.

La silhouette s'arrêta sur le seuil de la porte.

— Bien sûr, ne vous inquiétez pas.

— *N'importe quel* changement.

La précision était inutile. L'aide-soignant comprenait parfaitement.

— Faites attention, dans le parking! prévint-il. C'est encore un peu glissant...

— Merci.

Les mains enfoncées dans les poches, le visiteur s'éloigna dans le froid hivernal. De gros flocons commençaient à tomber, recouvrant peu à peu l'allée pavée de briques et les voitures garées, telles des feuilles de dentelle.

En fredonnant, la silhouette se dirigea vers la voiture qui attendait tout au bout du parking, entre un Dumpster rouillé et un camion rutilant.

L'argent avait apporté la paix de l'esprit. Au moins pour cette nuit.

Les souvenirs du vieil homme étaient enfouis, exilés en un lieu inaccessible où, avec un peu de chance, ils resteraient jusqu'à sa mort naturelle.

Tant qu'il en serait ainsi, le secret serait préservé.

Et Miles Kendall – qui avait autrefois évolué dans le cercle des puissants de ce monde, parmi les rois, les princes et les sénateurs, qui avait recueilli les confessions et les secrets d'un ancien président des États-Unis – vivrait pour voir un autre jour.

## 2

Simon Keller tendit au groom les clés de sa Ford Mustang d'époque avant de grimper quatre à quatre les marches du restaurant chic qui surplombait le port de Baltimore. Sa curiosité piquée par l'invitation à déjeuner d'un ancien professeur d'université, le jeune homme avait traversé avec joie le Chesapeake pour retrouver le Dr Philip Norton, ancien chef du département de journalisme de l'université de Georgetown, autrefois attaché de presse de la Maison-Blanche.

Simon avait eu le plaisir inattendu de retrouver son vieux professeur favori trois semaines auparavant, au mariage d'un ancien camarade de classe, après l'avoir perdu de vue pendant un an environ. Période durant laquelle la vie de Simon avait changé sûrement autant que celle de Philip Norton.

Le maître d'hôtel le conduisit à la table de Norton, qui admirait la vue panoramique sur le port, où l'eau couleur d'étain, coiffée d'écume, accueillait quelques âmes courageuses bravant les vents d'hiver pour les joies d'un après-midi de bateau.

— Philip.

Simon sourit à son ami, encore séduisant malgré son crâne légèrement dégarni, qui se tourna vers lui et pencha sa longue silhouette pour tendre une main accueillante.

— J'espère que vous n'avez pas trop attendu.

— Pas du tout, Simon. J'admirais le courage du skipper de ce petit voilier.

Norton désigna le port.

— Plutôt téméraire, vous ne trouvez pas, vu les prévisions pour aujourd'hui ?

— Je n'ai pas écouté la météo, mais j'ai l'impression que nous sommes bons pour de la neige.

Simon prit le menu que lui tendait un jeune serveur.

— En venant, j'ai entendu qu'ils prévoyaient quinze centimètres de neige, cet après-midi.

Norton but une gorgée d'eau, puis reposa soigneusement son verre et sourit.

— J'espère être rentré à Washington avant que ça ne commence à tomber.

— Nous devrions peut-être commander tout de suite, dans ce cas, suggéra Simon.

— Je vous conseille la terrine au crabe, c'est leur spécialité.

— Les terrines de crabe font partie de mon régime quotidien depuis que j'habite près de la baie ; je prendrai plutôt une salade et un sandwich au rosbif.

Simon ferma son menu pour le rendre au serveur, venu prendre leur commande et apporter un thé à Norton. Il observa les yeux de son ancien mentor qui suivaient les efforts du petit bateau luttant contre le vent, et se demanda une fois de plus ce qui avait motivé son coup de fil. Philip n'était pas le genre d'homme à sortir pour le seul plaisir de sortir. S'il l'avait contacté, c'était pour une raison bien précise, et Simon avait hâte de la connaître.

14

Finalement, son ancien professeur se tourna vers lui.

— Comment vont vos parents ? Toujours dans leur ferme ?

— Toujours, acquiesça Simon. Toujours à se battre comme ils peuvent avec les hivers du nord de l'Iowa.

— Vous n'envisagez pas d'y retourner un jour ?

— Seulement pour Thanksgiving, Noël et la fête des Mères. La ferme familiale est entre les mains expertes de mon père et de mon frère, Steven, qui n'a jamais rêvé d'un autre métier. Tandis que moi, à huit ans, je savais déjà que je n'avais pas la fibre pour ça.

— Votre famille a de la chance d'avoir Steven pour reprendre l'entreprise.

Norton croisa les bras et se pencha légèrement en avant.

— Bon. Dites-moi où en est votre livre.

— J'y travaille.

— Avez-vous trouvé un agent ?

— J'y travaille aussi, répondit Simon en haussant les épaules.

— C'est difficile de publier.

— Vous parlez en tant qu'auteur ou en tant qu'éditeur ?

— Les deux, en fait, répliqua Norton en souriant.

— Qui est votre agent ? demanda Simon, ses lèvres esquissant un demi-sourire.

Norton éclata de rire.

— J'en ai vraiment un, vous savez. Je ne me suis autorisé à publier que de rares travaux personnels chez Brookes Press.

Simon haussa un sourcil.

— À quoi ça sert d'avoir une maison d'édition, si on ne publie pas ses propres livres ?

— Brookes a la réputation – parfaitement fondée, d'ailleurs – de n'éditer que des œuvres non fictionnelles de qualité. Comme le best-seller de l'ancien membre de la Cour suprême, Howard Rensel, par exemple.

Norton sirota une gorgée de son thé.

— Il y a quelques années, j'ai écrit un roman. Mais j'ai estimé à ce moment-là que, si je le publiais moi-même, cela serait jugé complaisant – et je le pense encore. Je craignais de miner de l'intérieur la réputation que j'avais mis des années à me forger en tant que petit éditeur indépendant. Je ne voulais surtout pas que Brookes soit taxée de maison publiant à compte d'auteur. Alors j'ai proposé mon roman ailleurs.

— A-t-il été publié ?

— Non. En fait, j'ai le privilège d'avoir été rejeté par les éditeurs les plus prestigieux de New York.

Norton parut momentanément amusé, puis reprit son sérieux.

— Nous avons tout de même fait paraître un petit recueil de poèmes écrits par ma femme peu avant sa mort. Ils étaient sacrément beaux, et je me suis permis cette entorse à la règle au nom de leur beauté ; Elisa méritait qu'ils soient publiés.

La mort de l'épouse de Philip Norton, sénateur dans le New Jersey, avait été classée quelques années auparavant : suicide. Simon savait que Norton n'avait jamais cru à cette thèse ; il ne pouvait pas accepter l'idée que son Elisa adorée ait posé une arme sur sa tête et appuyé sur la gâchette, même si les forces de l'ordre avaient affirmé n'avoir trouvé aucune preuve du contraire.

Les yeux de Norton se perdirent quelques instants, avant de revenir se fixer sur le serveur, qui arrivait avec un sourire et une assiette dans chaque main.

— C'est dur de trouver un éditeur pour un premier livre, surtout pour un ouvrage comme le vôtre, au sujet si discutable, reprit-il une fois qu'ils furent servis et que le serveur eut tourné son attention vers une autre table. En particulier quand il n'y a pas de confirmation. Il y a un risque trop important d'être poursuivi en diffamation si les faits sont contestés.

— Vous voulez dire si les faits sont contestés et si l'auteur refuse de révéler ses sources...

— Oui. C'est exactement ce que je veux dire.

Norton croisa le regard de Simon par-dessus la table.

— Et je présume que vous ne voulez toujours pas livrer les vôtres.

— Vous présumez juste.

Simon s'adossa à sa chaise.

— J'ai quitté mon poste au *Washington Press* plutôt que de trahir mes informateurs. Et je continuerai à faire tout ce qui est en mon pouvoir pour les protéger.

— Ça n'a pas dû être facile de démissionner, remarqua Norton.

— Je ne pouvais pas travailler pour un journal qui exigeait que je révèle mes sources – y compris au service juridique –, au risque de mettre la vie de ces pauvres types en danger.

Les yeux de Simon étaient aussi sombres que les eaux de la baie.

— Pas plus que je ne pourrais travailler pour un éditeur qui ne me soutiendrait pas en ce sens.

— J'admire votre intégrité, Simon, même si ça ne doit pas vous faciliter la vie tous les jours. Mais, dites-moi, sans indiscrétion, que faites-vous pour vivre ?

— Pour l'instant, je travaille à mon livre, répondit Simon en se trémoussant sur son siège.

— Rien qui fasse rentrer de l'argent ?

— Pas pour le moment.

À vrai dire, il était presque au bout de ses économies... Une réalité qu'il devrait prendre en compte très bientôt.

Les deux hommes continuèrent à manger en silence, puis Norton déclara :

— J'ai une proposition à vous soumettre.

— Une proposition ?

— Pour un livre que j'ai en tête et que j'aimerais beaucoup publier.

Simon attendit, curieux d'entendre la suite.

— Simon, que savez-vous de Graham Hayward ?

— L'ancien président ?

— Lui-même.

— Eh bien, je sais que certains le considèrent comme l'un des plus grands présidents du XXᵉ siècle. Et qu'il avait la réputation d'être profondément honnête et moral.

Simon sourit avant d'ajouter :

— Aussi honnête et moral qu'un homme disposant d'un tel pouvoir peut l'être, je suppose. Je sais aussi que vous avez été son attaché de presse dans les années 1970, avant d'enseigner à Georgetown.

— Et très fier de l'être : Graham Hayward était un homme irréprochable. Autant que je sache, il a toujours tenu sa promesse de ne jamais mentir au peuple américain. Aucun autre occupant de la Maison-Blanche n'a pu se montrer à la hauteur de son échelle de moralité.

— Comment l'avez-vous rencontré ?

— Nous étions tous deux de Rhode Island et diplômés de Brown, même s'il était mon aîné de plusieurs années. Nos chemins se sont croisés souvent, au fil des années. Je le soutenais de manière inconditionnelle. Ce fut pour moi une grande aventure que de travailler avec lui à la Maison-Blanche ; cette période est sans doute même l'une des meilleures de ma vie.

Il but une gorgée de thé.

— Je suppose que vous vous demandez où je veux en venir et en quoi tout cela vous concerne.

— Oui.

Les deux hommes se turent pendant que le serveur débarrassait la table pour y déposer leur plat principal.

— Le fils du président Hayward se présente aux prochaines élections ; êtes-vous au courant ?

— J'en ai entendu parler, oui.

— Il est le candidat parfait. Moi qui le connais depuis son enfance, je peux vous dire qu'il est la réplique exacte de son père. Ça n'arrive pas si souvent, vous savez ; la plupart du temps, les pommes tombent loin de l'arbre.

Norton hocha la tête.

— Mais pas dans son cas. Gray est en tout point le fils de son père : il fera un excellent candidat… et un excellent président.

— J'ai entendu dire qu'il s'était distingué, au Congrès. Il en est bien à son troisième mandat ?

— Troisième, oui. Il a fait du bon boulot, et le parti a travaillé sur son image, ces dernières années. On le voit au moins une fois par semaine dans les journaux, entouré de sa femme, de ses enfants, et souvent de sa mère, la veuve Hayward : une famille unie, solide comme du roc. Les gros bonnets du parti savent qu'ils tiennent là un gagnant, Simon.

— Vous étiez sur le point de me dire en quoi tout cela me concernait, lui rappela Simon, de plus en plus impatient de connaître le but de cette discussion.

Il n'arrivait pas très bien à comprendre de quoi il pouvait s'agir.

— Dans un effort pour… disons… faciliter le chemin du jeune Gray vers la Maison-Blanche, j'aimerais établir une nouvelle biographie de son père. Quelque chose qui le rappellerait à la mémoire et au cœur du peuple américain.

— Et vous prévoyez de publier vous-même ce livre ?

— Oui.

— N'est-ce pas un petit peu complaisant ? s'entendit répondre Simon, avant que le sens du tact ne lui revienne et qu'il ne se reprenne. Je veux dire, vous venez de m'expliquer que vous n'aimiez pas utiliser Brookes Press à des fins personnelles… si je vous ai bien compris.

— Oh, vous avez parfaitement compris. C'est exactement ce que j'ai dit – et j'étais sincère.

Norton souriait, satisfait que Simon ait relevé ce point.

— Mais je préfère penser à ce livre moins comme à une manœuvre complaisante que comme à une opportunité à saisir : c'est tout à fait le moment d'éditer un tel ouvrage. Quelqu'un le fera de toute façon, tôt ou tard. J'aimerais être ce quelqu'un, et je préférerais que ce soit tôt… plutôt que trop tard.

Simon grignotait un morceau de pain, commençant à entrevoir le rôle que lui réservait Norton, qui ajouta :

— Et j'aimerais que ce soit vous qui l'écriviez.

— Quoi ?

Simon posa son couteau.

— Vous voulez que…

— … vous écriviez une biographie de Graham Hayward.

— Pourquoi ?

— Parce que je veux que ce livre soit réussi, et je sais que je peux compter sur vous pour faire le travail comme je veux qu'il soit fait. Votre écriture ne m'est pas totalement étrangère, vous savez, depuis les articles que vous avez rédigés pour moi à Georgetown… et tous ces petits bijoux publiés dans le *Washington Press*. Vous avez magistralement su vous faire un nom.

Norton étudia le visage de Simon, puis changea d'angle d'attaque.

— Je sais que cela vous obligerait à laisser momentanément votre propre livre de côté. Mais si la biographie de Hayward marche bien, cela vous ouvrira certainement des portes. Et il va sans dire que Brookes Press serait en première ligne pour lire votre manuscrit.

— Dites-moi ce qui vous motive. Mis à part l'évidence : l'amitié que vous portiez à Hayward.

— Simon, je crois sincèrement que le jeune Graham peut rétablir une certaine intégrité au sein de notre gouvernement. Il est même le seul homme de la scène politique contemporaine à pouvoir le faire. Et je suis sûr qu'il peut gagner : il est extrêmement intelligent, robuste, énergique, séduisant – il incarne l'avenir.

— Et vous pensez que l'aura du père, une fois revenue dans les mémoires, pourrait se reporter sur le fils.

— Exactement.

— Un peu manipulateur de votre part, non ?

Norton eut un petit rire satisfait. Il n'en attendait pas moins de son ancien étudiant.

— Comme je le disais, c'est le moment ou jamais d'écrire ce livre.

Il se tut tandis que le serveur lui apportait l'addition.

— Il y aurait manipulation si nous présentions un gredin sous les traits d'un saint. Or tout le monde sait quel genre d'homme était Hayward père.

— Pas de squelette au fond du placard ?

— Aucun. Les ragots ne m'intéressent pas ; il n'y a aucun ragot possible, d'ailleurs. L'œuvre de l'homme parle d'elle-même. Vous pourrez vous entretenir avec sa famille, avec ses quelques amis...

Norton attendit la réaction du jeune journaliste.

— Je refuse d'écrire un livre publicitaire, dit ce dernier.

— Je ne vous le demande pas.

— Et vous me donnez combien de temps ?

— Je souhaiterais lire un premier jet dans six mois. Je sais que c'est court, ajouta-t-il devant l'air surpris de Simon, mais je vous fournirai toute la documentation dont vous aurez besoin : je vous enverrai quantité d'anciennes coupures de presse, d'interviews, de reportages filmés, dont vous pourrez vous servir comme références.

— J'effectuerai moi-même mes propres recherches et mes propres interviews. Si je fais ce travail, je le fais à ma manière.

— Évidemment. Mais je vous procurerai quand même cette documentation, et je m'assurerai de la collaboration de la famille.

— Vous leur avez déjà parlé du projet ?

— Oui, bien sûr.

— Pourquoi ?

— Parce que j'estimais qu'ils devaient être mis au courant. Simple question de courtoisie.

— Tant que nous ne nous dirigeons pas vers une biographie contrôlée… Je ne veux pas que la famille – ou qui que ce soit d'autre, d'ailleurs – ait un droit de regard sur le manuscrit.

— Ce sera votre livre, Simon. Je me rends bien compte que la part d'enquête est mince – la vie du président n'a pas besoin d'être réinventée. Mais je veux quelque chose de neuf, qui captive l'attention du public. Quelque chose qui vous amènerait – vous, et éventuellement le futur candidat – sur les plateaux de télévision et dans les studios de radio. Des contacts qui vous seront précieux quand votre propre livre sera publié.

— S'il est publié, rappela Simon.

— Je doute que cela pose un problème.

Norton fit mine de réfléchir, alors qu'il avait déjà tout prévu ; puis tendit la carotte.

— Et si nous passions un accord sur deux livres ?

— Deux livres, répéta Simon comme s'il avait mal entendu.

— La biographie et le livre sur lequel vous travaillez actuellement. Je veux la biographie en premier, évidemment.

— Vous achèteriez mon livre sans l'avoir lu ? s'étonna Simon.

— Disons que je jetterai un œil sur les cent premières pages dès que vous pourrez me les apporter. Si je n'aime pas, eh bien, nous en reparlerons, une fois la biographie de Hayward terminée. Mais, honnêtement, vu ce que vous m'en avez dit au mariage de Frank, je ne vois pas comment je pourrais être déçu.

— Combien ? s'entendit dire Simon.

Après tout, avant de consentir à s'engager pour plusieurs mois, avant de mettre de côté le livre sur lequel il s'échinait depuis un an et pour lequel il avait tout sacrifié, il devait savoir.

Norton sortit un stylo de sa poche et inscrivit un chiffre sur une serviette en papier qu'il tendit à Simon. Ses yeux pétillaient. L'exacte réplique de Sean Connery, remarqua le jeune homme. Malicieux et séduisant ; grand et encore musclé pour son âge. Seul l'accent manquait.

Il considéra longuement la somme, s'exhortant à ne pas réagir : il y avait largement de quoi renflouer ses caisses. Largement de quoi lui assurer nourriture et logement le temps qu'il termine non seulement la biographie, mais aussi son propre livre. Et il en resterait encore pour prendre des vacances que Simon attendait depuis bien longtemps. Il se voyait déjà fouler le sable chaud d'une île tropicale…

— Je ne sais pas quoi dire.

— Dites que vous allez y réfléchir.

— Oui, c'est ça, je vais y réfléchir.

— Appelez-moi quand vous aurez pris votre décision ; je comprends que vous ayez besoin d'un peu de temps. Quoi qu'il en soit, soyez assuré que vos intérêts seront préservés. Je connais plusieurs éditeurs à qui je serai heureux de vous recommander – moi-même y compris.

— C'est très généreux de votre part.

— Je veux juste que vous vous sentiez à l'aise avec les arrangements que je vous propose.

— J'apprécie votre attention. Et je vous promets de réfléchir sérieusement à votre proposition.

Norton prit une dernière gorgée de café et désigna la fenêtre ouverte, au-delà de laquelle des flocons de neige commençaient à tomber, tandis que le petit voilier regagnait la marina.

— Puis-je espérer avoir de vos nouvelles d'ici quelques jours ?

— Je vous donnerai ma réponse ce week-end.

— Ce sera parfait.

Il se leva et lissa les manches de sa veste impeccablement coupée.

— Vous m'envoyez votre manuscrit, alors ? Il me tarde de le découvrir...

Simon promit de le faire et se leva à son tour. Quelques minutes plus tard, ils se séparaient.


Durant le trajet de retour à son appartement, dans le quartier de McCreedy, Simon essaya de comprendre ce qui dans l'offre de Norton l'avait empêché de mettre cartes sur table et d'accepter immédiatement. Les embouteillages de l'heure de pointe lui laissèrent tout le loisir de réfléchir à la question.

Peut-être son hésitation avait-elle un rapport avec la considérable somme d'argent que Norton lui servait sur un plateau.

Et puis Simon avait trouvé étrange que son ancien mentor – un homme dont les hautes exigences journalistiques étaient légendaires – soit prêt à utiliser Brookes Press pour promouvoir la candidature de Hayward à la présidence.

Mis à part le problème éthique soulevé par l'argent – un montant que Simon n'aurait pas même une seconde envisagé de demander –, il se trouvait devant une magnifique opportunité. Premièrement, le travail demandé par Norton ne lui prendrait pas plus de quelques mois ; deuxièmement, il avait la garantie d'être publié par Brookes Press, avantage qu'aucun jeune auteur sain d'esprit ne songerait un instant à refuser. Le livre bénéficierait du soutien précieux d'une presse indépendante très respectée – soutien qui, il l'espérait, s'étendrait à *Lethal Deceptions*, un livre que Norton lui-même considérait comme difficile à caser, même s'il n'avait pas paru autrement perturbé par son refus de révéler ses sources. Bien sûr, Philip le connaissait; il savait qu'il ne se serait pas attelé à cette histoire s'il ne croyait pas de tout son cœur et de toute son âme en son authenticité. C'était là une question de confiance, une confiance qu'il avait eu la déception de ne pas trouver auprès de son rédacteur en chef, se souvint-il avec un pincement de contrariété. Avec un peu de chance, d'ici à ce que *Lethal Deceptions* soit prêt pour la publication, tous les rouages seraient en mouvement pour le propulser au rang des best-sellers.

Qui avait jamais la chance de bénéficier d'une opportunité pareille? Et qui serait assez fou pour la laisser passer?

Alors pourquoi n'avait-il pas sauté sur l'offre de Norton?

— Je ne sais pas, répondit-il tout haut alors que les voitures reprenaient de la vitesse sur le pont allant d'Annapolis à la rive est du Maryland. Je ne sais pas...

Mais un coup d'œil à son courrier en arrivant chez lui – trop de factures, un découvert trop important – suffit à le convaincre que la proposition de Norton était tout simplement trop belle pour être refusée.

De plus, ne connaissait-il pas Norton depuis près de quinze ans? C'était un homme honnête et droit. Et puis, quand il aurait terminé cette commande, il aurait tout le temps voulu pour finir *Lethal Deceptions*...

Simon jeta les paperasses sur le comptoir de sa cuisine exiguë et s'assit à la petite table. Cet appartement était ce qu'il avait pu trouver de moins cher quand il avait démissionné du journal : une baisse radicale de niveau de vie par rapport à son ancien loft qui dominait le Potomac. Il regarda d'un œil morne par la fenêtre, qui donnait sur une cour étroite et un garage en ruine que le propriétaire gardait toujours fermé.

Simon enleva sa veste puis se rendit au salon, où il la jeta sur une extrémité du canapé avant de s'asseoir. Sur la table basse se trouvait la dernière version de *Lethal Deceptions*, son enquête sur une opération de blanchiment d'argent qui remontait jusqu'au gouvernement et impliquait des diplomates de sept autres pays. Évidemment, les individus concernés niaient avec virulence toute implication dans cette affaire, mais le jeune homme avait passé trop de nuits à discuter avec plusieurs membres de l'organisation pour douter un seul instant que l'histoire fût vraie. Malheureusement, son rédacteur en chef refusait de la publier sans l'aval du service juridique, et ledit service juridique ne voulait pas donner son accord sans vérification préalable des sources.

Tandis que Simon et le service juridique argumentaient vainement, les cadavres de trois de ses informateurs avaient été retrouvés sur un bateau de pêche dans le golfe du Mexique, la gorge tranchée.

Il leur devait de terminer et de publier le livre. Et le meilleur moyen d'y parvenir – le plus rapide – était de le laisser de côté quelques mois pour écrire la biographie de Hayward ; c'était on ne peut plus clair.

Alors qu'est-ce qui, dans l'offre de Norton, continuait à le déranger ?

## 3

Un soleil de fin d'après-midi se glissait à travers les vitrages de la serre, projetant de fins éclats de lumière sur les tables en bois usées qui, disposées les unes contre les autres, formaient un long établi au centre de la pièce étroite. Rangés avec une parfaite précision sur la table la plus proche de la porte, des pots de tourbe attendaient leur lot de germes soigneusement sélectionnés. À l'extrémité opposée, des pots en terre avaient été préparés pour les petites pousses qui seraient transplantées un de ces jours de fin d'hiver, puis progressivement acclimatées à la température extérieure avant d'être vendues en boutique.

Dina McDermott ouvrit la porte en bois et la poussa du pied juste assez pour pouvoir entrer dans l'intérieur humide et chaud de la serre qui abritait l'essentiel de sa pépinière. Elle la referma soigneusement avant de poser un gros sac de terreau par terre, alluma, puis jeta un coup d'œil au thermomètre accroché au dos de la porte. Satisfaite de la stabilité de la température, elle enleva ses vieux gants en peau et les glissa distraitement dans les poches de sa veste, qu'elle lança sur un crochet. Elle appuya sur le bouton de la radio et sursauta sous l'assaut d'un rappeur lui hurlant sauvagement aux oreilles. Elle s'empressa de baisser le volume.

— William, mon ami, je crois que nous devons avoir une petite discussion, marmonna-t-elle tout en cherchant sa station de rock favorite.

William Flannery, le jeune lycéen que Dina employait de temps en temps, avait un penchant pour la musique écoutée à pleins tubes, pour les bolides et pour Kelly, la jolie blonde qui tenait la boutique de Dina chaque week-end pendant la haute saison. Il traînait si souvent dans les parages l'été précédent que Dina avait fini par l'embaucher.

Si seulement ses goûts musicaux étaient un peu plus tolérables…

Dina coinça une longue mèche de ses cheveux noirs dans le chignon qu'elle avait négligemment noué sur sa nuque et se pencha sur les annuelles qu'elle avait plantées le dimanche précédent. Les premières petites pousses vertes commençaient tout juste à transpercer la terre, et la vue de ces feuilles aussi fines que des plumes fit naître un sourire sur ses lèvres. Faire pousser sa propre pépinière lui permettait d'avoir un contrôle total sur la couleur et sur le genre, sur la texture et sur le parfum de ses fleurs, et ainsi de satisfaire les demandes de ses clients les plus exigeants. Déjà trois étagères d'espèces recherchées – salvias, delphiniums, ancolies et pavots – avaient germé, toutes indispensables aux jardins à l'ancienne si prisés ces temps-ci.

À trente ans, Dina était propriétaire de Garden Gates, une petite entreprise spécialisée dans la création et dans la restauration de jardins des XVIIIᵉ et XIXᵉ siècles. De tels projets étant assez rares, elle avait d'abord concentré ses efforts sur l'aménagement de la serre et de la boutique. Peu à peu, son affaire s'était consolidée, et au fil du temps elle avait réussi à décrocher quelques contrats en or alors que l'extension des quartiers bourgeois gagnait l'une après l'autre les petites villes voisines de Henderson, la cité du Maryland où elle habitait depuis plusieurs années.

L'année précédente, Dina avait été désignée pour restaurer plusieurs demeures historiques après avoir fondé sa réputation sur la rénovation de Ivy House, une propriété léguée à Henderson par deux vieilles sœurs qui habitaient la ville depuis des décennies. La jeune femme écrivait également des articles de botanique dans le journal local et était consultante pour la chaîne de télévision locale. L'un dans l'autre, elle se débrouillait plutôt très bien.

— *Sacrément* bien, si on veut mon avis, se félicitat-elle tout haut, se demandant si elle devait planter davantage de roses trémières, celles-ci ayant été épuisées dès le début du mois de juin, l'année précédente.

Absolument tout le monde, semblait-il, voulait recréer le jardin de sa grand-mère.

Et les affaires de Dina s'en portaient à merveille.

D'un tiroir d'une des tables elle sortit un calepin pour dessiner un parterre de fleurs commandé par une famille qui avait récemment acheté l'une de ces nouvelles et luxueuses maisons construites sur Landers Road, et dériva dans un rêve de couleurs de plein été. C'est ce que les propriétaires voulaient : des tas et des tas de couleurs…

— Garden Gates, dit-elle en attrapant le téléphone qui sonnait sur le petit bureau derrière elle.

— Bonjour, ma chérie.

— Oh, bonjour, maman. Tu es déjà rentrée du travail ?

— Déjà ? répéta Jude en riant. Il est presque six heures. En fait, je suis plutôt en retard aujourd'hui.

Dina fronça les sourcils et regarda dehors par les parois de verre. Concentrée sur ses graines, ses pousses et ses dessins, elle n'avait pas vu le temps passer, et maintenant le soleil se couchait tandis que son estomac lui rappelait qu'elle n'avait rien mangé depuis onze heures du matin.

— Je ne m'étais pas rendu compte qu'il était si tard. J'ai une réunion ce soir avec les bénévoles pour notre parc commémoratif.

— À quelle heure ?

— Huit heures. Mais je voudrais y être un peu avant pour voir Don Fletcher ; je souhaiterais lui parler des quelques bancs à installer dans le jardin.

— Oh, oh, fit la voix soudain plus animée de Jude. Don n'est-il pas ce séduisant menuisier qui a travaillé avec toi sur le belvédère du parc ?

Dina leva les yeux au ciel.

— Tu sais très bien qui il est. Ne te monte pas la tête.

— Que veux-tu dire ?

— Maman, tu es à peu près aussi subtile qu'un bulldozer. Mais sache, pour ta gouverne, que Don ne m'intéresse pas. C'est un bon menuisier, et un homme sympathique. Il a été très généreux en mettant gratuitement son temps et ses compétences au service de la communauté.

— Et… ?

— Et rien. C'est tout. Il ne m'intéresse pas autrement que sur le plan professionnel.

— Dommage, soupira Jude.

Elle connaissait assez sa fille pour savoir quand abandonner.

— Si tu passais, en rentrant ? J'ai l'intention de faire un crumble aux pommes.

— Corruption, marmonna Dina. Certaines mères feraient n'importe quoi pour garder leur progéniture attachée à leur tablier.

— Tant que ça marche…

— Malheureusement, je vais devoir refuser. J'ai une journée chargée, demain, et je suis crevée. Polly et moi avons travaillé jour et nuit pour la Saint-Valentin.

Dina regarda l'horloge.

— Maman, il faut que je file. Je dois me doucher et manger un morceau avant la réunion. Je t'appelle demain matin.

Dina raccrocha avant de glisser le sac de terreau dans une poubelle placée sous la table et essuya ses mains sur son jean. Elle jeta un rapide coup d'œil aux primeroses disposées sous les lumières chauffantes puis, satisfaite que de voir tout en ordre, attrapa sa veste, éteignit la lumière et ferma la serre pour la nuit.

Malgré le froid piquant de cette fin février, Dina s'arrêta sur le chemin de l'ancienne grange qui lui servait de logement. Dans le ciel assombri, strié de rose et d'or, des oies volaient par petits groupes, traçant une trajectoire précise au-dessus des champs plats ; quelque part dans le lointain un hibou hulula. Dina sourit ; en cet instant précis, tout allait pour le mieux dans son univers. Elle grimpa les trois marches du perron, fouillant ses poches à la recherche des clés, puis ouvrit la porte et pénétra dans la quiétude de la petite entrée.

L'horloge accrochée au mur égrenait bruyamment les secondes, et Dina grimaça en passant devant pour allumer la lampe. Elle l'avait trouvée dans une brocante six mois auparavant, et avait eu beau changer les piles plusieurs fois, cette fichue machine continuait à donner l'heure qui lui chantait. Ce soir elle indiquait 1 h 45. Dina soupira et nota mentalement : *acheter une nouvelle horloge*.

Elle traversa la petite pièce dans laquelle elle avait l'habitude de prendre ses repas et posa sa veste sur l'une des quatre chaises. La table était encombrée par plusieurs piles de courrier, de magazines, de factures, de messages téléphoniques, de croquis, chacune des piles occupant une place précise. Dina ne savait pas s'y retrouver autrement.

Dans sa cuisine aux murs entièrement blancs, Dina mit de l'eau à chauffer pour des pâtes, puis rassembla ce dont elle aurait besoin pour son dîner. En attendant que l'eau bouille, elle alla à la fenêtre du salon et contempla l'ancienne ferme Aldrich, qu'elle avait achetée l'année précédente. Les fenêtres de la cuisine étaient éclairées ; Polly Valentine, sa collaboratrice et amie, était sans doute en train de préparer le dîner de sa fille, Erin.

Cette vieille ferme, Dina l'avait acquise dans l'intention de l'habiter.

Tel avait été son projet initial. Mais le destin, semblait-il, avait autre chose en tête.

Quand elle s'était mise en quête d'une propriété pour installer son entreprise, seuls les sept acres de terrain, avec la grange qu'elle occupait actuellement, étaient disponibles. Il y avait eu une ferme attenante à une époque, mais elle avait brûlé dans un incendie et depuis que les propriétaires, qui vivaient en ville, louaient leurs terres à un voisin, elle n'avait jamais été reconstruite. Dina avait acheté la totalité du domaine avec l'intention d'acquérir les dix acres de la propriété adjacente si elle venait à être un jour mise en vente. Trois ans plus tard, ce fut le cas, et elle l'acheta aussitôt. Mais des dissensions entre les différents membres de la famille propriétaire repoussèrent l'opération de presque un an. Quand la vente fut enfin conclue, Dina avait déjà restauré la grange et était trop débordée de travail pour se charger de restaurer l'ancienne ferme.

À la même époque, Jude avait fait la connaissance de Polly Valentine et suggéré que Dina rencontre cette fragile jeune femme au passé difficile.

Polly, rescapée d'un mauvais mariage, avait porté un coup de batte de base-ball qui fut fatal à son ex-mari, un homme violent qui la battait, alors qu'il essayait de s'introduire dans son appartement après les avoir menacées, elle et sa fille, à plusieurs reprises. Incapable de payer une caution, elle avait passé cinq mois en prison en attendant son procès. Elle fut acquittée, mais elle avait perdu la moitié d'une année, son travail chez un fleuriste, le respect d'elle-même et, ce qui était encore plus grave, sa fille de neuf ans, Erin. Jude, qui enseignait bénévolement à la prison du comté, y avait rencontré Polly, et quelque chose dans le regard de la jeune femme l'avait poussée à assister à son procès quand il avait commencé. Le jour de l'acquittement de Polly, Jude l'avait attendue dehors et, apprenant que Polly n'avait nulle part où aller, l'avait accueillie chez elle. Il ne lui avait pas fallu longtemps pour convaincre sa fille d'engager Polly et de lui louer la ferme. Après tout, Dina avait besoin d'aide, Polly d'un travail et d'un toit, et la vieille ferme devait être repeinte. Il était évident que Dina, déjà confortablement installée dans sa grange, ne trouverait jamais le temps de le faire.

C'était la meilleure décision qu'elle eût jamais prise : Polly avait un don certain avec les fleurs, et elle était devenue un formidable atout pour l'entreprise. Et une véritable amie.

Quand l'eau commença à bouillir, Dina y jeta une poignée de pâtes. Une deuxième casserole de sauce tomate commençait à frémir tandis que Dina se rendait dans son bureau au bout du couloir pour y récupérer un dossier jaune. Elle dégagea un espace sur la table de la salle à manger, puis retourna à la cuisine, le dossier sous le bras et, debout, mangea un reste de salade qu'elle avait trouvé dans le frigo. Une fois les pâtes cuites, elle les fit distraitement glisser dans la passoire, l'esprit tout occupé par le contenu du dossier jaune. Préparant une assiette, elle regagna la salle à manger où elle dîna de la main gauche pendant que la droite jouait avec les croquis, des plans paysagers pour une autre de ces nouvelles maisons construites le long de la rivière : une magnifique demeure de style fédéral, toute en briques rouges.

Mme Fisher, la propriétaire, tenait à ce qu'elle appelait «un jardin sauvage à l'anglaise». Malgré les conseils subtils de Dina, qui suggérait quelque chose de légèrement plus structuré, peut-être mieux approprié au style de la demeure, Mme Fisher ne voulait pas démordre des vagues de delphiniums, de phlox et de roses trémières qu'elle avait imaginées pour sa propriété. Le seul moyen qu'avait trouvé Dina pour ne pas tout gâcher était de disposer les parterres de telle façon qu'ils compléteraient l'architecture sans l'envahir. À cette fin, elle jouait avec l'idée d'un jardin clos de murs orné d'un patio et traversé par un chemin pavé de briques qui longerait les parterres de fleurs. Appuyées contre les murs, les hautes plantes vivaces apparaîtraient plus gracieuses, moins incongrues. Pour l'arrière de la maison, elle prévoyait un jardin de plantes aromatiques, dont la taille serait plus en phase avec l'espace que les Fisher souhaitaient créer.

Dina avala une dernière pâte maintenant froide à l'instant où sa montre sonna, la prévenant qu'il était presque sept heures. Si elle voulait être en ville une heure plus tard, elle devait passer sous la douche tout de suite. Elle ferma son dossier, alla poser la vaisselle sale dans l'évier, puis ferma la porte de derrière avant de gravir l'étroit escalier menant à sa chambre, où elle se débarrassa de ses vêtements de travail. Alors qu'elle se hâtait vers la salle de bains, elle eut une vision fugace de sa longue silhouette dans le miroir, son peignoir jeté en travers de l'épaule : elle se trouva un air pressé, et légèrement exténué. Faisant couler l'eau de la douche, elle enleva les élastiques et les épingles qui retenaient sa sombre chevelure, espérant que quelques minutes sous l'eau lui redonneraient de l'énergie.

Bien trop tôt, l'eau chaude commença à perdre de la pression ; Dina savait qu'il lui faudrait au moins dix minutes pour se rétablir. Elle décida de fermer le robinet et posa ses pieds mouillés sur l'épais tapis de coton qui les protégeait du froid carrelage pour se sécher rapidement les cheveux. Vêtue d'un pantalon de toile et d'un pull bleu, elle attrapa sa veste, son sac et le dossier jaune, puis sortit. Il lui faudrait à peine cinq minutes pour atteindre le centre de Henderson, mais elle voulait arriver le plus tôt possible pour voir Fletcher.

Quelques flocons de neige avaient commencé à tomber, et les marches du perron étaient déjà glissantes. Elle monta dans son Explorer, passa devant la serre et la boutique, et traversa enfin le petit parking.

Dina longea l'ancien verger et les acres de sapins de Noël avant d'accélérer en arrivant au niveau de la ferme, préoccupée par son idée de piscine pour le nouveau parc. Lequel des bénévoles accepterait de la creuser ?

La réunion pour le jardin commémoratif dura moins d'une heure ; Dina avait hâte de rentrer se coucher.

Sur le trajet du retour, elle pensa aux mois à venir : quand Polly serait prête à prendre plus de responsabilités à la boutique, peut-être aurait-elle plus de temps pour elle-même et pour les choses qu'elle aimait dans ce métier, comme les phases de conception. Elle entra chez elle, où seul le gargouillis du bocal à poisson dans le salon troublait le silence.

Moins de temps passé à la boutique pourrait également lui permettre d'enseigner à l'école des Arts et Métiers, où tant d'élèves souhaitaient apprendre les bases de l'art du paysagisme, comme elle avait pu s'en rendre compte en y donnant des cours bénévoles.

Moins de temps passé à la boutique signifierait encore qu'elle pourrait presque – peut-être – avoir une vie en dehors de son travail.

*Tu rêves*, railla-t-elle, narquoise, en fermant la porte derrière elle.

Elle se débarrassa de ses bottes et les laissa près de la porte, s'arrêtant pour parcourir le courrier du jour. Quelques factures, un ou deux catalogues, et une carte d'une amie à peine revenue d'une lune de miel à Hawaï, accompagnée d'une photo de l'heureux couple assis à une table de restaurant, des colliers de fleurs autour du cou. Le photographe les avait saisis les yeux dans les yeux, et l'amour qu'ils se portaient éclatait tellement dans leurs regards et dans leurs sourires que Dina eut soudain la désagréable impression de pénétrer au cœur de leur intimité.

Elle remit la photo dans l'enveloppe et essaya d'ignorer le pincement d'envie qui lui serrait le cœur. Elle n'avait jamais regardé personne comme Cara regardait Tom sur cette photo… Et le bonheur de son amie lui rappelait que, malgré tout ce qu'elle avait accompli professionnellement, elle dormait seule chaque nuit.

## 4

Trois semaines après son entretien avec Philip Norton, Simon avait trouvé une maison à louer à Arlington, emballé ses affaires, et quitté le quartier décrépit qui avait été le sien pendant de trop nombreux mois. Il avait également visionné dix-huit heures de cassettes vidéo et lu des montagnes d'articles consacrés au président Graham T. Hayward. Enfin, il avait établi une liste provisoire des gens avec lesquels il souhaitait s'entretenir et repéré, via Internet, ceux d'entre eux qui faisaient encore partie du monde des vivants.

Il avait définitivement écarté sept noms et procédait à une nouvelle vérification quand le téléphone sonna. Simon dut enjamber une pile de magazines et fourrager dans un tas de journaux pour dénicher le combiné.

— Keller.

— C'est Philip Norton, Simon. Comment ça va ?

— Bien, merci.

Il réussit à rattraper un magazine qui glissait vers le bord de la table pour stopper la pile qui menaçait de s'effondrer.

— Je voulais vous dire que j'ai lu les pages que vous m'avez envoyées.

Norton tira sur sa pipe.

— Jusqu'ici ça me plaît ; votre livre est très prometteur, Simon. Il a besoin d'être peaufiné, mais son potentiel est énorme.

— Vraiment ?

Simon s'assit au bord du canapé, savourant le compliment.

— Vous le croyez vraiment ?

— Oui, sincèrement. Je trouve votre travail excellent.

— Merci, Philip.

— Et où en êtes-vous du projet en cours ? Avez-vous eu le temps de consulter la documentation que je vous ai envoyée ?

— Je suis plongé dedans depuis que je l'ai reçue.

— Et ?

— Et je commence à sentir le sujet. Hayward avait apparemment plus d'amis que d'ennemis. J'ai commencé à établir une liste de gens à voir, que je recherche sur le Net.

Norton se racla la gorge.

— Je peux vous demander qui est sur votre liste ?

— J'imagine que les morts ne comptent pas, marmonna Simon tout en cherchant ses notes. J'ai du mal à retrouver la trace de Aaron Follows, de Mike Huntley et de Miles Kendall.

— Aux dernières nouvelles, Follows vivait à San Diego, mais je peux vérifier pour vous. À votre place, je laisserais tomber Huntley. Quant à Miles Ken…

— Pourquoi ?

— Pourquoi quoi ?

— Pourquoi laisser tomber Huntley ?

— Parce que c'est un minable d'enfoiré qui passait le plus clair de son temps à provoquer des discordes. Il n'a jamais rien de positif à dire sur personne mais, bien sûr, c'est à vous de voir ; c'est votre livre.

Simon eut de nouveau l'étrange impression que Norton lui cachait quelque chose. C'était assez perturbant. De toute façon, il retrouverait et interviewerait Mike Huntley, que Norton le veuille ou non.

— Et Miles Kendall ? Je n'arrive pas à trouver son adresse, mais la Sécurité sociale indique qu'il est encore en vie. En tant qu'ancien secrétaire général de Hayward, il devrait avoir des anecdotes intéressantes à partager.

— Probablement, mais il n'en a plus aucun souvenir : Kendall est atteint de la maladie d'Alzheimer.

— Je suis désolé de l'entendre. Avoir été si proche du président pendant si longtemps – il venait lui aussi de Rhode Island, d'après ce que j'ai compris…

— Et il était également diplômé de Brown.

— Oui, j'ai lu ça quelque part. Vous avez dû bien le connaître.

— Oh oui, mais nous nous sommes perdus de vue depuis la mort du président.

— Vous n'étiez pas des amis proches, alors ?

— Nous étions chacun plus proche du président que l'un de l'autre.

Norton semblait choisir ses mots avec précaution.

— Vous ne sauriez pas où je pourrais le trouver ?

— Il est dans une maison de retraite.

— Laquelle ?

Simon avait le net sentiment qu'on le menait en bateau, et il n'aimait pas ça.

— Il est à Saint-Margaret, à Linden.

— Linden, dans le Maryland ? demanda Simon, surpris.

— Oui. Je crois que Kendall a été malade et a vécu quelque temps chez un neveu ; puis le neveu a été muté à Houston et il a placé Kendall à Saint-Margaret.

— Pas d'enfants ?

— Non. Kendall ne s'est jamais marié.

Norton marqua une pause avant de hasarder :

— Je suppose que vous irez le voir, lui aussi ?

Simon éclata de rire.

— Il y a des chances.

— Qui d'autre comptez-vous contacter ?

— La seule autre personne de ma courte liste est Adeline Anderson.

— La journaliste du *Washington Press* qui couvrait les événements mondains à l'époque…

Simon pouvait presque voir Norton approuver de la tête.

— … excellent choix. Elle connaissait tout le monde, et savait tout de tous. On avait l'habitude de dire, à l'époque, que si Addie Anderson n'était pas au courant de quelque chose, alors ça ne s'était pas réellement passé.

— J'ai pensé qu'elle pourrait m'aider à planter le décor.

— Sans aucun doute. Je crois qu'elle habi…

— J'ai ses coordonnées, merci. J'ai également contacté Hayward fils et l'ancienne *first lady*, ainsi que Sarah Decker, la fille du président.

— Vous démarrez bien, on dirait.

— Je crois, merci.

— Si vous avez besoin d'aide, n'hésitez pas à m'appeler.

— Ça m'étonnerait.

Se rappelant ses bonnes manières, il ajouta :

— Mais c'est gentil à vous de le proposer.

— On reste en contact, alors.

— Absolument.

À peine avait-il raccroché que le téléphone sonnait de nouveau.

— Monsieur Keller ? Sarah Decker à l'appareil.

— Ah, madame Decker, merci de me rappeler si vite.

— J'ai cru comprendre que vous écriviez un livre sur mon père…

— Oui, je… Excusez-moi, mais comment l'avez-vous appris ?

— Ma mère m'en a parlé. Je crois qu'elle a eu Philip Norton au téléphone, ce week-end…

— Ah ? dit Simon, un peu agacé par cette nouvelle.

— Maman a dit que vous téléphoneriez probablement pour prendre rendez-vous.

— Oui, en effet, j'espérais vous rencontrer… au moment qui vous conviendra, bien sûr.

— La famille est très emballée à l'idée de votre livre, je ne veux pas être en reste. Avez-vous une date en tête ?

Simon entendit le léger froissement de pages qu'on tournait.

— La date la plus proche qui vous conviendrait.

— Alors que diriez-vous de mardi prochain ?

— C'est parfait.

Simon n'avait pas besoin de regarder son agenda. Même s'il avait un autre rendez-vous, il l'annulerait pour interviewer Sarah Decker.

— À treize heures trente ?

— Très bien.

— Magnifique. Vous avez notre adresse ?

Il sortit de sa poche de chemise le morceau de papier où il l'avait notée pour vérifier avec elle.

— Je vous attends mardi, alors. N'hésitez pas à m'appeler si vous avez un empêchement.

— Je n'en aurai pas, lui assura-t-il.

Rien n'empêcherait sa rencontre avec Sarah Decker, fille d'un ancien président des États-Unis et sœur d'un de ses probables successeurs : Simon serait au rendez-vous, elle pouvait y compter.

En se garant devant la maison de Sarah Decker et de son mari, le contre-amiral Julian Decker, Simon se demandait comment aborder sous un angle neuf une famille si connue. Le jeune contre-amiral est à la retraite, se rappela-t-il en suivant l'allée pavée menant à la porte de la belle demeure de style colonial entourée par un impeccable jardin paysager.

La porte s'ouvrit avant qu'il n'ait levé la main pour sonner.

— Monsieur Keller ?

Sur le seuil se tenait Sarah Decker, une des plus parfaites créatures que Simon eût jamais vues.

— Lui-même.

Il hocha la tête et sourit malgré lui. De toute évidence, les photographes n'avaient pas su rendre justice à la délicate beauté de cette femme. Avec ses cheveux mi-longs d'un blond pâle et ses yeux d'un gris bleu incomparable, Sarah, âgée d'une petite quarantaine d'après les documents consultés par Simon, aurait facilement pu passer pour une femme de dix ans plus jeune.

— Vous êtes ponctuel, apprécia-t-elle en souriant, le priant de la suivre.

— Merci, répondit Simon en passant devant elle pour pénétrer dans le hall.

— Votre manteau ?

Devant sa main tendue, Simon essayait de ne pas montrer la maladresse qui le troublait soudain, encombré qu'il était d'une mallette qu'il ne voulait pas lâcher et d'un pardessus qu'il essayait d'enlever.

— Merci.

— Et ceci ? demanda-t-elle, toujours souriante, prête à s'emparer de la mallette.

— Je la garde, merci, dit-il pour la troisième fois en quelques secondes.

Il se tança mentalement pour son manque d'à-propos.

— Par ici, indiqua Sarah en le conduisant vers l'arrière de la maison. J'ai pensé que nous serions mieux dans la véranda ; c'est une si belle journée, si lumineuse. Je manque cruellement de soleil après cet hiver pluvieux, pas vous ? Que puis-je vous offrir ? Du café, du thé ?

— Oh, je prendrai la même chose que vous.

Simon la suivit dans une pièce presque entièrement vitrée, éclaboussée de soleil.

— Ou peut-être une boisson froide ?

Sarah Decker s'arrêta sur le seuil.

— Un thé sera parfait.

— J'en prendrai un aussi, avec quelques-uns de ces sablés que la gouvernante a préparés hier, proposat-elle gaiement. À condition que notre fille et ses amis ne les aient pas tous engloutis hier soir…

41

— Cette pièce est magnifique.

Simon posa sa mallette par terre, au pied de l'un des fauteuils en osier qui entouraient une table ronde au plateau de verre.

— N'est-ce pas ? se réjouit son hôtesse. J'y passe beaucoup de temps ; j'y prends même mon déjeuner tous les jours, pour profiter des jardins.

C'était manifestement une pièce de femme, aux fenêtres ornées de rideaux de dentelle, aux murs recouverts de papier peint rose pâle, et décorée de meubles blancs, toutes choses confortant Simon dans cette impression de douceur et de féminité qui émanait de Sarah Decker.

Celle-ci revint bientôt avec un plateau chargé d'une théière, de deux tasses en porcelaine bleu et blanc posées sur des sous-tasses assorties, d'un sucrier, de deux cuillères, de plusieurs serviettes en lin et d'un plat en verre où trônait une petite montagne de sablés.

Elle s'assit en face de Simon. Il avait le sentiment que le plateau avait été préparé à l'avance et attendait son arrivée dans la cuisine.

— Et voilà, dit-elle en posant le tout au centre de la table.

— Madame Decker…

— Sarah, corrigea-t-elle en servant une tasse à Simon d'un geste souple et assuré. Appelez-moi Sarah, je vous en prie. J'ai déjà bien assez conscience du poids des années, avec ma fille aînée qui vient d'avoir vingt ans et ma cadette qui en aura dix-sept la semaine prochaine. Et, à moins que vous n'y voyiez un inconvénient, je vous appellerai Simon. Ça ne vous pose pas de problème ?

— Aucun.

— Nous sommes plutôt sans façons, dans cette maison, comme vous pouvez le constater.

Elle le gratifia d'un sourire et versa un soupçon de sucre dans son thé.

Simon avait visionné de nombreuses images de la famille de l'ex-président, mais il songea une fois de plus qu'aucune d'elles n'avait vraiment capté la beauté de la femme qui était assise en face de lui. Sarah Hayward avait été une jolie adolescente, mais avec le temps elle était devenue absolument magnifique. Vu ses origines – la Nouvelle Angleterre –, Simon la soupçonnait de dissimuler un caractère d'acier derrière toute cette douceur.

— Ma mère m'a dit qu'elle a eu une agréable conversation avec vous, hier, commença Sarah.

— Tout le plaisir était pour moi ; il me tarde de la rencontrer. J'imagine qu'elle a dû être une *first lady* extraordinaire. À sa manière tranquille, bien sûr.

— Ma mère a été tranquillement extraordinaire dans chaque domaine de sa vie…

Sarah laissa échapper un petit rire.

— … dans chacun des rôles qu'elle a joués.

— C'est une façon intéressante de voir les choses. Quel a été le meilleur, à votre avis ?

— Le meilleur ?

— Son meilleur rôle.

— Oh, la réponse est simple.

Sarah glissa plusieurs sablés sur une assiette et la tendit à Simon avec une serviette.

— Madame Graham Hayward, voilà celui qu'elle tenait le mieux. Avant comme après la Maison-Blanche.

— Et en tant que mère ?

— Elle était merveilleuse. Aimante, encourageante. Toujours de notre côté. Quand Gray ou moi avions un problème, elle nous aidait toujours à trouver une solution. Elle nous a appris que rares sont les situations dans cette vie qui échappent à notre contrôle, si l'on y met du sien. Elle était aussi très compréhensive, et plaçait nos besoins et notre bonheur au-dessus de tout, en dépit de ce que les autres pouvaient penser.

— Par exemple… ?

Sarah mordilla un coin de son sablé.

— Par exemple, c'est grâce à elle que j'ai pu rester à mon ancien collège après l'élection de mon père.

— C'était important pour vous ?

— Très. J'avais treize ans quand mon père s'est porté candidat. Mes parents s'absentaient pendant des semaines, à l'époque. Après l'élection, je les ai suppliés de me laisser dans le même pensionnat, avec mes amies. Ma mère a réussi à convaincre mon père – et les services secrets – que je pouvais le faire sans prendre aucun risque.

— Avez-vous le sentiment d'avoir raté quelque chose en vivant à l'école plutôt qu'à la Maison-Blanche ? Ce devait être un endroit assez fascinant, tout de même.

— N'oubliez pas que nous vivions à Washington depuis douze ans. Beaumont Academy se trouvait à quarante-cinq minutes de la Maison-Blanche. Je faisais la navette quand je le souhaitais.

— Ainsi, vous profitiez de la meilleure part des deux univers.

— Exactement. J'avais ma chambre là-bas mais, en fait, quand on vit à la Maison-Blanche, tout se passe *en dehors* de vous.

Elle sourit.

— Là-bas, il n'était jamais question de moi, vous comprenez. Tout tournait toujours autour de mon père, ce qui était logique, bien sûr, puisqu'il était le président. Mais, comme toute adolescente, je voulais être le centre de l'attention, c'est bien normal à cet âge. À l'école, on me connaissait et on m'acceptait pour ce que j'étais… Alors je restais à Beaumont durant la semaine. Mais je passais presque tous les week-ends avec mes parents, invitant souvent plusieurs de mes amis.

— Je crois avoir lu quelque chose sur des fêtes à tout casser au dernier étage de la Maison-Blanche.

— Beaucoup de fêtes à tout casser, confirma-t-elle, les yeux pétillants. Beaucoup de musique à fond et de pizzas commandées au milieu de la nuit. Beaucoup de leçons de morale de ma mère le lendemain matin. Comme n'importe quelle autre adolescente.

— Et de Beaumont vous êtes allée à Brown ?

— Quel Hayward n'est pas allé à Brown ? À part maman et Jen, évidemment, puisqu'à l'époque ils n'acceptaient que les garçons. Mais notre Emily, papa, Gray, mes deux grands-pères... jusqu'où voulez-vous que je remonte ?

— Et votre mari ?

— Julian a toujours rêvé d'aller à Annapolis, mais il est d'une famille de marins : son père et lui ont fait le Vietnam, et son grand-père a servi dans le Pacifique sud pendant la Deuxième Guerre mondiale.

— Comment vous êtes-vous rencontrés ?

— Sa plus jeune sœur, Carolyn, était une de mes camarades de classe, à Beaumont.

— Jolie histoire. Saviez-vous, quand vous avez eu votre bac, que vous seriez belles-sœurs un jour ?

— En fait nous n'avons pas obtenu le bac en même temps. Les camarades de ma promotion l'ont eu un an avant moi parce que j'ai pris une année sabbatique.

Elle hésita un instant, puis demanda :

— L'ai-je déjà mentionnée ?

— Non.

— J'ai voyagé avec mes parents pendant ce qui aurait dû être mon année de terminale – mon père avait tellement de visites prévues en Europe et en Afrique du Sud que nous avons décidé que je prendrais une année de congé pour accompagner mes parents. Ce fut ma plus grosse concession au statut de fille de président.

Elle sourit avec nostalgie.

— Évidemment, quand j'ai réintégré le lycée, mes amies l'avaient quitté. Et après l'université, nous nous sommes toutes éparpillées pour mener nos vies, nos carrières, nous occuper de nos enfants. Maintenant, je ne les vois plus qu'à l'occasion des mariages et des enterrements. La dernière fois, heureusement, c'était un mariage.

— À quand cela remonte-t-il ?

— À trois ou quatre ans, je crois, soupira Sarah. C'est vraiment dommage, mais on dirait que plus vos enfants grandissent, moins votre vie vous appartient. Entre leurs activités et le reste… Même si, Kristen passant son permis de conduire la semaine prochaine, je vais gagner quelques heures de liberté.

— Êtes-vous en train de me dire que Sarah Hayward Decker est une maman foot ?

— Une maman hockey, rectifia-t-elle gaiement. Nous sommes dans le Maryland, n'oubliez pas.

— Dois-je en déduire que vos deux filles jouent ?

— Tant qu'elles peuvent.

— Et que fait votre mari depuis qu'il a pris sa retraite ?

— Julian est à la retraite ? feignit-elle de s'étonner. Je n'avais pas remarqué.

Elle rit de bon cœur.

— En fait, mon mari a toujours été un érudit caché, alors il donne bénévolement des cours à l'Academy, il adore ça. Il s'essaie aussi à l'écriture : un roman à suspense qui se déroule ici, à Annapolis. Et il pratique le golf régulièrement.

— Et vous ?

— Je vais au golf avec lui, au tennis avec des amies, et je suis inscrite dans un club de gym : je soulève des poids.

Elle plia son bras droit, comme pour gonfler un muscle.

— Je ne constate pas beaucoup d'amélioration, mais il faut dire que j'ai commencé depuis seulement trois semaines.

— Je ne vous vois pas vraiment en haltérophile.

— Ce n'est franchement pas un commentaire flatteur, monsieur Keller.

Sarah sirota une longue gorgée de thé avant de reprendre :

— Je reconnais que je n'ai pas choisi cette discipline par goût, mais seulement parce que mon médecin assure que c'est une bonne manière d'éviter l'ostéoporose. Le body-building ne m'attire pas, mais je ne m'en sors pas trop mal. La femme de Gray s'y est mise, elle aussi – elle est devenue la dame de fer de la famille. Et j'ai même entraîné Mère dans l'aventure. C'est dire…

— Quels sont vos meilleurs souvenirs de la Maison-Blanche ?

— Oh, la nourriture, sans hésiter ! répondit-elle en riant. Il y avait des dîners somptueux où tout le monde venait en robes longues et smokings. Des gens élégants du monde entier. Des ambassadeurs et des princes. Des stars de cinéma et des chefs d'État. C'était comme se glisser dans un autre univers. Et la Maison-Blanche de nuit, eh bien, c'était un peu comme un plateau de cinéma, mais en mieux, parce que c'était réel.

Elle se leva et se dirigea vers un meuble en osier, dont elle ouvrit les portes centrales pour parcourir d'un doigt une rangée d'albums. Elle en sortit un et le cala sous son bras.

— Venez vous asseoir avec moi sur la banquette, je vais vous montrer.

Elle s'installa et, ouvrant l'album, le posa sur ses genoux.

— Regardez, indiqua-t-elle tandis que Simon s'asseyait à côté d'elle, c'est l'un de mes plus vieux albums. Voici Barbara Streisand. Et Paul Newman. Là, un astronaute, je ne me souviens plus lequel. Et Muhammad Ali…

— Vous n'êtes sur aucune de ces photos, nota Simon.

— Parce que je les ai toutes prises.

— C'était une sacrée chance pour une adolescente.

— Je ne vous le fais pas dire.

— Ça devait être amusant, murmura Simon alors que défilait page après page une succession de gens riches, célèbres et importants.

— De jouer les photographes amateurs ?

— D'être la fille du président des États-Unis.

— Je ne me suis jamais autant amusée, reconnut doucement Sarah en allant ranger l'album. J'ai adoré ça, autant que ma mère adorait être la *first lady*.

— Même si vous préfériez vivre au pensionnat ?

— L'un n'empêchait pas l'autre, répondit-elle d'un ton soudain presque sec.

Simon réalisa que, pour la première fois de leur entretien, une émotion venait de percer dans sa voix.

— Avez-vous des photos de vos voyages à l'étranger ? demanda-t-il en s'interrogeant sur cette brusque pointe d'humeur.

Sarah regarda par-dessus son épaule et marqua un temps d'arrêt, puis elle se tourna de nouveau vers les étagères, pianotant sur celles-ci comme à la recherche de quelque chose en particulier. Finalement, elle sortit un album presque identique au premier.

— J'ai dû laisser les photos en question chez ma mère.

Elle sourit chaleureusement ; le moment de tension était passé.

— Mais voici des photos de mon père.

Elle revint s'asseoir sur le canapé.

— Vous voyez celle-ci ? dit-elle en tournant l'album vers lui. C'est l'une de mes préférées.

— Qui est la femme à côté de votre père ?

Simon scrutait la femme aux cheveux blancs qui souriait, le bras de Graham Hayward passé sur ses épaules, dans ce qui était manifestement le Bureau ovale.

— C'est Mme Carlyle, la secrétaire de Père. Il aimait tellement cette photo qu'il l'a fait agrandir et encadrer pour la lui offrir quand il a quitté la Maison-Blanche. Mme Carlyle était une vraie grande dame.

Sarah tournait les pages, s'arrêtant pour désigner un dignitaire ou une célébrité dont elle avait capturé l'image plusieurs années auparavant.

— Et là, est-ce Miles Kendall ? demanda Simon en approchant l'album des baies vitrées pour mieux voir.

— Oui. Miles était le secrétaire général de mon père ; et son meilleur ami.

— Il paraît qu'il est malade.

— Oui. C'est un vrai malheur. Père et lui étaient des amis de toujours ; et il était presque un second père pour moi. Quand mes parents s'absentaient, c'était à lui que je devais des comptes. Il a remplacé mon père tant de fois...

Sarah sourit avec nostalgie.

— C'est même lui qui m'a appris à conduire. C'est vraiment triste ce que... enfin, de voir combien il est diminué, aujourd'hui.

— Vous lui rendez visite souvent ?

— Non. J'ai honte de le dire, mais non, je ne lui rends jamais visite. La dernière fois que je l'ai vu, on venait juste de l'installer dans son nouveau foyer. Nous y sommes tous allés – Mère, Gray, Jen et moi. Il était évident que l'homme que nous avions connu et aimé... n'était tout simplement plus là. Il ne nous a pas reconnus, et n'a pas prononcé un seul mot pendant tout le temps qu'a duré notre visite. C'était extrêmement angoissant. Je sais que ça n'est pas très noble de ma part, mais je n'ai jamais pu me résoudre à y retourner.

— Connaissez-vous le neveu de Kendall, celui qui a organisé son placement ?

— Oui, Dan...

Elle plissa les lèvres.

— Dan… Je n'arrive pas à me rappeler son nom. Mon frère devrait s'en souvenir.

— Je dois le rencontrer bientôt, je lui poserai la question.

— Vous envisagez d'aller voir Miles, n'est-ce pas ? Ses yeux s'agrandirent légèrement.

— Oui. Après tout, il était le confident du président.

— Je doute qu'il ait conservé le moindre souvenir de cette époque, vous savez. C'est terrible, mais je crains qu'il n'ait tout oublié.

Les pages de l'album claquèrent sèchement alors qu'elle le refermait et se levait.

— Je le trouverai peut-être dans un bon jour.

— Je ne crois pas qu'il en ait encore. Mais bien sûr, mieux vaut le constater par vous-même. Et téléphoner avant pour vous épargner un déplacement inutile.

— C'est un judicieux conseil.

Après un instant de silence gêné, Simon comprit que Sarah souhaitait mettre fin à leur entretien.

— N'hésitez pas à m'appeler si vous avez encore besoin de moi, dit-elle d'un ton agréable, endossant de nouveau son rôle de charmante hôtesse.

— Je pourrais avoir besoin d'un autre entretien, dit Simon.

Il rangea ses notes dans sa mallette avant de se lever.

— Comme nous en étions convenus par téléphone, je vous enverrai une petite liste de questions. Vous n'êtes pas obligée de répondre en totalité – ce n'est pas un examen –, mais toutes les idées qui pourraient vous venir seront les bienvenues.

— Si cela peut vous être utile…

Elle le reconduisit jusqu'à la porte.

— Merci pour le temps que vous m'avez consacré, Sarah.

Il avait commencé à lui tendre la main quand le téléphone sonna.

Elle se figea, puis laissa échapper un petit rire.

— Je parie que c'est Kirsten. Je crois que j'étais censée aller la chercher, ce soir, je dois être en retard.

— Alors je vous débarrasse de ma présence, dit Simon en sortant.

— Merci de votre compréhension. Et à bientôt.

Elle souriait encore en refermant la porte.

Simon gara sa Mustang dans le parking réservé aux visiteurs et regarda la façade de Saint-Margaret, une belle demeure qui, cinq ans auparavant, avait été convertie en centre de long séjour pour personnes âgées dépendantes. Si certains résidents n'avaient besoin que de quelques soins, d'autres – ceux qui occupaient l'aile la plus récemment construite – devaient être assistés à tout instant. Atteints de la maladie d'Alzheimer, ils payaient le prix fort pour avoir le privilège de vivre ici, dans ce coin huppé de Patuxent River, à mi-chemin entre la capitale et Chesapeake Bay.

Miles Kendall avait été un témoin privilégié de la période Hayward; s'il pouvait se souvenir de quelque chose – ne serait-ce que de l'*atmosphère* qui régnait à l'époque –, le livre de Simon, *Mémoires d'une époque. Portrait intime d'un président américain*, atteindrait son but. L'idée – présenter les nombreuses facettes de l'homme à travers le témoignage de ceux qui l'avaient le mieux connu – était venue au jeune homme alors qu'il quittait Annapolis. Saint-Margaret ne se trouvant pas très loin, il avait décidé de s'y rendre sur-le-champ pour constater par lui-même l'étendue de l'amnésie de l'ancien secrétaire général de la Maison-Blanche.

Simon ouvrit sa mallette posée sur le siège passager et en sortit un petit dictaphone. Il n'en aurait sans doute pas besoin, mais mieux valait parer à toute éventualité : si par une chance inouïe Kendall se trouvait dans un jour de lucidité, il ne voulait pas manquer une seule de ses paroles. Il glissa le magnétophone dans la poste de sa veste en tweed en dirigeant vers l'entrée principale.

Le hall de Saint-Margaret était tout de bois sombre, de vieux tapis orientaux et de voix étouffées. En dépit de plusieurs bouquets de fleurs et de litres de désinfectant et de désodorisant, l'air était imprégné de cette odeur si particulière qui émane de la vieillesse et de la maladie. Un bureau en chêne était installé au centre de l'entrée, derrière lequel trônait une jeune femme arborant un costume sombre et un sourire absent qui parlait doucement au téléphone.

— Bonjour ! tenta Simon en s'approchant d'elle.

La réceptionniste lui retourna son salut d'une voix à peine plus forte qu'un murmure, comme si elle ne voulait pas déranger.

— Je viens voir M. Kendall, annonça-t-il.

— Est-ce qu'il vous attend ?

— Ah, non. Cela pose un problème ?

— Seulement s'il dort, ou bien s'il est en soin.

Elle mit sa conversation en attente.

— Pouvez-vous vérifier s'il est disponible ?

— Bien sûr ; donnez-moi une seconde.

Simon parcourut du regard le chapelet de portraits lourdement encadrés accrochés aux murs en se demandant s'ils représentaient les anciens occupants de la maison ou s'ils ne visaient qu'à donner au hall un air de demeure familiale.

— M. Kendall est dans le salon.

— Par où dois-je passer ?

— C'est au fond du couloir menant à la nouvelle aile, après cette double porte. Mais vous devez attendre qu'on vous y conduise.

Elle pressa un bouton vert sur le téléphone, puis se tourna pour préserver son intimité.

Comme si Simon ne pouvait entendre ce qu'elle disait…

52

— Quelqu'un va venir, déclara-t-elle en lui faisant de nouveau face. Vous devez signer le registre des entrées.

Elle désigna un grand cahier posé sur une petite table à sa droite. Simon s'empara du stylo mis à disposition, signa – nom, date, heure et objet de sa visite –, puis leva les yeux vers son escorte, qui arrivait par la double porte.

— Vous venez voir M. Kendall ? lui demanda une sympathique jeune femme aux épaisses lunettes perchées sur un visage d'une rondeur épanouie.

— Oui, je...

— Magnifique. Suivez-moi.

Elle referma doucement la porte derrière eux, puis s'arrêta pour l'interroger :

— Vous avez signé le registre ?

— Oui.

— Bien. Le salon est par là, dit-elle en indiquant un couloir à sa gauche. C'est tellement bien que quelqu'un vienne voir ce vieux monsieur, il est si doux... du moins la plupart du temps.

— Il ne reçoit pas de visites ? demanda Simon en accélérant le pas pour se maintenir à sa hauteur.

— Aucune. En tout cas pas pendant mon service.

— Quelle tranche horaire faites-vous ?

— 8 heures, 16 heures.

— Et vous êtes ici depuis longtemps ?

— Depuis l'ouverture de Saint-Margaret, il y a cinq ans. J'étais l'une des premières employées, ajouta-t-elle avec une pointe de fierté.

— Et M. Kendall n'a reçu aucune visite durant tout ce temps ?

— Oh, il n'est pas ici depuis cinq ans. Seulement depuis... la fin de l'été dernier, je crois. Mais je ne me souviens d'aucun visiteur. C'est triste de vivre aussi longtemps et d'être oublié de tous, non ?

Elle s'arrêta devant une porte vitrée donnant sur une vaste pièce au fond de laquelle une baie vitrée offrait une vue splendide sur une immense pelouse traversée par une rivière au flot rapide.

— Là-bas, dans le rocking-chair, fit-elle à voix basse, comme si elle craignait de perturber les occupants du salon.

Mais personne n'avait semblé remarquer leur présence.

— Ils sont *tous* dans des rocking-chairs, murmura Simon.

— Le monsieur qui se tient le plus près de la baie vitrée. Désolée, je croyais que vous le connaissiez.

— Nous ne nous sommes jamais rencontrés.

— C'est gentil de prendre le temps de rendre visite à un inconnu, en tout cas. J'espère qu'il parlera, aujourd'hui ; il reste si souvent muré dans son silence…

— Eh bien, j'imagine que je le saurai très bientôt.

Simon sourit et regarda le badge où était inscrit le prénom de la jeune femme.

— Merci, June.

— Vous saurez retrouver votre chemin quand vous aurez fini ?

— Oui, ne vous inquiétez pas.

— Sinon, il y a toujours un ou deux aides-soignants dans les parages. Prenez votre temps. Et n'oubliez pas de signer le registre en partant.

Simon traversa la large pièce moquettée de marron sans que personne fît attention à lui. Même Miles Kendall ne cilla pas quand il prit une chaise pour s'asseoir en face de lui.

Ses yeux bleu pâle s'enfonçaient dans un visage amaigri par l'âge. Des taches brunes couvraient ses mains et, en se rapprochant, Simon put remarquer qu'elles parsemaient aussi le crâne chauve du vieil homme. Vêtu d'une chemise écossaise en coton bleu marine, blanc et marron, d'un cardigan et d'un pantalon sombre, Miles Kendall ne ressemblait en rien à celui qui, il y avait plusieurs années de cela, avait été si proche de l'homme le plus puissant du monde.

— Monsieur Kendall, dit Simon.

Les yeux bleus clignèrent ; Simon se pencha un peu.

— Bonjour, monsieur Kendall.

— Bonjour, répondit le vieil homme en hochant la tête.

— Je peux me permettre de vous tenir compagnie ?

Le vieillard sourit en hochant encore la tête.

— C'est un plaisir de vous rencontrer, monsieur.

— Avez-vous un chewing-gum ?

— Pardon ?

— Avez-vous un chewing-gum ?

Kendall fit travailler ses mâchoires comme s'il mâchait.

— Vous voulez un chewing-gum ?

— Oui, vous en avez ?

— Non, je crains que non. Je suis désolé, monsieur…

— Et de la réglisse, vous avez de la réglisse ?

— Euh, non, je…

— Qu'est-ce que vous avez, alors ?

Le vieil homme avait l'air contrarié.

— Je… eh bien, voyons… je…

Simon fouilla ses vêtements. Dans la poche intérieure de sa veste, il trouva un petit bonbon à la menthe enveloppé dans un papier d'un vert métallique.

— Je n'ai qu'un bonbon à la menthe, et Dieu sait de quand il date…

Les mains tremblantes de Miles s'en emparèrent. Il le portait à ses lèvres quand Simon réalisa qu'il allait le croquer tel quel.

— Attendez ! Le papier…

Simon voulut récupérer le bonbon.

— Il est à moi. Vous me l'avez donné, vous n'avez pas le droit de le reprendre.

Kendall cachait ses mains derrière son dos pour protéger sa petite gâterie.

— Il *est* à vous. Mais il faut enlever le papier avant de le manger. Allons, laissez-moi voir.

Simon lui fit signe de ramener ses mains devant lui. Avec un soupir de résignation méfiante, l'autre obéit. Le jeune homme dégagea le bonbon de son papier et le rendit au vieil homme, qui le fourra en un éclair dans sa bouche.

— C'était comment ? demanda Simon quand il l'eut avalé.

— Petit, se plaignit Miles. Vous en avez encore ?

— Non, je suis désolé. C'était le seul.

Le vieillard grogna pour exprimer son déplaisir.

— Si vous le souhaitez, je reviendrai une autre fois et je vous en apporterai.

— Un plus gros ?

— Si vous voulez.

— D'accord.

— Demain, peut-être.

— D'accord.

Kendall commença à se balancer lentement dans son fauteuil, ses yeux dérivant vers la baie vitrée et au-delà. Que voyait-il là-bas ? se demandait Simon.

— Qu'avez-vous fait aujourd'hui, monsieur Kendall ?

— J'ai fait du bateau, répliqua le vieil homme sans quitter la baie vitrée des yeux.

— Avec qui ?

— Avec Jamey et Dan.

— Où êtes-vous allés ?

— Dans la baie, bien sûr.

Kendall se tourna vers Simon pour le regarder comme si sa question était stupide.

— Graham vous a-t-il accompagnés ? tenta Simon. Miles secoua la tête.

— Il ne fait pas de bateau ?

— Qui ?

— Graham.

— Bien sûr que Graham fait du bateau.

Kendall lui adressa encore ce même regard. *Question stupide*.

— Tout le monde sait faire du bateau.

— Pourquoi n'était-il pas avec vous, ce matin ?

— Parce qu'il est avec Tommy.

— Tommy ? Vous voulez dire son frère, Thomas ?

— Personne ne l'appelle Thomas.

— Où étaient-ils, Graham et Thomas, vous vous rappelez ?

Kendall lui adressa un regard plein de mépris.

— Évidemment que je me le rappelle. Je vous l'ai dit, c'était ce matin.

— Pardon, j'avais oublié, s'excusa Simon. Et où étaient-ils, ce matin ?

— Ils se préparaient pour la fête de Tommy.

— Que va fêter Tommy ?

— Son diplôme.

— Le bac ?

Kendall hocha la tête.

— Quel lycée Tommy fréquente-t-il ?

— Choate. Nous sommes tous à Choate.

— Alors aujourd'hui Tommy a eu son bac.

— C'était hier. Aujourd'hui, c'est la fête.

— Où ira-t-il l'an prochain, vous le savez ?

— Bien sûr que je le sais.

Une expression de net agacement traversa de nouveau le visage du vieil homme.

— Il va intégrer Brown. Vous ne savez donc rien ?

— J'en ai peur.

— Nous allons tous à Brown. Moi, Graham, Steven…

— Steven ?

— L'autre frère de Graham.

— Celui qui est entre Graham et Thomas, dit doucement Simon, comme pour lui-même. Celui qui est mort.

— Pourquoi avez-vous dit ça ?

Kendall se recula dans son fauteuil, sincèrement choqué.

— Steven n'est pas mort.

— Oh, je suis désolé. Je pensais à quelqu'un d'autre, inventa Simon.

Si, dans l'esprit de Miles, Tommy Hayward venait juste de terminer le lycée, Kendall et Graham n'avaient que quatorze ans. Steven, de deux ans plus âgé que l'ancien président, mort en mer à l'âge de dix-neuf ans, était donc encore en vie.

— C'était stupide de dire ça, marmonna Kendall, et ses yeux se fixèrent de nouveau sur la pelouse.

Simon lui toucha le bras ; en se retournant vers lui, le vieil homme demanda :

— Avez-vous un chewing-gum ?

— Non, désolé. Pas aujourd'hui.

Miles Kendall se balança pendant quelques longues minutes, ses yeux voilés perdus dans le lointain. Simon l'observait en silence, curieux de savoir où son esprit l'avait emmené.

Finalement, il se leva et dit :

— Monsieur Kendall, puis-je revenir vous voir ?

— Apporterez-vous du chewing-gum ?

— J'apporterai quelque chose, promit Simon, songeant que le chewing-gum n'était peut-être pas la confiserie la mieux indiquée pour le vieux monsieur. Peut-être des bonbons à la menthe, ça vous plairait ?

— Bien sûr, acquiesça Kendall avec enthousiasme. Demain ?

— Demain, promit le jeune journaliste.

— Bonbons à la menthe, répéta le vieil homme avec une satisfaction paisible. Demain.

*Demain, peut-être serons-nous dans une autre décennie*, espéra Simon en tapotant l'épaule de son nouvel ami.

Il lança un regard par-dessus son épaule juste au moment où Kendall se tournait de nouveau vers la baie vitrée pour retrouver son immobilité.

*Ou bien peut-être pas...*

## 5

Les bras croisés sur la poitrine, un demi-sourire aux lèvres, Dina regardait sa mère examiner puis rejeter, l'une après l'autre, les robes disposées sur le portant de la boutique. Quand elle eut terminé sa sélection, il ne restait que deux pièces à son goût, qu'elle présenta à Dina.

— La noire ou la grise ?

— La verte.

Dina attrapa une robe en crêpe souple.

Jude fronça les sourcils.

— Pas mon style. Ça serait affreux sur moi.

— Comment le sais-tu ? Tu ne l'as même pas essayée.

— J'ai pour règle de ne pas essayer ce qui va me déprimer. Une robe trop échancrée dans le dos...

— Elle n'est pas si échancrée que ça, coupa la jeune femme.

— ... n'est sûrement pas flatteuse pour un corps de femme mûre.

Jude prit la robe des mains de Dina et la remit à sa place sur le portant.

— Ceci dit, j'apprécie l'aveuglement qui te permet d'ignorer totalement les cinq kilos en trop qui boudinent ma taille et le fait que la peau de mon bras continue de vibrer longtemps après que j'ai dit au revoir de la main.

— Cinq kilos ? Rien qu'un bon programme de gym ne puisse résoudre...

— Rappelle-moi d'en reparler avec toi le jour de ton cinquantième anniversaire. En attendant, j'ai un faible pour la grise. Qu'en penses-tu ?

Jude se posta devant un miroir en plaquant la robe sur son corps.

— Lignes simples et couleur idéale pour mettre en valeur ce magnifique collier d'améthyste que tu m'as rapporté de Mexico, l'été dernier. Je vais l'essayer.

Elle se dirigea vers les cabines d'essayage.

— Et si tu jetais un œil au reste, pendant ce temps-là, au cas où on aurait raté quelque chose ? J'en ai pour une minute.

La minute de Jude se multiplia par sept, ce qui laissa largement à Dina le loisir de parcourir les portants, où rien n'attira particulièrement son regard. Puis elle s'amusa à compter le nombre de piercings ornant le visage et les lobes d'oreilles d'une jeune fille qui attendait l'ascenseur ; elle en était à onze quand Jude sortit de la cabine.

— La grise est parfaite, déclara celle-ci, souriante, en remettant la noire en place.

Dina regarda avec regret la robe vert pâle.

— Maman…

— Oui ?

Jude souriait toujours en se dirigeant vers la caisse la plus proche.

— Rien, soupira sa fille, résignée.

Tandis que Jude fouillait son portefeuille à la recherche de sa carte de crédit, Dina se pencha pour lui murmurer :

— Maman, tu es enlisée dans ta routine.

— J'aime ma routine.

Sans se soucier d'être discrète, Jude tendit la carte à la caissière.

— Je suis heureuse dans ma routine.

La caissière gloussa tout en enregistrant la vente.

— En plus, poursuivit Jude, j'ai d'adorables chaussures grises que j'ai à peine portées…

— Cela serait-il si terrible si tu achetais de nouvelles chaussures *et* une nouvelle robe le même jour?

Jude rit de bon cœur.

— Chérie, tu m'as convaincue pour une robe. Contente-toi de cette petite victoire.

Jude prit d'une main le sac que lui tendait la caissière et signa le coupon de carte de crédit de l'autre.

— Si tu n'insistais pas pour que je t'accompagne à cette collecte de fonds pour le nouveau parc, je n'aurais même pas besoin d'acheter une robe.

Elle glissa le ticket et sa carte dans son sac avant d'adresser un signe de remerciement à la caissière.

— Tu fais partie du comité; tu dois y aller, rappela Dina à sa mère tandis qu'elles se dirigeaient vers la sortie.

— Mais je n'étais pas obligée d'acheter une nouvelle robe, et je ne suis pas obligée non plus d'y aller avec ma fille.

— Tu as quelqu'un d'autre en tête?

— Non, mais je ne comprends pas pourquoi tu tiens tant à ce que je t'accompagne…

Jude s'arrêta à la porte.

— Et si on allait déjeuner quelque part?

— J'ai une faim de loup.

— Au *Plum*?

— Parfait. C'est tout près et ils ont de délicieux sandwiches à la dinde.

— Alors, pourquoi? demanda Jude quelques instants plus tard, alors qu'elles attendaient qu'on leur indique une table.

— Pourquoi quoi?

— Pourquoi veux-tu aller à cette collecte de fonds avec ta mère?

— Deux? demanda la serveuse.

— Oui. En non-fumeur, s'il vous plaît, ajouta Dina avant que la jeune femme eût le temps de leur demander.

— Par ici.

Dina et Jude la suivirent jusqu'à une petite table surplombant le centre commercial, d'où elles pouvaient assister à l'incessant ballet des consommateurs de ce samedi matin, principalement des groupes d'adolescentes et des jeunes mères avec leur poussette.

— Tu n'as pas répondu à ma question, insista Jude.

— Laquelle?

Dina parcourait le menu.

— Ma question sur la raison qui te pousse à sortir un samedi soir avec ta mère plutôt qu'avec, oh, je ne sais pas…

Jude fronçait les sourcils en faisant mine de se creuser la tête.

— … avec un jeune homme, par exemple. Ce n'est pas comme si on ne s'intéressait pas à toi : tu peux choisir entre Jack Finnegan et ce charmant Don, qui se met toujours en quatre pour t'aider à élaborer tes projets.

— Don et Jack seront tous les deux à la soirée.

Dina leva les yeux vers la serveuse, qui était apparue dès l'instant où elle avait refermé le menu.

— Je prendrai un sandwich à la dinde et un thé glacé.

— La même chose pour moi, s'il vous plaît, commanda Jude. Avec lequel préférerais-tu sortir? poursuivit-elle quand la serveuse se fut éloignée.

— Ni l'un ni l'autre.

— Qu'est-ce que tu leur reproches? Ils sont très gentils tous les deux.

— Maman, je ne leur reproche rien. Bien sûr qu'ils sont très gentils, et très amusants, aussi. Mais ni l'un ni l'autre… Ah! Comment dire ça à une mère? Ni l'un ni l'autre ne fait battre mon cœur.

— Oh.

Jude dégagea une paille de son enveloppe en papier pour la glisser dans le thé glacé que venait d'apporter la serveuse.

— Mais peut-être que si…

— Pas de peut-être, maman. La chimie est là ou bien elle n'y est pas.

Voyant sa mère se renfrogner, Dina éclata de rire.

— Maman, qu'est-ce qui t'a fait choisir papa parmi tous les autres hommes que tu as rencontrés ?

— Quoi ? fit Jude, surprise par la question.

— Mon père. Qu'est-ce qui t'a plu en lui ? Qu'est-ce qu'il avait de spécial pour que tu le choisisses lui et pas un autre ?

— Eh bien…

Jude se racla la gorge.

— Il était… intelligent. Et… beau. Et… drôle. Il… avait un grand sens de l'humour. Et puis nous avons longtemps été amis.

Dina poussa son verre pour permettre à la serveuse de déposer leurs sandwiches.

— Si tu ajoutes à cette description le fait qu'il avait des jambes courtes et un dos légèrement tordu, je pourrais penser que tu parles de Waylon.

Waylon était le basset de Jude.

— Ton père était un homme exceptionnel, Dina, reprit-elle en évitant le regard de sa fille. C'était un véritable homme d'honneur ; il a fidèlement servi son pays – jusqu'à lui donner sa vie. Tout le monde le considérait comme un héros.

— T'est-il arrivé de regretter de ne t'être jamais remariée ?

— Non, bien sûr que non.

— Maman, ne dis pas ça comme si c'était honteux. Ton mari est mort avant ma naissance. Tu es restée seule pendant presque trente ans.

— Je n'ai jamais été seule : je t'avais, toi.

— Mais tu ne te sentais jamais seule ?

— Franchement, chérie, Franck et moi n'avons pas été mariés très longtemps. Il me manquait, mais je ne me suis jamais sentie vraiment seule après sa mort.

Elle sourit et répéta :

— Je t'avais.

— Oui, mais j'étais une enfant, fit remarquer Dina en plissant le nez.

— Tu étais tout pour moi.

— N'as-tu jamais souhaité une relation avec un homme ?

— Je n'ai jamais eu le temps d'y penser. J'étais si occupée à t'élever et à travailler que je ne me suis jamais sentie en manque de vie amoureuse, si c'est ce que tu veux dire.

— Mais, maman, maintenant que je ne suis plus à ta charge, ne voudrais-tu pas refaire ta vie pour partager avec quelqu'un tes années de retraite ?

— J'ai adoré t'élever. Plus que tout autre chose, Dina, j'ai adoré être ta mère. Et je n'ai aucun regret. Absolument aucun.

Elle sourit.

— J'ai toujours su que je pourrais compter sur toi pour passer me voir de temps en temps quand j'aurai finalement atteint « mes années de retraite », comme tu le dis si pudiquement.

— Tu sais que tu peux compter sur moi, maman, promit Dina, refoulant un petit pincement de nostalgie.

Jude n'avait jamais manqué un spectacle à l'école ou une réunion de parents ; elle était la reine du gâteau au chocolat et des costumes de Halloween. Elle trônait dans la tribune à chaque match de tennis et de hockey, allant même jusqu'à devenir entraîneur d'un club de soft-ball pour que l'équipe accepte d'accueillir Dina en son sein. Jude avait été la meilleure des mères et la meilleure des amies. Si elle avait un jour eu l'impression de se sacrifier pour Dina, elle ne l'avait jamais montré. Cependant...

— J'aimerais que tu prennes l'argent de mon fidéi-commis et que tu t'en serves. Peut-être pour t'acheter de nouveaux meubles, une nouvelle voiture... Ou bien pour t'offrir un beau voyage.

Dina but une gorgée de son thé.

— La France, l'Italie, l'Espagne, la Russie... Qui sait qui tu pourrais rencontrer ? Tu es encore jeune, et très séduisante...

— Cet argent est pour toi et pour toi seule, ma chérie, nous en avons déjà parlé des centaines de fois.

— Je ne comprendrai jamais pourquoi les parents de papa n'ont pas pourvu à tes besoins à toi au lieu de tout me léguer ; ça m'aurait épargné la peine de te supplier.

— Dina, nous en avons déjà tellement discuté. Tes grands-parents ne me connaissaient pas vraiment, et tu étais leur seule petite-fille.

— Ils ne me connaissaient pas plus que toi.

— Frank est mort avant que ses parents et moi puissions mieux nous connaître.

— Ils ne savaient pas ce qu'ils perdaient.

— C'est du passé, ma chérie. Et puis n'oublie pas qu'ils n'avaient pas eu le temps de faire le deuil de leur fils quand ils sont eux-mêmes morts dans un accident d'avion. Ne les juge pas aussi durement.

— Je pense quand même qu'ils auraient dû régler les choses différemment, pour que tu aies moins de mal à m'élever.

— Nous n'avons jamais connu de réelles difficultés, rappelle-toi : nous avions notre petite maison dans un merveilleux quartier. Essaie d'être un peu honnête, Dina, tu sais que nous n'avons jamais manqué de rien.

— Mais une partie de l'argent des McDermott aurait pu servir à...

Jude leva une main pour l'arrêter.

— Qu'aurais-tu désiré que tu n'aies pas eu ?

— À part une voiture pour mes seize ans ? plaisanta Dina. Bon, c'est vrai, rien ne me vient à l'esprit. Mais au moins, tu n'aurais pas eu besoin de travailler.

— Chérie, je suis bibliothécaire de cœur, j'adore mon métier. J'ai – et j'ai toujours eu – une vie merveilleuse.

— Y a-t-il quelque chose que tu n'as pas et que tu voudrais avoir ?

— Oui. Il y a quelque chose que je veux vraiment, et tout de suite.

Jude la regardait avec malice.

— Tu n'as qu'à parler pour l'avoir.

— C'est ce que je vais faire.

Jude se tourna vers la serveuse qui passait devant leur table.

— Je vais prendre une coupe de glace nappée de chocolat chaud, avec beaucoup de chocolat chaud. L'addition sera pour ma fille.

Le vent s'était levé et la pluie tombait dru quand Dina arriva chez elle après avoir déposé Jude. La serre était éclairée : Polly devait s'assurer que les pousses ne présentaient pas de traces de mildiou, celui-ci pouvant tuer toutes les jeunes plantes en un rien de temps. Espérant ne pas tremper sa veste en daim préférée, Dina se gara le plus près possible de la maison, puis fonça sous le déluge, ses clés en main. Elle s'engouffra rapidement dans la maison et referma aussitôt la porte derrière elle.

— Temps de chien, marmonna-t-elle en retirant sa veste pour la poser soigneusement sur le dossier d'une chaise de la cuisine.

Elle ôta ses chaussures et les laissa s'égoutter sur le carrelage sous la table, puis se rendit dans le petit cabinet de toilette pour prendre une serviette et se frictionner les cheveux. En revenant dans la cuisine, elle mit de l'eau à bouillir et regarda rapidement le courrier qu'elle n'avait pas eu le temps de lire le matin. Une fois les quelques paperasses parcourues, elle monta se changer : seuls un gros pull et un pantalon de jogging pouvaient convenir à ce temps humide.

En redescendant, Dina s'arrêta sur le petit palier intermédiaire et tira le rideau pour regarder par la fenêtre. D'ici, elle pouvait voir l'étendue des champs qui, en ce triste après-midi de mars, étaient figés par le gel.

La bouilloire sifflait. Dina se hâta d'aller la faire taire pour préparer son thé avant de se blottir sur le canapé du salon, où elle consulta ses notes pour son intervention de lundi dans le journal télévisé de 6 heures du matin. La dernière fois, elle avait parlé de l'entretien des arbustes en hiver. Cette semaine, elle traiterait de la taille des plantes – quels arbustes tailler au printemps et comment s'y prendre. La chaîne aimait filmer ses émissions sur place, ce qui lui convenait parfaitement : d'une part le choix de plantes était plus large, d'autre part cela lui faisait une excellente publicité.

Dina appela la serre, s'attendant à entendre la voix de Polly, mais une musique assourdissante lui agressa l'oreille. Elle imagina William en train de se précipiter pour baisser le son.

— Ouais, Dina, salut.

Comment ce gamin n'était-il pas encore devenu sourd ?

— Les fenêtres vibrent jusqu'ici.

William éclata de rire, puis baissa encore le volume.

— Je pensais que l'on recommandait de la musique *douce* pour les plantes, William… Qu'est-ce que tu écoutes, d'ailleurs ?

— Mötley Crüe. Les roses trémières aiment le hard rock…

Dina roula des yeux consternés en secouant la tête, presque résignée.

— ... Je crois que les annuelles préfèrent le rock classique, mais les plantes vivaces sont absolument dingues de hard.

Elle pouvait voir d'ici son jeune employé, les cheveux tirés en queue-de-cheval, les lunettes embuées par la condensation, un sourire tranquillement amusé aux lèvres alors qu'il développait sa théorie sur les goûts musicaux des fleurs.

— Polly est avec toi ?

Question inutile, réalisa aussitôt Dina : si Polly avait été là, la radio aurait diffusé de bons vieux tubes à un niveau sonore supportable par des oreilles humaines.

— Polly est rentrée chez elle. Elle toussait beaucoup, alors je lui ai proposé de terminer de préparer la terre pour les trucs que vous voulez mettre en pot cette semaine.

— C'est très gentil de ta part ; Polly traîne ce rhume depuis quelques jours, déjà. Merci de ton aide, vraiment.

— Pas de problème, j'aime bien travailler dans la serre. Planter les graines et regarder monter les petites pousses, c'est trop top.

— William, tu as une âme de pépiniériste.

— Merci, marmonna-t-il.

— Pas de quoi.

Elle sourit, sachant qu'il avait dû rougir jusqu'aux oreilles, comme à chaque fois qu'elle louait ses qualités.

— Je vais bientôt descendre. Si tu pars avant que j'arrive, laisse ouvert, s'il te plaît.

— D'accord. Je m'en irai après avoir terminé ce mélange... sauf si vous avez besoin de moi.

— Non, non, tu peux y aller. N'oublie pas de noter tes heures sur le calendrier.

C'était un bon garçon, se dit-elle en raccrochant. En dépit de ses goûts musicaux désastreux, c'était vraiment un gosse bien. Travailleur, honnête et digne de confiance. Une augmentation était probablement de mise, cette année, songea-t-elle en enfilant des bottes en caoutchouc pour parcourir sans se tremper le court trajet qui menait à la serre.

Elle s'arrêta dans la cuisine pour appeler Polly, mais c'est Erin qui répondit, l'informant que sa mère dormait parce qu'elle avait pris froid.

— Ne la réveille pas, chérie. Tu lui diras seulement que j'ai appelé pour savoir comme elle allait.

— D'accord.

Dina souriait pensivement en prenant son imperméable dans le placard ; Erin était une petite fille adorable. Ce lien spécial qui l'unissait à sa mère ressemblait beaucoup à celui qui l'attachait elle-même à Jude. *Mère et fille...*

*Une chaîne sans fin*, se disait-elle en posant le pied sur les pavés aux interstices parsemés d'éclats argentés, là où l'eau s'était transformée en glace. Mère et enfant, enfant et mère, perpétuellement, à travers les âges : une continuation assurée et nécessaire. Dina se demanda si son destin l'amènerait un jour à faire partie de cette chaîne...

À supposer, remarqua-t-elle, ironique, qu'elle ait trouvé un homme qui... qu'avait-elle dit à sa mère, déjà ? Qui ferait battre son cœur plus vite ? Un homme qui affolerait son cœur, ferait sourire ses lèvres et peuplerait ses nuits de rêves.

Il existait quelque part, forcément.

La question était de savoir où.

## 6

Miles Kendall lui rappelait un peu son grand-père qui, malgré sa fragile constitution et sa mémoire déficiente, avait vécu jusqu'à l'honorable âge de quatre-vingt-six ans, avant de succomber à une pneumonie. Simon ne s'était jamais pardonné de ne pas avoir effectué le voyage jusqu'en Iowa au cours des semaines ayant précédé la mort de son grand-père, cinq ans auparavant. Celui-ci ne l'aurait probablement pas reconnu, mais et alors ? Il aurait dû faire l'effort et il ne l'avait pas fait ; le regret qu'il en éprouvait avait peut-être été le moteur de sa décision de revenir à Saint-Margaret.

Avant d'arriver à Linden, Simon s'arrêta pour faire le plein et acheter des bonbons à la menthe. Quelques minutes plus tard, il se garait dans le parking de la maison de retraite, fermait la voiture, et se dirigeait vers l'entrée, les bonbons dans une poche, le magnétophone dans l'autre.

— Vous revoilà.

June lui fit un petit signe de bienvenue depuis un banc ensoleillé qui jouxtait le perron.

— Je suis passé apporter des bonbons à la menthe à M. Kendall.

— C'est très gentil de votre part. Il est assez alerte, aujourd'hui.

— Alerte ?

— Oui. Il a parlé toute la matinée d'un voyage que sa sœur et lui ont fait à Chicago. On dirait qu'ils se sont sacrément amusés, ajouta-t-elle en riant.

— Il est dans le salon ?

— Oui. Vous vous souvenez comment y aller ?

— Oui, merci.

Simon hésita, la main sur la poignée.

— A-t-il dit comment sa sœur s'appelait ?

— Oui, acquiesça June. Dorothy.

Simon pénétra dans la fraîcheur paisible du hall et salua la réceptionniste, qui cette fois ne prit pas la peine d'interrompre sa conversation téléphonique pour lui désigner le registre à signer. Simon se plia au rituel avant de se diriger vers le salon, où il trouva Miles Kendall dans le même rocking-chair, près de la baie vitrée.

— Bonjour, monsieur Kendall, le salua-t-il en s'approchant.

Le vieil homme se tourna et lui sourit ; il y avait dans ses yeux une vivacité nouvelle.

— Comment allez-vous aujourd'hui ?

— Très bien, et vous ?

— Je faisais un brin de causette avec June, dehors, déclara Simon en prenant une chaise.

— June ?

— L'une des aides-soignantes.

— Ah, la jolie petite blonde ?

— Oui.

Simon avait envie de rire : le vieil homme perdait peut-être la tête, mais il n'était pas aveugle.

— June me racontait que vous lui aviez parlé d'un voyage à Chicago avec votre sœur.

Kendall hocha la tête.

— J'ai rejoint Dorothy à New York, et de là nous avons pris le train pour Chicago. C'était très agréable ; vous vous souvenez ?

— Je n'étais pas avec vous. En quelle année était-ce ?

— C'était pour le mariage de la cousine Eileen. Une jolie semaine de mai.

Simon n'avait aucun moyen de dater la période qu'il évoquait. Avec un soupir résigné, il plongea la main dans sa poche et en sortit le paquet de bonbons. Il le tendait à son compagnon quand celui-ci ajouta :

— Dorothy voulait rester une semaine de plus, mais je devais retourner à Washington.

La main de Simon se figea.

— L'avion est le moyen de transport le plus rapide, mais Dorothy déteste l'avion, alors j'ai pris le train avec elle à l'aller et au retour, poursuivit Kendall.

— Pourquoi deviez-vous vous rendre à Washington ?

Des doigts noueux s'avancèrent pour s'emparer du paquet de bonbons.

— Parce que j'y travaillais, voyons.

Il examina le paquet, le secoua, puis commença à mordre l'un des angles.

— Bien sûr, j'avais oublié.

Simon prit le paquet pour l'ouvrir et le lui rendre.

— Quand Graham était président, vous travailliez à la Maison-Blanche.

— Vous vous souvenez ?

Le vieillard enfourna un bonbon dans sa bouche et le suça bruyamment.

— Vous vous souvenez des joueurs de cornemuse ? Il y avait toujours des joueurs de cornemuse aux alentours de Noël. Ce Noël... vous vous souvenez du bal de Noël ?

Simon hocha la tête et glissa la main dans sa poche pour mettre le magnétophone en route. Il n'avait évidemment pas le droit d'enregistrer Miles sans sa permission, mais il ne voulait pas risquer de détourner son attention en lui demandant son accord, alors il laissa tomber. La dernière chose qu'il souhaitait était d'endiguer le flot de souvenirs qui remontait.

— N'était-elle pas ravissante, ce soir-là ?

Kendall arrêta de sucer et regarda par la baie vitrée, comme s'il voyait véritablement quelque chose.

— Superbe.

Simon se pencha pour ne rater aucun mot.

— Elle portait cette longue robe lavande pâle, de la même couleur que ses yeux. Nous avons dansé et dansé encore...

— Elle était votre amie ?

— Elle dansait comme... comme un nuage. Tout le monde nous regardait.

72

Miles glissait doucement dans le passé. Simon ignorait où cela les mènerait, mais il était content de le suivre.

— Toutes les femmes l'enviaient ; ça sautait aux yeux, elles avaient une façon de la regarder... Et tous les hommes auraient voulu être à ma place. S'ils avaient su...

Il secoua lentement la tête ; une expression de tristesse avait brusquement envahi son visage.

— *Qui* était-elle, monsieur Kendall ?

— Elle pouvait illuminer une pièce rien qu'en y pénétrant. Et son rire... il tintait comme des petites clochettes d'argent.

Il pencha la tête de côté, comme s'il écoutait quelque chose.

— Elle adorait danser... Et tout le monde voulait danser avec elle : ils guettaient leur chance. Mais pas *lui*, pas cette nuit-là. *Elle* le surveillait, cette nuit-là, on aurait dit un aigle.

— Donc tous les autres hommes attendaient pour pouvoir danser avec elle ?

Simon se demanda qui *lui* et *elle* pouvaient bien être.

— Ça doit faire bizarre, d'avoir une amie si convoitée.

— Oh, elle n'était pas mon amie, dit doucement Kendall, d'un ton plus triste encore. Pas vraiment : elle ne voyait que lui.

— Elle dansait avec vous en pensant à un autre ?

— Qui aurait pu l'en blâmer ? Il était tout. Il *avait* tout...

Les yeux bleus fatigués glissèrent une fois de plus vers le lointain à travers la baie vitrée.

— Il ne pouvait pas s'empêcher de la regarder, il ne pouvait pas détacher ses yeux d'elle. Mais *elle* savait ; mes soupçons ont été confirmés ce soir-là. « C'est dangereux, lui ai-je dit. Tu ne vois pas qu'elle surveille chacun de tes gestes ? » Évidemment, il savait que je l'aimais, moi aussi. Peut-être a-t-il pensé que je voulais seulement l'avoir pour moi tout seul.

Il se tourna de nouveau vers Simon en esquissant un étrange sourire chargé de douleur.

— Et bien sûr, c'était vrai.

— Vous et votre ami étiez amoureux de la même femme, dit doucement Simon.

Kendall hocha la tête.

— Et il était marié ? C'était dangereux parce qu'il était marié et que sa femme était là elle aussi ?

Un autre hochement de tête.

— Je suis désolé, je ne me souviens pas de son nom...

— Blythe.

— Ah oui, Blythe. Elle est venue au bal avec vous.

— Elle arrivait toujours avec moi. Tout le monde pensait qu'elle était ma maîtresse, parce qu'elle apparaissait toujours à mon bras. Mais elle était à lui, elle a toujours été à lui. Seulement à lui.

— Rappelez-moi encore qui *il* était.

Sa curiosité était piquée au vif ; il se pencha en avant.

Juste assez pour que Kendall lâche une bombe sur ses genoux.

— Graham, murmura Kendall. Elle a toujours appartenu à Graham.

Quand il eut retrouvé ses esprits, Simon demanda :

— Graham Hayward ? Le président Graham Hayward ?

Kendall garda le silence un instant, tandis que son visage se radoucissait un peu, comme si quelque chose l'amusait.

— Elle était si jeune... Beaucoup trop jeune pour lui ; beaucoup trop jeune pour moi aussi, d'ailleurs. Et pourtant, nous...

Kendall s'arrêta, comme s'il ne pouvait pas prononcer le mot.

— Vous l'aimiez.

*Monsieur Moralité ? Graham Hayward ?*

— Oui. Nous l'aimions tous les deux.

— Et vous l'escortiez en public parce qu'il ne pouvait pas le faire ?

*Graham-la-Droiture-incarnée ?*

Les yeux de Kendall s'emplirent de larmes.

— Ce devait être dur pour vous. Être avec la femme que vous aimiez tout en sachant qu'elle en aimait un autre...

Ce n'était pas possible, c'étaient sûrement les délires d'un vieil homme dont la raison vacillait.

— Durant chaque minute qu'elle passait avec moi, elle attendait le moment d'être avec lui.

Simon avança une main pour toucher le bras du vieil homme.

— Monsieur Kendall, êtes-vous en train de me dire que Graham Kendall a eu une liaison pendant son mandat ?

Les larmes coulèrent sur le visage du vieillard, tombant sur sa poitrine quand il hocha la tête.

— Graham Hayward avait une liaison ? répéta Simon, se demandant s'il devait y croire.

Mais la douleur sur le visage de Kendall était si vive. Même après tant d'années...

— Oui.

— Avec... ?

Simon devait le lui entendre dire. L'entendre prononcer lui-même le nom.

— Blythe. Ma Blythe.

— En êtes-vous sûr ? Comment pouvez-vous être sûr qu'ils avaient une liaison ?

— Parce que c'est moi qui la conduisais à lui.

Abasourdi, Simon recula sur sa chaise.

— Vous l'ameniez à la Maison-Blanche...

— Oui, en tant que mon invitée. Nous restions parfois là-bas la nuit entière. Jusqu'au moment où c'est devenu trop dangereux. Et seulement quand *elle* n'était pas à Washington, bien sûr.

La voix de Miles s'était tellement affaiblie que Simon dut se pencher encore un peu pour l'entendre.

— Blythe l'aimait, mais elle ne pouvait pas espérer le voir quand *elle* était là. Cela n'aurait pas été... correct.

— Vous voulez parler de la *first lady*, en disant *elle* ?

Le vieil homme acquiesça d'un mouvement du menton.

— Était-elle au courant ?

— Parfois elle me surveillait... surveillait Blythe. *Le* regardait. Il y avait des soirées où elle ne le lâchait pas des yeux. Je me suis longtemps demandé si elle savait, ou si elle avait juste des soupçons. Mais à la fin, je crois qu'elle savait.

— À la fin ? Combien de temps cette liaison a-t-elle duré ?

— Jusqu'à ce qu'elle meure.

— Jusqu'à la mort de Blythe ? Quand ? Comment est-elle morte ?

— Elle est partie, vous vous souvenez ? Mais elle est revenue.

La lèvre inférieure de Kendall recommença à trembler tandis qu'un flot de larmes couvrait maintenant son visage.

— Je lui avais dit de ne pas revenir, je l'ai suppliée de se tenir à l'écart. Si elle était restée à l'écart, elle ne serait pas morte.

— Monsieur Kendall, quand Blythe est-elle morte ? Et comment ?

— Renversée par une voiture, c'est ce qu'ils ont dit.

Le vieillard se tourna vers la baie vitrée, marmonnant des mots incohérents entre ses sanglots.

— ... Une abominable chose. Abominable, abominable chose...

Encore sous le coup des révélations de Kendall, Simon était assis dans sa voiture, clé en main mais moteur à l'arrêt, essayant de donner un sens à ce qu'il venait d'entendre.

Si l'on en croyait Miles, Graham Hayward avait eu une liaison pendant qu'il occupait la Maison-Blanche.

Mais pouvait-on croire un vieil homme malade ?

D'un côté, sa mémoire était, au mieux, défaillante. De l'autre, il avait vraiment l'air de savoir de quoi il parlait.

Cependant, Simon n'avait-il pas épluché des montagnes d'écrits de toutes sortes sur l'ancien président, provenant aussi bien d'admirateurs que de détracteur, sans jamais rien voir de tel ? Nulle part il n'y avait la plus infime trace de scandale. Comment une telle histoire aurait-elle donc pu être vraie ?

Miles Kendall l'avait-il inventée de toutes pièces ?

Il y avait pourtant quelque chose sur son visage, dans ses yeux, quand il parlait de cette femme, de cette Blythe...

Si c'était vrai et que Simon pouvait le prouver, il tenait un scoop d'enfer.

Il démarra pour se diriger lentement vers la sortie, l'esprit bouillonnant d'interrogations.

Avait-il raté quelque chose dans la somme d'archives consultée ? Impossible, réalisa-t-il aussitôt. Tout son matériel de recherche lui avait été fourni par Philip Norton.

Le Dr Philip Norton, gardien de la flamme Hayward.

Était-il vraisemblable que Norton n'ait rien su de Blythe ?

C'est ça, ricana Simon, et comment aurait-il pu ne pas savoir ?

Le matériel fourni par son ancien professeur ne pouvait évidemment pas mentionner la liaison du président. Si Norton voulait un livre montrant Hayward sous le meilleur éclairage possible, il n'allait pas laisser passer ce genre d'information.

Et s'il cherchait à publier une telle biographie – pour perpétuer le mythe de saint Hayward –, à qui se fier davantage qu'à un ancien étudiant ? Quelqu'un qui le respectait et lui faisait confiance les yeux fermés.

Quelqu'un qui écrivait son propre livre et qui avait besoin d'un éditeur.

— Merde !

Simon frappa le volant du plat de la main.

Sa mère ne lui avait-elle pas toujours dit que quand quelque chose a l'air trop beau pour être vrai, c'est probablement que ça ne l'est pas ? Une petite voix intérieure ne lui avait-elle pas soufflé que tout était un peu trop facile dans cette affaire ? N'avait-il pas fait taire cette petite voix parce qu'il voulait obtenir à tout prix ce que Norton lui offrait ?

Une bouffée de colère s'empara de lui, aussitôt suivie par une vague de déception. Norton avait-il vraiment cru qu'il n'irait pas creuser plus loin que les données qu'il lui avait servies sur un plateau ? Ou bien avait-il pensé qu'il laisserait son objectivité – ou pire, la vérité – de côté si elle venait à se dresser en obstacle ?

Norton croyait-il vraiment qu'il pouvait le manipuler aussi facilement ?

Il accéléra et prit la direction du pont qui le ramènerait chez lui, déterminé à remuer ciel et terre pour trouver la vérité sur Graham Hayward. Quelle que soit cette vérité.

Et quand il l'aurait trouvée, il tiendrait son livre, pour de bon.

Quelque chose ne collait pas, réalisa Simon cette nuit-là, alors qu'il épluchait une fois de plus tous les articles en sa possession. Il y aurait dû y avoir quelque part un indice, si infime fût-il, de la faute de

Hayward, or il n'en trouvait pas une seule trace. Le nom de cette femme aurait forcément dû apparaître quelque part... Pourtant il n'était à aucun moment fait mention d'une certaine Blythe.

À trois heures du matin, Simon se laissa tomber sur son canapé, des piles d'articles à ses pieds ; ses recherches avaient été totalement stériles. Il lui fallait voir les gens qu'il avait prévu d'interroger. Dès le lendemain matin, il passerait les coups de fil nécessaires, prendrait rendez-vous. Si quelque chose dans la vie de Hayward avait été dissimulé, Simon voulait absolument être celui qui le découvrirait.

La première personne qu'il contacta fut Adeline Anderson.

N'était-elle pas celle qui savait tout sur tout, à l'époque ? Ses articles fourmillaient de noms de célébrités et de détails sur leurs tenues vestimentaires à telle ou telle soirée. Des trucs mondains, légers. Mais cela ne voulait pas dire pour autant qu'elle ne *savait* pas... si tant est qu'il y eût quelque chose à savoir.

Comment tourner une telle question ?

*Dites-moi, madame Anderson, étiez-vous au courant d'une liaison entre le président Hayward et une mystérieuse femme du nom de Blythe ?*

Simon s'interrogeait encore sur la meilleure manière d'amener le nom de Blythe dans la conversation tandis qu'il composait le numéro de l'ancienne journaliste mondaine. Il se présentait à cette femme à la voix râpeuse quand elle l'interrompit.

— Vous êtes celui qui a fait tout ce raffut au *Press*, il y a environ un an de cela ?

— Euh, oui.

— Bravo. Il était temps que quelqu'un remette à sa place cet idiot plein de suffisance de Walker.

— Merci, répondit Simon en se raclant la gorge.

— Je crois fermement que vous étiez en droit d'attendre que votre rédacteur en chef respecte vos sources. Pression politique ou pas, Walker aurait dû vous couvrir. Il a perdu le respect de beaucoup de ses confrères, dans cette affaire... Même si ça ne lui fait ni chaud ni froid : il est toujours le patron du *Washington Press*.

Elle eut un petit rire.

— Mais j'admire votre intégrité, monsieur Keller.

— Merci, madame Anderson. Votre compliment me touche.

— Maintenant dites-moi ce qu'une vieille journaliste à la retraite peut pour vous.

— Madame, je travaille à une biographie du président Graham Hayward, et je cherche à cerner l'atmosphère qui régnait à la Maison-Blanche pendant ses mandats. J'ai lu un grand nombre de vos articles ; vous sembliez très bien connaître la société de l'époque.

— Personne ne la connaissait mieux, affirma-t-elle avec confiance.

— C'est ce qu'on m'a dit.

— Puis-je demander qui est ce « on » ?

— Philip Norton.

— Ah, le Dr Norton. Comment va-t-il ? C'est si triste pour sa pauvre femme...

— Oui, très triste. Mais il a l'air d'aller mieux, maintenant.

Simon ravala des paroles plus amères. Ce n'était pas vraiment le moment de lui demander des nouvelles de son ancien mentor : sa blessure d'orgueil palpitait encore.

— Va-t-il publier votre livre ?

— Oui.

— Ce sera donc forcément un livre de qualité. Et une bonne chose pour vous, une belle carte de visite pour un jeune écrivain.

— Oui, j'en suis conscient, merci.

— Alors dites-moi ce que vous souhaiteriez savoir.

— Pour commencer, je me demandais si vous pourriez me donner une sorte de vue d'ensemble de la partie.

— Qui était dedans, qui ne l'était pas ?

— Exactement.

— Qui faisait quoi, et à qui ?

— Encore mieux. Et je me demandais si vous vous souviendriez...

— Comme si c'était hier, l'interrompit-elle en gloussant. C'était une époque merveilleuse pour vivre dans la capitale... Les Hayward adoraient se distraire ; et ils formaient un couple adorable.

— Aviez-vous l'impression qu'ils étaient aussi dévoués l'un à l'autre que tous ces vieux articles tendent à le faire penser ?

— Absolument.

— Vraiment ?

— Oh oui, ils avaient toujours l'air en harmonie. Et ils organisaient les soirées les plus réussies – toujours pleines de dignitaires étrangers, ambassadeurs et autres. J'ai entendu dire à plusieurs reprises que le président Hayward se trouvait un peu léger dans le domaine des affaires étrangères, alors il mettait un point d'honneur à connaître les diplomates. Pour la moindre réception, vous pouviez vous attendre à voir la moitié d'une ambassade débarquer à la Maison-Blanche. Ainsi que les habituelles stars et hommes de loi. Et puis, bien sûr, il y avait les habitués.

— Les proches du président ?

— Son cabinet, des militaires de haut rang... La traditionnelle liste A.

— J'imagine que vous les connaissiez tous.

— Tous ceux qui comptaient.

— Connaissiez-vous Miles Kendall ?

— Évidemment que je connaissais Miles. Je peux même admettre aujourd'hui que j'en ai sacrément pincé pour lui.

Quand Adeline riait, on aurait cru entendre une jeune fille de seize ans, non une femme de quatre-vingts ans. Instant fugace.

— Il paraît qu'il ne va pas bien, ces temps-ci.

— Il a plutôt belle allure, pour un homme de son âge, mais il a quelques problèmes avec sa mémoire.

— Vous l'avez vu ?

— Oui. J'espérais recueillir certains de ses meilleurs souvenirs pour mon livre, mais...

Simon laissa sa phrase en suspens d'un air entendu.

— C'est terrible. Miles avait tout pour lui à l'époque : beau, spirituel, et puis, quel magnifique danseur... Sans compter qu'il était très proche du pouvoir. Lui et Hayward étaient des amis intimes, comme vous devez le savoir.

— J'ai cru comprendre qu'il se trouvait sur la liste A, en effet.

— Oh, tout en haut de la liste. Miles était le célibataire le plus convoité de la ville.

— Était-il séducteur ?

— Miles ?

Adeline prit le temps de réfléchir avant de répondre.

— Pas vraiment, même si plus d'une femme aurait bien voulu batifoler avec lui. Et moi la première !

— Avait-il une relation stable avec une femme ?

— Oh non, pas vraiment. Même si, à un moment donné, il y a bien eu une fille... Comment s'appelait-elle déjà ?

Simon pouvait presque la voir froncer les sourcils.

— Oh, vous voyez sans doute de qui je veux parler...

Elle claqua la langue comme pour maudire son trou de mémoire.

— Une très belle fille. Étonnante, vraiment. Jeune mais très distinguée – d'une vieille lignée de Philadelphie, vous voyez. Miles a été très épris d'elle. Oh, mais comment s'appelait-elle ?

— J'ai aperçu quelque part le nom de Blythe… suggéra Simon.

— Ah, mais oui, c'est ça, Blythe. Pendant une certaine période, on ne pouvait presque jamais le voir sans qu'elle soit à son bras.

— Je n'ai pas vu son nom de famille, par contre…

— Pierce.

— Oh, très bien. Pierce.

Simon attrapa un morceau de papier pour y noter le nom en lettres capitales. BLYTHE PIERCE.

— Mais quelle fin tragique…

— Comment ça ?

— Oh, elle est morte dans des circonstances atroces : renversée par une voiture, juste ici, sur Connecticut Avenue. Le salaud qui a fait ça n'a même pas pris la peine de s'arrêter, il l'a laissée mourir dans la rue.

— Et il n'a jamais été retrouvé ?

— Volatilisé. La police pensait que ce devait être un étranger de passage.

— Il n'y a pas eu d'enquête ?

— Bien sûr que si, son père étant ce qu'il était…

— Qui était-il ?

— Foster Pierce, ambassadeur en Belgique. Je crois que la première fois que Blythe a mis les pieds à la Maison-Blanche, c'était à son bras ; c'est là qu'elle a rencontré Miles.

— Vraiment ?

— Mais oui. On dit qu'après l'échec de l'enquête policière, Foster Pierce a mis son propre détective sur la piste, mais il aurait pu s'épargner cette peine : la voiture et son chauffeur n'ont jamais été retrouvés. Et puis l'affaire a été classée.

— Où l'accident s'est-il produit ?

— Devant l'immeuble de Blythe. Il était tard dans la nuit, elle devait rentrer d'une soirée…

— Y a-t-il eu des témoins ?

— Aucun. À cette heure-ci... il était deux ou trois heures du matin... Nous espérions tous que quelqu'un ait vu quelque chose, mais personne ne s'est jamais manifesté.

Simon enchaîna, conscient qu'il devait recueillir le plus d'informations possible sur Blythe avant qu'Adeline Anderson ne change de sujet.

— Madame Anderson, vous souvenez-vous de ce que faisait Blythe Pierce ?

— Comment ça, ce qu'elle *faisait* ?

— Exerçait-elle un métier ?

— Je ne me souviens pas qu'elle ait eu un travail rémunéré, mais elle était engagée dans des activités bénévoles ; elle avait probablement assez d'argent pour ne pas avoir besoin de travailler. Pauvre Miles, après cette histoire, il n'a plus jamais été le même.

Adeline poussa un soupir.

— À dire vrai, quand on y pense, beaucoup de choses ont changé après cet accident.

— Que voulez-vous dire ?

— Oh, même les soirées à la Maison-Blanche n'avaient plus le même entrain. Miles portait le deuil de son amie, et tout le monde le savait. Même si je suis sûre que le président faisait de son mieux pour l'aider à passer cette épreuve.

— De quelle façon ?

— Ils passaient la majeure partie du temps enfermés tous les deux. Dans le chagrin, on apprécie la présence de ses plus proches amis, vous savez. Je pense que le président lui a été d'un grand réconfort ; ce devait être si difficile pour lui d'avoir perdu cette femme qu'il aimait tant...

Lequel des deux hommes avait le plus besoin de réconfort ? Lequel avait le plus besoin de laisser libre cours à sa douleur derrière des portes closes ?

Simon resta longtemps le regard rivé à la fenêtre après avoir remercié Adeline Anderson pour le temps qu'elle lui avait consacré et lui avoir promis de lui envoyer un exemplaire dédicacé de son livre.

Qui, en dehors de Miles Kendall, avait été mis au courant de la liaison du président avec Blythe Pierce ?

À supposer, bien sûr, que ce soit vrai. Après tout, il avait seulement eu la confirmation que Blythe fréquentait la Maison-Blanche en tant qu'invitée de Kendall. Que pouvait-il réellement prouver à partir de ça ?

Et puis comment prouver quoi que ce soit trente ans après les faits ?

Simon tapota impatiemment la table du bout de son stylo, songeant à la tragique disparition de l'objet de l'affection des deux hommes. Comme il était étrange que cette femme si convoitée ait été victime d'un crime commis au hasard. Un crime qui n'avait jamais été résolu.

Comment une telle chose était-elle possible ?

Et comment pouvait-il découvrir la vérité quand deux des principaux intéressés étaient morts, et le troisième sénile ?

Simon regardait en direction de la porte quand une grande femme aux cheveux poivre et sel entra dans le bar en ôtant ses larges lunettes de soleil à monture zébrée noir et blanc. Ses yeux balayèrent la salle avant de s'arrêter sur Simon ; un sourire étira ses lèvres. Malgré sa cinquantaine bien tassée, elle se dirigea vers lui d'une démarche énergique, que l'on aurait pu qualifier de jeune si elle n'avait pas boité de la jambe gauche.

— Salut, Simon Keller, dit-elle en arrivant à sa table.

— Salut, Madeline Shaw.

Simon se leva et prit ses mains dans les siennes.

— Tu es superbe, comme toujours.

— Toi aussi, mon chou.

Madeline Shaw, inspecteur au district depuis de nombreuses années, tira sa chaise pour s'y installer sans façons. Elle fit signe au serveur qui passait avec une carte, et tendit la main pour la prendre.

— Comment tu vas ?

Simon observa le visage de cette femme qu'il connaissait et admirait depuis presque une décennie.

— J'ai eu de meilleurs jours ; ils m'ont encore collée à la paperasse…

Elle haussa un sourcil.

— Tu vois un peu l'ennui ?

— J'imagine à peu près.

Simon sourit. À une époque, l'inspecteur Shaw avait été un vrai bolide. Mais une balle dans la jambe gauche l'avait sensiblement ralentie.

— Tu vas bien, à part le fait que tu t'ennuies ?

— Je me sentirais vachement mieux si je pouvais retourner sur le terrain, mais je sais que ça n'arrivera plus, maintenant. Je me suis peu à peu résignée à l'idée de finir ma carrière en employée de bureau.

— Combien de temps à tenir ?

Madeline haussa les épaules.

— Je peux prendre ma retraite dans huit mois, si je veux.

— Tu le feras ?

— Qui sait ?

Le serveur revint prendre leur commande, puis repartit avec le menu sous le bras.

— Qu'est-ce que tu fais en ce moment ?

— Je me suis installé à Arlington et je travaille sur un livre.

Simon s'écarta pour laisser le serveur poser une bière devant lui.

— Sur ton affaire d'argent sale ?

— En fait, j'ai dû laisser celui-là de côté pour l'instant. Je prépare une biographie de Graham Hayward.

— Le membre du congrès ?

— L'ex-président.

— Pourquoi ?

— Parce que j'ai des factures à payer.

— Qui passe la commande ?

— Philip Norton.

— Norton est de retour ? s'étonna-t-elle. Je croyais qu'il avait décidé de s'exiler après la mort de sa femme ?

— Il a voyagé un moment ; je crois qu'il est de retour aux États-Unis depuis six mois environ.

— Triste histoire.

Madeline but une gorgée de son thé glacé.

— Ont-ils jamais su pourquoi elle...

Simon secoua la tête.

— Personne ne se l'explique.

— C'est vraiment triste, pour tout le monde.

Shaw tapota la table du bout des doigts pendant que le serveur apportait leurs sandwiches.

— J'ai entendu dire que le fils Hayward pourrait briguer la Maison-Blanche dans deux ans.

— Il paraît.

Du bout de sa fourchette, Simon poussa ses frites sur le côté de son assiette afin de ménager de la place pour une petite montagne de ketchup.

— J'imagine que c'est le moment idéal pour rappeler à nos concitoyens combien son papa était un bon président.

— Tu as toujours été trop intelligente, tu sais ça ?

— On m'a rabâché ça toute ma vie, dit-elle. Mais reconnais que c'est assez intéressant.

— Quoi donc ?

— Eh bien, j'ai toujours pensé que tu préférais les histoires qui n'étaient pas servies sur un plateau... Je n'aurais pas cru qu'un tel sujet puisse t'accrocher.

— Cette biographie me permettra de gagner assez d'argent pour sortir la tête de l'eau, répondit-il franchement. Et je pourrai ensuite me consacrer au livre dont tu parlais tout à l'heure.

— Alors en quoi le district peut-il t'aider ?

— J'ai besoin d'avoir accès à un rapport d'accident de voiture. Un piéton renversé.

— Simon, tu n'avais pas besoin de m'inviter à déjeuner pour consulter un rapport d'accident de voiture.

Elle avait l'air perplexe.

— Je suis content de te voir. Et puis c'est un rapport assez ancien.

— Ancien comment ?

— Il date d'à peu près trente ans.

— Trente ans ?

Elle éclata de rire.

— Tu plaisantes ?

— Je crains que non.

— Qu'est-ce que tu veux faire d'un rapport d'accident vieux de trente ans ?

— Je suis juste curieux à propos de quelque chose.

— Curieux ? répéta-t-elle, sceptique.

— Oui.

Madeline soupira et prit un petit carnet dans son sac.

— Quel est le nom de la victime et la date de l'accident ?

— Blythe Pierce. Et la date... bon sang, je ne la connais pas.

Il réfléchit, essayant de se rappeler ce que lui avait dit Miles Kendall. Il avait parlé de Noël...

— Probablement en décembre 1971.

— *Probablement*, qu'il dit, marmonna-t-elle. Et tu comptes m'expliquer pourquoi tu fourres ton nez là-dedans ?

Simon hésita. Avant qu'il ne puisse répondre, elle intervint :

— C'est bon. S'il te faut autant de temps pour réfléchir, c'est que tu ne veux pas en parler, alors oublie. Je chercherai ce rapport dès mon retour au bureau.

Laisse-moi un numéro où te joindre ; ça peut prendre quelques jours, ça te va ?

— Au poil.

Madeline trouva le rapport en moins de vingt-quatre heures.

— Tu as un fax ? demanda-t-elle quand Simon répondit au téléphone.

— Oui.

Il lui donna le numéro.

— Je suppose que tu as trouvé quelque chose.

— J'ai un rapport, oui. Ou plus exactement ce qu'il en reste...

— Que veux-tu dire ?

— Je veux dire que le rapport est incomplet.

— Comment ça ?

— Il devrait comporter six pages...

Simon pouvait l'entendre feuilleter le document.

— Mais... ? la pressa-t-il.

— Mais il n'y en a que deux dans le dossier. Maintenant que je regarde de plus près...

Elle feuilleta encore.

— ... on dirait que... certains éléments importants manquent.

Froissement de papiers. Puis Madeline dit à voix basse, comme pour elle-même :

— Bizarre que ce dossier ait été classé si vite après l'accident...

— Une raison à ça ?

— Il faudra le demander à l'officier chargé de l'enquête.

— Volontiers. Il y a un nom ?

— Un certain Hugues.

— Tu as une idée de qui ça peut être ?

— J'ai connu plusieurs Hugues au cours de ma carrière. Ne quitte pas, je rentre son matricule dans l'ordinateur.

Simon commençait à se demander si elle l'avait oublié quand elle revint en ligne.

— C'est Kevin, dit-elle. Il a pris sa retraite il y a cinq ou six ans. C'est un type bien, on a fait équipe pendant un temps.

— Tu sais où je peux le trouver?

— Tu veux beaucoup de choses en échange d'un déjeuner, mon pote, le taquina-t-elle. Je vais devoir te rappeler pour ça.

— Ça me rendrait vraiment service, Madeline. Merci.

— Pas de quoi. J'espère que tu trouveras ce que tu cherches. Peut-être même que tu m'expliqueras de quoi il s'agit.

— Peut-être, répondit-il tandis que la première page faxée arrivait. Peut-être un jour...

Kevin Hughes habitait Trenton, dans le New Jersey. Quand Simon réussit à le joindre, il était sur le point de partir à un procès dans le Connecticut, mais proposa de jeter un œil sur le rapport en question ; Simon n'avait qu'à le lui faxer. Ce qu'il fit aussitôt, bénissant les merveilles de la technologie moderne.

Hughes le rappela quelques minutes plus tard.

— Je me souviens de cet accident. C'est incroyable que vous ayez ce rapport. Je me souviens de cet accident, répéta-t-il, tout excité. En fait, c'est l'une de mes toutes premières enquêtes. Bon sang, je n'arrive pas à croire que vous appeliez à propos de cette affaire... Madeline ne m'avait pas dit qu'il s'agissait de *cet accident-là*...

— Avait-il quelque chose de spécial? demanda Simon, brûlant d'impatience. Hormis le fait que c'était l'une de vos premières enquêtes?

— Et si je vous disais qu'elle a été heurtée deux fois?

— Heurtée deux fois?

Simon se redressa sur sa chaise.

— Elle a été heurtée par deux voitures différentes?

— Non, la même voiture lui a roulé dessus à deux reprises.

— Mais ça voudrait dire que la voiture...

— Ouais. Elle a fait marche arrière et écrasé le corps une deuxième fois.

Simon prit une brève inspiration.

— J'ai le rapport sous les yeux; il ne mentionne rien de tel.

— Sans blague?

— L'avez-vous rédigé dans ce sens? En précisant qu'elle avait été heurtée deux fois?

— Oui. Tout était dans mon rapport. Et dans celui du coroner.

— Votre rapport ne contient plus que deux pages, maintenant. Et le dossier ne mentionne aucun rapport du coroner.

— Surprise, surprise, fredonna Hughes.

— Avez-vous la moindre idée de qui a pu enlever ces pages?

— Honnêtement, non, aucune idée. J'étais un bleu : j'avais pas intérêt à demander.

— Et vous n'en avez jamais parlé à personne?

— Certains gars étaient au courant. Et puis un détective privé est venu poser des questions, mais on ne m'a pas permis de lui parler. Paraît que le père de la victime était une grosse huile. Mais je crois que même lui n'a jamais vu le rapport complet, et je n'en ai jamais parlé à personne. Si je vous raconte tout ça, c'est parce que l'inspecteur Shaw m'a demandé de répondre à toutes vos questions. Si elle vous fait confiance, ça me suffit.

— Ça ne vous a pas ennuyé? Qu'on modifie votre rapport?

— Oh si, et salement. Mais l'ordre venait de très haut...

— Vous avez demandé de qui ?

— Non. Je vous l'ai dit, j'étais un bleu. Mais ça devait être quelqu'un de vraiment haut placé.

Hughes s'écarta du combiné pour tousser, puis reprit :

— Je veux dire, il faut être tout en haut de l'échelle pour couvrir un meurtre.

— Un meurtre… répéta Simon, qui commençait à comprendre ce que tout ça impliquait.

— Comment vous appelleriez ça, vous ?

Hugues toussa encore.

— Celui qui a fait ça voulait que cette femme meure. Ni plus ni moins.


# 7


Le téléphone sembla sonner indéfiniment avant qu'une voix courtoise ne réponde.

— Oui ?

— Votre ami, euh, il a eu de la visite… J'ai pensé que vous voudriez le savoir.

— Bien sûr que je veux le savoir.

Un bref silence, puis :

— Qui ?

— J'ai noté le nom… Il était dans le registre.

Il rapprocha le combiné de sa bouche.

— Simon Keller.

— Simon Keller ?

Le nom fut répété d'une voix douce.

— Ouais, Simon Keller.

— Quand était-il là ?

— Hum, voyons… je l'ai noté aussi.

Il tourna le bout de papier.

— Mardi dernier, puis de nouveau mercredi…

Une rapide inspiration, puis :

— Il est venu deux fois ?

— Euh, eh bien, oui…

— Pourquoi ne me mettez-vous au courant que maintenant ?

— Eh bien, vous comprenez…

— Pourquoi croyez-vous que je vous paie ?

— Je ne savais pas…

— Vous êtes pourtant *censé* savoir, je vous *paie* pour que vous sachiez !

— Je suis désolé, mais…

— Pas de *mais*, siffla la voix.

— Écoutez, je n'étais pas de service…

— Taisez-vous. Laissez-moi réfléchir.

Silence.

Finalement :

— Combien de temps est-il resté ?

— Je ne sais pas, dit-il en se grattant la tête.

— Alors retournez-y, consultez le registre, et rappelez-moi.

Patience forcée, comme lorsque l'on s'adresse à un enfant.

— Notez les heures d'entrée et de sortie. Pensez-vous pouvoir y arriver ?

— Oui. Ma pause est terminée maintenant, mais j'irai quand je… allô ? Allô ?

L'ordre donné, la ligne avait été coupée.

Avec un soupir, l'aide-soignant raccrocha le combiné de la cabine payante et attendit une seconde ou deux pour vérifier s'il n'avait pas oublié sa monnaie. Puis il écrasa sa cigarette, traversa le vestiaire et retourna au travail, bien déterminé à recueillir l'information demandée. Après tout, des à-côtés comme ceux-là ne vous tombaient pas dessus tous les jours, et si ça durait encore quelques mois il pourrait acheter cette super-Camaro qu'il admirait tous les jours en passant – en bus – devant le magasin de voitures d'occasion.

Il y avait tellement de vieux ici, songeait-il en longeant le couloir désert. Ça le dépassait que celui-là pût avoir tant d'importance ; selon lui, la maison accueillait des personnages bien plus intéressants que ce Kendall. Comme M. DiGiorgio, par exemple, dont les fils et les petits-fils, tout habillés de noir, venaient chaque mois de New York en limousine avec un panier rempli de pâtes et de grands vins. DiGiorgio, *lui*, avait été quelqu'un. *Lui* avait des choses à raconter. Alors que le vieux Kendall restait toujours silencieux, et passait son temps à regarder d'un œil vide par la fenêtre...

L'aide-soignant s'arrêta devant la porte de Miles et l'entrouvrit juste assez pour y passer la tête. Le vieillard avait une respiration sifflante dans son sommeil mais, à part ça, il dormait comme un bébé.

*Si jamais on me demande s'il parle dans son sommeil, je pourrais répondre en connaissance de cause*, s'était-il dit, ne comprenant toujours pas l'importance de sa mission mais sachant que de l'issue de celle-ci dépendait une question cruciale : *bagnole* ou *pas bagnole*. Il referma doucement la porte avant de se diriger vers le hall, où se trouvait le registre.

Cette fois, il avait pris soin de se renseigner avant d'appeler ; on n'avait plus aucune raison pour lui demander – de cette méchante voix prétentieuse qui le mettait si mal à l'aise – s'il savait pourquoi on le payait. Il savait. Et il avait transmis toutes les informations.

8

Simon n'avait eu aucun mal à trouver l'adresse de Foster Worthington Pierce grâce à Internet : Wild Springs, à Malvern, Pennsylvanie.

Il prépara son sac et prit la direction du nord ; les faubourgs de Philadelphie ne se trouvaient qu'à deux heures de route. Son entrevue avec Celeste Hayward était prévue pour le lendemain, mais il pouvait aussi bien prendre un vol à partir de Philadelphie que de Washington ou de Baltimore. Il ignorait ce qu'il espérait découvrir, mais sentait qu'il ne serait pas satisfait tant qu'il n'aurait pas rencontré Foster. Quant aux questions qu'il poserait une fois en face de lui, eh bien, il y réfléchirait pendant le voyage. Tout ce qu'il savait, c'était qu'il devait y aller.

Un journaliste envoyé par un magazine de mode aurait décrit Wild Springs comme *la* demeure du parfait gentleman-farmer : enfermés dans de vastes prairies clôturées de barrières galopaient de superbes chevaux qui, imperturbables, regardèrent la vieille voiture de Simon suivre le petit chemin sinueux qui menait à une large maison de maître en pierre taillée.

*Une région de chevaux*, nota le jeune journaliste en remarquant les équipements pour sauts d'obstacles disposés çà et là dans les champs. Une grange imposante et plusieurs autres corps de bâtiments plus petits s'élevaient à sa droite, construits autour d'un manège. On distinguait plusieurs autres édifices et un jardin clos de murs à l'arrière de la maison ; un bois formait une frontière naturelle de l'autre côté de la propriété. Celle-ci semblait presque neuve, et les pâturages eux-mêmes paraissaient impeccablement entretenus.

M. Pierce ne lésinait apparemment pas sur les dépenses de maintenance, songea Simon en se dirigeant vers la porte d'entrée, peinte en rouge, dont le heurtoir avait la forme d'une tête de cheval.

— Oui ?

Une femme aux cheveux blancs, simplement vêtue d'un pantalon et d'un pull, lui ouvrit la porte d'un air méfiant.

— Bonjour madame, je m'appelle Simon Keller. Je me demandais si je pouvais parler à M. Pierce.

— Je suis désolée, mais M. Pierce est décédé.

— Oh…

Alors que Simon digérait l'information, une voix appela de l'intérieur :

— Qui est-ce, madame Brady ?

— Quelqu'un qui demande à voir votre père.

À travers l'entrebâillement de la porte, Simon aperçut une silhouette qui approchait dans un fauteuil roulant.

— Pour quelle raison ?

— J'allais justement le lui demander, mademoiselle Pierce.

La gouvernante se tourna de nouveau vers Simon.

— Je suis écrivain. J'espérais lui parler au sujet de…

— Un écrivain ?

Le fauteuil roulant était maintenant assez proche pour que Simon voie la femme d'âge mûr qui y était assise.

— Oui.

— Quel genre d'ouvrage écrivez-vous ?

Le fauteuil roula jusqu'à la porte. De près, la femme qui l'occupait paraissait plus jeune, d'une quarantaine d'années, peut-être ; ses cheveux étaient plus blonds que blancs. Et si ses jambes ne pouvaient plus la porter, ses yeux étaient vifs, animés par la curiosité.

— Je prépare actuellement un livre sur le président Graham Hayward. Au cours de mes recherches, je suis tombé plusieurs fois sur le nom de Blythe Pierce, assez souvent pour que j'aie envie d'en savoir plus sur elle ; j'ai suivi une piste qui m'a conduit jusqu'ici.

Simon ne savait pas trop où il allait, mais cette entrée en matière lui paraissait convenable.

— Blythe.

La femme souriait en prononçant le prénom.

— Mon Dieu, on ne m'a pas parlé de ma sœur depuis… une éternité. Je suis Betsy Pierce.

Elle tendit la main à Simon.

— Et vous, déjà… ?

— Simon Keller.

Simon se pencha pour serrer la main tendue, dont la force le surprit.

— Alors comme ça vous écrivez une biographie du président Hayward et vous voulez des renseignements sur Blythe…

Betsy Pierce récita lentement l'information, comme pour essayer de reconstituer un puzzle.

— Quel genre de documents mentionnait le nom de ma sœur ?

— D'anciennes listes d'invités de la Maison-Blanche. Elle a apparemment participé à un certain nombre de dîners et de soirées là-bas.

— Entrez donc, monsieur Keller, et racontez-moi ce que vous avez découvert d'autre.

— Mademoiselle… la prévint Mme Brady en haussant les sourcils.

— Oh, ne vous inquiétez pas, madame Brady. Nous resterons ici, dans le petit salon, où vous pourrez surveiller le moindre des gestes de ce monsieur. Si cela peut vous rassurer, vous pouvez même faire venir le nouveau palefrenier armé de ce fusil qu'il utilise pour effrayer les marmottes.

Betsy Pierce fit pivoter son fauteuil pour le diriger entre deux larges colonnes blanches, faisant signe à Simon de la suivre.

Le jeune homme leva les mains en passant devant la gouvernante, comme pour lui montrer que ses intentions n'avaient absolument rien de malveillant.

— Il y a si longtemps que je n'ai pas parlé de Blythe, commença Betsy. Elle est partie depuis… Est-ce que cela fait vraiment trente ans ? Et mon père est mort depuis près de vingt-cinq ans ? Personne ne semble se rappeler d'elle à part moi.

— Votre père est toujours dans l'annuaire.

— Je n'ai jamais pris la peine de le faire rayer des listes.

— J'espère que ma visite ne réveille pas des souvenirs trop pénibles.

— Non, non, pas du tout. Asseyez-vous, je vous prie, et dites-moi ce que vous voulez savoir sur Blythe.

Simon s'installa sur le canapé et hésita. Par où commencer ?

— Eh bien... pour mon livre, j'ai effectué des recherches sur l'entourage proche du président. Le nom de votre sœur est souvent associé à celui de Miles Kendall, secrétaire général de la Maison-Blanche à l'époque. Lui et Hayward formaient une paire indissociable, semble-t-il.

— J'ai bien peur de tout ignorer à ce sujet, déclara Betsy en croisant les bras sur sa poitrine. Blythe ne montrait pas ses cartes.

— Que voulez-vous dire ?

— Elle n'a jamais été très bavarde sur sa vie personnelle. Du moins avec moi. Mais il faut dire qu'elle avait dix ans de plus que moi. À l'époque où elle vivait à Washington, j'avais... environ quinze ans. Nous n'étions pas particulièrement proches, sans doute à cause de cette différence d'âge.

— Donc vous ne savez rien de sa vie durant cette période ? Où elle habitait, qui étaient ses amis ?

— Je sais où elle habitait, si. Je lui ai rendu visite quelques fois pendant les vacances scolaires. Elle avait un adorable appartement à Woodley Park.

La voix de Betsy se fit lointaine.

— J'adorais aller la voir : c'étaient les seuls moments où nous pouvions être vraiment ensemble. Blythe mettait toutes ses activités en suspens pendant mon séjour, elle m'emmenait visiter la ville, déjeuner dans des restaurants magnifiques. Quand le temps le permettait, nous allions marcher le matin dans Rock Creek Park.

Betsy remarqua l'étonnement de Simon, et sourit en précisant :

— Je n'ai pas toujours été clouée dans un fauteuil roulant, monsieur Keller. Je me suis brisé la colonne vertébrale dans un accident il y a quelques années. Mais avant cela, j'étais très active.

— Je suis désolé; je ne voulais pas...

Betsy balaya ses excuses d'un geste.

— Je vous en prie, ne soyez pas désolé. Honnêtement, cela fait longtemps que je n'avais pas pensé au plaisir que procure la marche; le souvenir ne me pèse pas. Me rappeler ces sensations me fait même plutôt du bien.

— Votre sœur poursuivait-elle ses études à Washington? Ou bien y avait-elle des amis?

— Non, elle avait déjà terminé ses études à l'époque. Quant à ses amis, je ne crois pas qu'ils vivaient là-bas. Pourquoi me posez-vous la question?

— Je me demandais pourquoi elle s'était installée dans cette ville. Elle y travaillait, peut-être?

— Je me rappelle qu'elle faisait du bénévolat, mais Blythe n'a jamais travaillé. Elle n'avait pas besoin d'argent, à vrai dire. D'après mes souvenirs, c'est avec Père qu'elle est allée pour la première fois à Washington : elle était fascinée par le milieu que sa fonction d'ambassadeur l'amenait à fréquenter. Ensuite, elle y est retournée plusieurs fois, je crois, avant d'y louer un appartement.

Betsy sourit.

— Blythe adorait la vie nocturne. La campagne l'ennuyait à mourir. Moi, à l'inverse, je n'ai jamais pu envisager de vivre ailleurs qu'ici.

— Avez-vous jamais rencontré l'une de ses amies? L'un de ses amoureux?

Betsy secoua la tête.

— Non. Quand j'allais la voir, elle était toute à moi et nous profitions exclusivement l'une de l'autre; elle n'invitait personne. En fait, la seule de ses amies que j'aie jamais connue était sa colocataire à la faculté :

elle et Blythe étaient très proches. Si Blythe voyait quelqu'un à Washington – même quelqu'un d'aussi important que ce M. Kendall auquel vous avez fait référence –, elle ne m'en a jamais parlé. Mais cela n'aurait rien eu d'étonnant. Je veux dire, qu'elle ait pu fréquenter un personnage de cette envergure.

— Pourquoi donc?

— Blythe était le charme incarné. Elle ne pouvait pas marcher dans la rue sans que les hommes tombent à ses pieds.

Betsy rit et fit rouler son fauteuil jusqu'au piano installé à l'une des extrémités de l'élégante pièce. Elle prit une photo encadrée et revint vers Simon.

— C'est la dernière photo qu'on ait faite d'elle; elle avait vingt-sept ans à l'époque.

Elle la lui tendit pour que Simon la penche vers la lumière. La jeune femme sur la photo était aussi stupéfiante qu'Adeline Anderson l'avait affirmé. Une foisonnante chevelure sombre encadrait un visage que Dame Nature avait généreusement doté d'un nez fin et droit, d'une bouche pulpeuse, de grands yeux bleu lavande bordés de cils très noirs, et d'un sourire lumineux qui semblait prendre sa source au feu même de la vie.

— Elle était très belle, dit simplement Simon.

— C'est peu dire. Je ne doute pas qu'elle ait eu un amoureux – ou deux ou trois – quand elle vivait à Washington. Mais je ne l'ai jamais entendue mentionner quelqu'un de particulier.

Elle prit la photo que Simon lui rendait et la posa sur la table entre eux.

— En quoi la vie sentimentale de Blythe pourrait-elle avoir de l'importance pour votre livre?

— Oh, je ne sais pas, à vrai dire. Comme je vous l'ai dit, son nom apparaissait souvent à côté de celui de Kendall, qui était un membre clé de l'administration Hayward : cela m'a donné envie d'en savoir un peu plus sur elle. Et puis quand j'ai trouvé l'adresse de votre père, je me suis dit que Philadelphie n'était pas si loin – pourquoi ne pas y faire un saut, juste pour voir ?

Simon se fendit de ce qu'il espérait être son sourire le plus attachant.

— Pourquoi pas, en effet ?

Betsy Pierce se plongea dans la contemplation de la photo de Blythe.

— Mademoiselle Pierce, que savez-vous sur la mort de votre sœur ?

Elle sursauta dans son fauteuil.

— Pardon ; j'aurais dû être moins direct, grimaça Simon, confus.

Betsy s'éclaircit la gorge.

— Je sais qu'elle a été renversée par une voiture. Je sais aussi que mon père s'est posé de nombreuses questions, restées sans réponse : il ne pouvait admettre que la police n'eût jamais trouvé un seul suspect, il pensait qu'ils avaient trop vite abandonné. Il a même engagé un détective privé, mais cela n'a rien donné non plus.

— Adeline Anderson m'en a parlé.

— Qui ?

— Une journaliste qui couvrait les événements mondains de l'époque. Elle se souvient de votre sœur et m'a dit que rien n'avait plus été pareil après la mort de Blythe.

— Qu'est-ce que cela a changé ?

— Le rythme des réceptions à la Maison-Blanche s'est considérablement ralenti. D'après elle, le président était trop occupé à consoler son ami.

— Consoler son ami, répéta lentement Betsy d'une voix monocorde.

— Miles Kendall, lui rappela Simon.

— Je comprends.

— Enfin voilà… une chose en entraînant une autre…

Simon joignit les mains en appuyant les coudes sur ses genoux.

— Je veux dire par là que j'étais parti pour rassembler des informations sur un ancien président, quand je me suis retrouvé face à toutes sortes d'autres choses...

Simon débattit une bonne minute avec lui-même avant d'ajouter :

— Parmi lesquelles un ancien meurtre apparemment resté non résolu.

Betsy leva vivement les yeux vers lui.

— J'ai récemment eu l'opportunité de consulter le rapport de police concernant la mort de votre sœur : il était étonnamment bref. Alors j'ai contacté l'officier de police chargé de l'accident...

— Et il vous a dit... ?

On ne pouvait dire ça avec ménagement.

— Il semble que le véhicule qui a renversé votre sœur lui soit passé deux fois sur le corps.

Simon observa sa réaction. Comme son visage restait de marbre, il ajouta :

— Votre sœur a été délibérément percutée, mademoiselle Pierce, et votre père devait s'en douter ; il n'a tout simplement pas pu le prouver.

Betsy dirigea son fauteuil vers une fenêtre surplombant les prairies où ses chevaux paissaient sous un soleil déclinant.

— Allez-vous essayer de le prouver, monsieur Keller ?

— Si je peux.

Dès que ces mots eurent franchi ses lèvres, il sut qu'ils étaient sincères.

— Pourquoi ?

Quand elle se retourna vers lui, ses yeux étaient cerclés de rouge.

— Parce que quelqu'un a tué impunément il y a presque trente ans.

— Je suppose que vous pourriez tirer beaucoup d'argent d'une histoire pareille, n'est-ce pas ? Que recherchez-vous, au juste ?

— La vérité, répondit-il en la regardant droit dans les yeux. Je ne cherche que la vérité.

— Quelle noblesse d'âme ! railla-t-elle.

— Vous en parlez comme d'un méchant défaut.

— Et à supposer que vous trouviez la vérité, monsieur Keller. Qu'en ferez-vous ?

— Je ne sais pas, répondit-il en toute franchise. Je ne le saurai pas tant que j'ignore ce que cette vérité contient, et ce qu'elle implique.

Betsy retourna à la fenêtre et regarda dehors si longtemps que Simon crut qu'elle avait oublié sa présence.

Finalement, elle se retourna pour demander :

— Avez-vous un suspect en vue, monsieur Keller ?

— Aucun. Mais je pensais qu'en découvrant qui étaient ses amis, qui étaient ses amants…

Betsy se mordillait la lèvre inférieure, comme en proie à un conflit intérieur.

— Elle s'est certainement confiée à Jude, articula-t-elle enfin.

— Jude ?

— La colocataire dont j'ai parlé tout à l'heure.

— Vous ne sauriez pas où je pourrais la trouver ?

Le regard de Betsy passa de l'image de sa sœur à Simon, puis revint de nouveau à la photo, comme si le conflit se poursuivait en son âme.

— Il se trouve que oui, déclara-t-elle au bout d'un laps de temps qui parut interminable à Simon. Il y a quelques jours, j'ai reçu une copie d'une lettre qu'Everett lui a envoyée, et son adresse se trouvait dessus.

— Qui est Everett ?

— Notre avocat de famille.

Betsy prit la photo et la remit à sa place sur le piano.

— Jude était la seule héritière des biens de ma sœur, et Everett Jackson son exécuteur testamentaire. Il s'occupe également du suivi de ses biens, et entre régulièrement en contact avec Jude à ce sujet.

— Votre sœur a nommé sa colocataire seule héritière de ses biens ?

Simon fronça les sourcils et demanda sans réfléchir :

— Pas vous ?

Quand il réalisa ce qu'il venait de dire, il rougit jusqu'aux oreilles.

— Je suis vraiment confus, s'excusa-t-il. Il est évident que cela ne me regarde pas.

— Vous n'êtes certainement pas la première personne à réagir ainsi, mais je vous assure que cela ne me touche absolument pas. Ma sœur et moi avions hérité à parts égales des biens de ma mère, et c'est cette part qui est allée à Jude. En tant qu'unique enfant survivant, j'ai hérité de Wild Springs et de la fortune de mon père. Malheureusement, je n'ai personne à qui léguer tout cela...

Le regard de Betsy s'embruma de nouveau puis, presque aussi rapidement, s'éclaircit.

— Je n'ai jamais envié la part dont Jude a hérité, poursuivit-elle. Elle était absolument sans le sou, obligée de travailler dur pour payer ses études ; la décision de Blythe n'est pas difficile à comprendre : Jude était sa meilleure amie, et j'ai toujours trouvé ça merveilleux que ma sœur ait ainsi pris soin d'elle. Et puis, franchement, je n'avais pas besoin de cet argent, alors que Jude, oui. Je suis sûre que ça lui a grandement facilité la vie, tandis que cet argent n'aurait pas changé grand-chose à la mienne...

— C'est très généreux de votre part.

— C'est la vérité. Oh, ça n'est pas qu'il soit si difficile de dépenser six ou sept millions de plus, bien sûr.

Simon rit de ce trait d'humour.

— Blythe avait tout à fait le droit de disposer de son argent comme elle l'entendait, poursuivit Betsy. Elle en a d'ailleurs bien profité de son vivant ; elle aimait tant les voyages, les jolis vêtements et l'aventure.

Betsy se dirigea vers une bibliothèque pour en sortir un gros album en cuir. Elle le feuilleta quelques instants, puis revint vers Simon et le lui tendit.

— Cela pourra peut-être vous donner une idée de la personnalité de Blythe. Regardez-le tranquillement pendant que je vais chercher la lettre d'Everett.

Elle quitta la pièce, les roues de son fauteuil tournant silencieusement sur l'épais tapis oriental. Simon la suivit des yeux jusqu'à ce qu'elle disparaisse dans le couloir, puis ouvrit l'album pour découvrir page après page une chronique en images des voyages de Blythe : posant devant les pyramides d'Égypte, juchée sur un dôme doré de Jérusalem, marchant sur un chemin à la végétation luxuriante dans une sorte de jungle, assise sur les marches d'un temple maya… Blythe possédait le même sourire rayonnant que sa sœur, mais là s'arrêtait leur ressemblance. Alors que Betsy respirait le calme, Blythe semblait être l'énergie incarnée. Un magnétisme vibrant, qui transparaissait même dans ces photos vieilles de trente ans, émanait d'elle. Devant cette fusion de tant de magnétisme et de beauté, Simon ne s'étonnait plus que Hayward et Kendall aient tous deux été attirés par elle.

Une photo volante était coincée entre les quatrième et cinquième pages de l'album : Blythe dans un jardin, un bras passé autour des épaules d'un homme bien plus âgé. Au dos, une inscription manuscrite : « Père et Blythe à une réception de l'ambassadeur de France. » L'objectif était centré sur Blythe, dont on distinguait clairement les traits. Hésitant à peine, Simon glissa la photo dans sa poche avant de refermer l'album, puis se rendit près de la fenêtre pour regarder dehors.

Le soleil de mars était bas, la beauté crue des arbres dénudés se détachant sur l'épais bandeau des nuages gris qui enveloppaient le ciel. Il observa un jeune cheval gambadant dans le vent froid qui faisait ployer l'herbe des pâturages, songeant à Blythe Pierce, qui avait glorieusement commencé sa vie pour connaître une fin prématurée terriblement sinistre.

Il se demandait qui l'avait conduite à cette fin.

— Les nuages se lèvent enfin, remarqua Betsy depuis le seuil de la porte.

— Oui. C'est agréable de revoir le soleil, même brièvement.

Simon se tourna vers elle.

— Je regardais ce jeune cheval…

— Ah, Magnolia, ma petite jument. Elle sera une championne de saut, un jour, je vous le garantis.

— Elle a l'air très vive.

— Elle a du tempérament, en effet. Tenez, voici l'adresse de Jude, dit-elle en lui tendant une feuille de papier.

— Merci.

Simon franchit la distance qui les séparait pour attraper la feuille pliée, et l'ouvrit juste assez longtemps pour voir que Jude s'appelait McDermott et qu'elle vivait dans une petite ville du Maryland, à environ trente kilomètres de son ancien appartement de McCreedy.

— J'apprécie votre aide.

— Elle n'est pas tout à fait désintéressée. Je suis curieuse de voir à quoi vous aboutirez. Après toutes ces années, l'idée que quelqu'un paie enfin pour la mort de Blythe me plaît assez, je vous le confesse. Même si je doute que vous parveniez à découvrir la vérité…

Elle s'éclaircit encore la gorge.

— J'aimais profondément ma sœur, monsieur Keller. Je ne peux pas vous dire combien cette vérité compte pour moi.

— Le détective engagé par votre père a dû rédiger un rapport ?

— Sans doute, mais je ne me souviens pas l'avoir jamais vu. J'ai bien trié certains papiers de mon père après sa mort, mais j'avoue n'avoir pas touché à bon nombre de dossiers.

— Peut-être pourriez-vous prendre le temps de regarder…

— Je le ferai, promit-elle.

Son regard était limpide maintenant, et rempli de détermination.

Simon ne put s'empêcher de regretter qu'une âme aussi belle et forte soit enfermée dans un corps à ce point amoindri.

— Si cela ne vous dérange pas de sortir par l'arrière, dit-elle en lui faisant signe de la suivre. Il y a une rampe ; je pourrai ainsi vous raccompagner jusqu'à votre voiture.

Simon la suivit le long du couloir et à travers un autre salon, par lequel on accédait à une terrasse pourvue d'une rampe conduisant à un chemin pavé de pierres lisses.

— C'est mon garçon, Moon Dancer, là-bas. N'est-il pas magnifique ?

— Il est superbe, dut admettre Simon en regardant le cheval à la robe luisante qui galopait le long de la clôture.

— C'est le meilleur, et il le sait. Terriblement frimeur, ajouta-t-elle avec un rire plein de fierté. Est-ce que vous montez, monsieur Keller ?

— Pas depuis que j'ai quitté l'Iowa, il y a des années.

— Ça me manque tellement, soupira Betsy avec nostalgie. C'est la seule chose qui me manque vraiment. Oh, je peux encore monter sur un cheval pour une promenade, mais c'est le saut d'obstacle qui me manque. Nous sommes dans une région de chasse, vous savez.

— L'une des plus belles que j'aie jamais vues, d'ailleurs.

Désignant de la tête les parterres de fleurs où des pousses pointaient dans le sol encore gelé, il ajouta :

— Vos jardins doivent être magnifiques en été.

— Oh, les jardins étaient l'affaire de Père, précisa-t-elle tandis qu'ils suivaient l'allée menant au-devant de la maison. Mon grand-père était un horticulteur amateur ; il a planté ces parterres, que mon père a continué à entretenir, après sa mort, avec l'aide d'un jardinier. Par chance, le jardinier est resté avec moi, sinon ce serait une jungle, ici ; mais il souffre d'arthrose et travaille très lentement – quant à moi, je n'ai jamais aimé jardiner. Blythe, elle, adorait ça : elle passait des heures à fouiller la terre avec Grand-Père...

Elle s'arrêta, comme si elle revoyait la scène, avant d'ajouter :

— Certaines de ces roses ont plus de cinquante ans, et les pivoines sont encore plus anciennes. Nous avons des spécimens de plantes vivaces très rares ; vous devriez revenir en juin pour voir à quel point elles sont belles.

— Je le ferai peut-être.

Simon s'arrêta à quelques mètres de sa voiture.

— Je l'espère, en tout cas.

Le regard de Betsy se fit soudain plus acéré, comme si elle le jaugeait ; puis, tout aussi soudainement, son sourire revint.

— Merci encore pour le temps que vous m'avez consacré ; vous m'avez énormément aidé.

— Si vous voyez Jude, transmettez-lui mes amitiés.

Son sourire se teinta d'un voile de nostalgie.

— Dites-lui... dites-lui que ma porte lui est toujours ouverte.

— Je n'y manquerai pas.

— Puis-je vous demander une faveur ?

— Bien sûr.

— Tenez-moi au courant si vous apprenez quelque chose. Ce sera peut-être... la dernière chose que j'aurai de Blythe.

— Vous pouvez compter sur moi, assura-t-il en ouvrant la portière de la Mustang et en se glissant derrière le volant. De votre côté, prévenez-moi si vous trouvez le rapport du détective.

— Promis. J'ai votre carte dans ma poche.

Simon fit marche arrière, effectua un demi-tour, et agita la main en passant devant elle.

— Au revoir, monsieur Keller, murmura-t-elle doucement en suivant des yeux la voiture rouge qui s'éloignait.

Elle resta immobile longtemps après que la voiture eut disparu.

Quand le froid se fit sentir, elle rentra, anxieuse de savoir si elle aurait un jour une raison de regretter les événements qu'elle venait de déclencher.

De retour dans le salon où elle venait de s'entretenir avec Simon, elle prit l'album, l'ouvrit, et sourit en découvrant que la photo qu'elle avait glissée à l'intérieur avait disparu. Sans savoir pourquoi, elle savait qu'il ne pourrait pas résister.

Betsy rangea l'album, puis se rendit au piano où elle joua distraitement quelques notes d'une vieille chanson dont elle ne se rappelait pas le titre, essayant d'étouffer ses remords de conscience.

Elle n'avait pas été totalement honnête avec Simon Keller.

Au fil des années, on était venu la voir plus d'une fois pour l'interroger sur sa sœur, et plus particulièrement sur sa relation avec Miles Kendall. De tous ces visiteurs, Simon avait été le seul à se soucier des circonstances dans lesquelles Blythe avait trouvé la mort.

Mais était-ce une raison suffisante pour lui faire confiance à ce point ?

Seul le temps le dirait.

Et puis, réfléchit-elle, il se présenterait toujours un curieux pour fouiller dans cette histoire. Tôt ou tard, quelqu'un découvrirait la vérité ; Simon Keller serait peut-être ce quelqu'un.

Betsy frissonna à l'idée de ce que cette vérité pourrait entraîner.

Mais après toutes ces années, n'était-il pas temps ?

## 9

En d'autres circonstances, Simon se serait estimé chanceux d'avoir le privilège d'interviewer Celeste Dillon Hayward, ex-*first lady* et veuve de Graham

T. Hayward. Mais les circonstances n'avaient rien d'ordinaire. D'une part, les questions qu'il brûlait de poser étaient justement celles qu'il ne pouvait aborder (*Madame Hayward, est-il vrai que votre mari entretenait une liaison avec une jeune femme nommée Blythe Pierce?*). D'autre part, il lui tardait vraiment de retourner dans le Maryland pour rencontrer Jude McDermott et découvrir ce qu'elle savait de la vie sentimentale de sa défunte amie.

Chaque chose en son temps…

Assis très droit sur un fauteuil en damas blanc, Simon faisait de son mieux pour se concentrer sur son hôtesse. Elle avait été surnommée lady Céleste par ses détracteurs à cause de sa froideur et de ses manières réservées, qualités que ses défenseurs avaient toujours attribuées à sa timidité naturelle. Après presque deux heures d'entretien, Simon se demandait encore laquelle des deux versions était la bonne. Jusqu'à présent, elle lui avait parlé des difficultés que son mari avait rencontrées dans la gestion de la crise du système de santé, de la mort de ses parents, de ses voyages à l'étranger, et tout cela avec le même détachement apparent. Le jeune homme se rendait compte qu'il n'avait même pas su érafler l'armure qu'elle s'était forgée.

— De tous les gens que vous avez rencontrés quand vous viviez à la Maison-Blanche, quel visage reverriez-vous avec le plus de netteté si vous fermiez les yeux aujourd'hui? tenta-t-il. Qui vous a fait la plus forte impression?

— Oh, mon Dieu!

Celeste Hayward porta une main délicate à sa bouche et fit mine d'étouffer un rire avant de fermer les yeux, prouvant ainsi qu'elle était, après tout, bonne joueuse.

— Je suppose que je devrais répondre « mon mari », n'est-ce pas?

— Si c'est lui que vous voyez...

— C'est lui, évidemment. Mais j'imagine que vous attendez autre chose.

Mme Hayward pencha légèrement la tête pour soupeser la question.

— La première personne qui me vient à l'esprit est le révérend Preston. Il a été notre pasteur pendant tant d'années, vous comprenez... Ensuite je vois Mme Ellis, Kathryn Ellis, l'épouse du premier ministre britannique, une femme adorable. Nous étions devenues des amies assez proches ; elle est morte il y a plusieurs années de cela, mais elle me manque toujours.

Les yeux de Mme Hayward étaient ouverts, maintenant, et elle regardait pensivement par la fenêtre.

— Et bien sûr, il y a aussi Jeanine Bayard, la chanteuse la plus talentueuse de notre temps. Elle avait une voix superbe, je suis sûre que vous en conviendrez. Mais je revois surtout les gens que je côtoyais chaque jour : David Park, le vice-président. Philip Norton – Graham et lui s'entendaient comme larrons en foire. Et, évidemment, Miles Kendall, le secrétaire général de mon mari et son ami le plus proche.

Elle sourit avec fausse modestie et ajouta :

— Après moi, bien sûr.

— M. Kendall et le président se connaissaient depuis de nombreuses années, si je me souviens bien.

— Oh oui, depuis l'école primaire : ils ont fait toutes leurs études ensemble. On peut dire qu'ils étaient inséparables. Malheureusement, Miles ne va pas bien du tout aujourd'hui.

Elle poussa un lourd soupir.

— Quelle tristesse, c'était un homme tellement merveilleux... Un ami si précieux pour Graham.

Ses yeux se remplirent de larmes.

— Alzheimer, vous savez. Nous – les enfants et moi – lui avons rendu visite pour son anniversaire ; il ne nous a même pas reconnus.

— Peut-être devriez-vous essayer de nouveau. Il semble qu'il ait des bons et des mauvais jours.

— Pardon ?

— Il y a des jours où il se rappelle qui il est, et même les moments qu'il a passés à la Maison-Blanche avec votre mari.

Simon regarda ses mots atteindre leur cible, puis étudia leur effet.

Celeste Hayward resta absolument muette pendant un long moment avant de demander :

— Alors, vous… ?

— Je suis allé le voir, oui, acquiesça Simon.

— Mon Dieu… je n'imaginais pas…

Elle parut déstabilisée, l'espace d'une seconde.

— J'étais convaincue qu'il ne se souvenait plus de rien…

— Comme je vous le disais, il semble avoir des bons et des mauvais jours.

— N'est-ce pas surprenant ?

Elle paraissait encore perturbée.

— Il faut que j'en parle à Sarah et à Gray. Peut-être devrions-nous prévoir une autre visite.

— Peut-être, oui.

— Eh bien, dit-elle en toussotant, une main posée sur la gorge, avez-vous d'autres questions ? J'imagine que vous devez être presque au bout de votre liste, maintenant.

— En effet, madame Hayward. Accordez-moi encore quelques minutes, s'il vous plaît. De tous les souvenirs que vous avez de la présidence de votre mari, y a-t-il un moment qui vous a marquée, que vous chérissez plus que les autres ?

— Quand j'ai vu Graham poser sa main sur la Bible, alors qu'il prêtait serment pour son premier mandat.

Le regard de Celeste Hayward glissa de nouveau vers la fenêtre, au-delà de laquelle soufflait un vent froid.

Elle était l'image même d'une femme qui, en son temps, avait été une personne très importante. De la racine de ses impeccables cheveux blonds à la pointe de ses ongles manucurés, Celeste Hayward respirait la respectabilité. Sa tenue sobre – une jupe en laine gris sombre et un gilet assorti, une modeste perle sertie d'or à chaque oreille – donnait le ton de l'interview : la *first lady* accorde quelques instants de son précieux temps. Il n'y avait pas de doute sur la personne qui dirigeait l'interview : Simon avait beau poser les questions, c'était lady Celeste qui menait la ronde. Malgré ses soixante-treize ans, elle possédait une force tranquille, mais déterminée.

— C'était une superbe journée, poursuivit Mme Hayward en tournant ses yeux bleus vers Simon pour lui sourire. Pas comme celle d'aujourd'hui : ce froid, ce vent, on dirait qu'il va neiger. Nous étions tous là – la famille au grand complet – pour partager le moment le plus important de la vie de Graham.

Son menton se redressa légèrement.

— Ses parents étaient encore vivants, et ils assistaient à la cérémonie. Son frère Tommy aussi, qui perdit sa bataille contre le cancer du poumon l'été suivant. Et, bien sûr, nos enfants. Nous étions tous si fiers…

Ses paupières battirent imperceptiblement.

— Quand Graham entama son deuxième mandat, son père était mort depuis plus d'un an, son frère depuis trois. Et les enfants étaient… eh bien, ils n'étaient plus des enfants. Tant de choses avaient changé en quatre ans…

Il semblait y avoir autre chose, quelque chose de non dit, mais à quelle révélation s'attendre ? Après tout, une femme comme Celeste Hayward avait de nombreux souvenirs de cette période, et si elle consentait à en partager quelques-uns, soigneusement sélectionnés, elle n'était sûrement pas prête à livrer son âme ni encore moins à dévoiler des secrets.

Celeste se leva et se dirigea vers l'une des grandes fenêtres, les mains sur les hanches. Simon aurait voulu voir l'expression de son visage en cet instant.

— Cette première investiture… Graham avait tant attendu ce moment ; c'était le point d'orgue de sa vie.

Elle tourna la tête pour adresser un sourire à Simon.

— Et de la mienne, bien sûr.

— Vous avez passé huit ans à la Maison-Blanche en tant que *first lady*, lui rappela Simon. Vous avez sûrement connu de nombreux moments de triomphe.

— Je suis une femme très conventionnelle, monsieur Keller. Je n'ai pas honte de dire que j'ai bâti ma vie autour de mon mari et de mes enfants : mes moments de triomphe, comme vous dites, tournaient toujours autour de Graham, de notre fils ou notre fille. Rien ne compte plus pour moi que la famille.

Elle semblait se crisper.

— Rien n'a jamais été plus important.

— Vous et M. Hayward étiez mariés depuis…

Simon chercha dans ses notes.

— Nous étions mariés depuis vingt-neuf ans quand il nous a quittés.

Le sourire affable était de retour.

— Des années heureuses ?

— Oh oui, très heureuses. Mon mari était un homme merveilleux, monsieur Keller.

— Tout ce que j'ai lu sur lui va dans ce sens, madame Hayward.

— Graham était un mari dévoué, un père merveilleux et un grand président. Il mérite qu'on se souvienne de lui comme d'un chef d'État intègre et compatissant.

Ses bras étaient étroitement serrés sur sa poitrine quand elle lui fit face.

— Pour Graham, être président était une mission sacrée. Les citoyens américains l'ont élu parce qu'ils savaient qu'il donnerait toujours le meilleur de lui-même et qu'il ne les trahirait jamais. Qu'il se maintiendrait toujours au plus haut niveau de moralité, quel que soit le sacrifice que cela lui coûte : c'était ce qu'on attendait de lui ; c'était ce qu'on attendait de nous tous. À chaque début de mandat – que ce soit en tant que jeune membre du Congrès, quarante ans plus tôt, ou en tant que président –, Graham promettait de ne jamais briser ce code moral. Et quels qu'aient pu être ses défauts, il ne l'a jamais brisé. Parce qu'il croyait sincèrement que sans honneur un homme ne possède rien.

— Quels défauts pouvait-il bien avoir, madame Hayward ?

Simon jouait négligemment avec son stylo.

— Je vous demande pardon ?

— Vous avez dit «quels qu'aient pu être ses défauts». Je ne me souviens pas que quiconque ait fait état du moindre défaut chez votre mari.

Sentant qu'il la taquinait, Celeste Hayward finit par rire un peu.

— Vous savez, il avait ses faiblesses, comme nous tous. Et notamment une passion scandaleuse pour les chocolats aux amandes.

Elle vint se rasseoir et se pencha vers Simon comme pour partager une confidence.

— Et – je n'ai jamais admis cela publiquement – mon mari ne pouvait souffrir les chats.

Simon eut un rire convenu.

— Je savais qu'en creusant bien, je trouverais un squelette dans le placard.

— Vous voilà récompensé !

Elle se recula dans son fauteuil, un aimable sourire aux lèvres.

— Souhaitez-vous savoir autre chose ?

Comprenant qu'on ne le retenait pas, Simon ferma son carnet de notes et se leva.

— Non, je crois que cela ira… pour le moment, en tout cas. De toute façon je vous faxerai la liste de questions dont je vous ai parlé.

Simon ouvrit sa mallette pour y glisser son carnet, puis déclara en claquant des doigts :

— Oh, j'avais presque oublié. J'ai trouvé quelques vieilles photos dans l'une des boîtes d'archives que le Dr Norton m'a fait parvenir ; j'ai pensé que vous aimeriez les voir. Peut-être même pourrez-vous identifier certaines personnes.

— Je serais ravie de les voir, et si bien sûr je reconnais…

L'ancienne *first lady* étudia la première photo du petit paquet qu'il lui tendit.

— Ah, c'est l'ancien porte-parole de la Maison-Blanche, Andy Liston, avec son épouse, Marguerite. Une femme charmante, originaire de Madrid. Et celle-ci… hum, voyons. C'est mon mari, bien sûr, avec son frère Tom, et la femme de celui-ci, Alice… Là, c'est Miles Kendall, et Philip Norton, bien sûr. C'était une réunion Brown, je crois. Et la suivante…

Le visage de Celeste Hayward se pétrifia.

— C'est… oh, un ambassadeur, je crois… Je ne me rappelle pas son nom.

Une émotion obscure – comme un vent de fureur ardent – balaya momentanément ses traits.

— Et la jeune femme ? demanda Simon alors que Celeste enterrait précipitamment la photo en dessous du tas.

— La fille de cet ambassadeur, je crois.

Ses narines palpitèrent légèrement.

— Je… je ne me souviens pas du tout d'elle.

Elle lui rendit les photos et se leva dans le même mouvement.

— Quand rencontrerez-vous mon fils ? demanda-t-elle en faisant quelques pas vers la porte, comme pour lui indiquer la sortie.

— Jeudi prochain, je pense.

Simon rangea les photos dans la mallette, puis suivit son hôtesse dans le couloir.

— L'avez-vous déjà rencontré ?

La femme charmante au self-control sans faille était déjà de retour.

— Je l'ai peut-être brièvement croisé au cours d'un reportage à la Maison-Blanche.

Simon enfila son manteau, bluffé par la maîtrise dont elle faisait preuve.

— Il n'en aura aucun souvenir, bien sûr. Le voyez-vous souvent ?

— Aussi souvent que possible. Quand lui et Jen sont ici, dans leur maison de Rhode Island, nous passons beaucoup de temps ensemble. Et je me rends à Washington dès que le temps le permet à mes vieux os. Quant à Sarah, je ne la vois pas aussi souvent que je le voudrais ; elle avait l'habitude de venir un week-end par mois avec ses filles, mais maintenant qu'elles sont grandes, vous comprenez... Elles ont leurs propres occupations. Emily, l'aînée, a presque vingt ans, déjà, et elle est à l'université. Quand je pense que j'ai parfois l'impression que Sarah y est encore...

Sa voix s'éteignit brièvement.

— Mais c'est la vie, n'est-ce pas ? Le temps a le don de nous dépasser dès qu'on tourne le dos.

— Madame Hayward, je ne sais comment vous remercier...

Simon se tenait devant la porte.

— Oh, ça m'a fait tellement plaisir ; j'adore parler de ma famille, monsieur Keller. De mon mari, en particulier.

Elle se pencha pour ouvrir la porte, avant de s'appuyer au cadre en bois pour le laisser sortir.

— Ces jours à Washington... semblent si loin.

Ses propres paroles la firent rire.

— Forcément. Ils *sont* loin... Tant de temps a passé, même s'il y a des choses que l'on n'oublie jamais.

— Ah, des secrets, madame Hayward ?

— Chacun de nous a ses petits secrets, monsieur Keller.

Elle sourit en refermant doucement la porte.

Simon se remémora leur entretien en allant prendre son avion pour Philadelphie, où il avait laissé la Mustang. Mme Hayward s'était révélée fidèle à l'image qu'en donnaient les anciens reportages télévisés qu'il avait visionnés. Aimable, charmante, ne crachant pas sur une pointe d'humour, ostensiblement bien éduquée. Manifestement dévouée à ses enfants et à la mémoire de son défunt mari. Et, tout comme sa fille, dotée d'un sang-froid étonnant.

Lorsqu'elle avait été confrontée à la photo de la maîtresse de son mari, et malgré l'attention que lui prêtait Simon, il avait failli manquer la lueur de haine qui avait fugitivement durci son regard. Et la manière dont son nez avait frémi, comme devant une odeur terriblement dérangeante. Agressive.

Simon était convaincu que l'ancienne *first lady* était parfaitement au courant de la liaison de son mari avec Blythe Pierce, et que les années n'avaient en rien apaisé sa rage.

Près de trente ans après les faits, Celeste Hayward avait paru encore suffisamment furieuse pour être capable de tuer.

## 10

Sous le couvert d'un petit bosquet qui marquait la limite entre un minuscule parking et un terrain de jeux, Simon étudia longuement la maison située de l'autre côté de la rue.

C'était une maisonnette bien soignée, d'un blanc immaculé, dotée de volets vert foncé et décorée d'une petite couronne de pensées de soie accrochée à la porte elle aussi peinte en vert ; elle arborait le numéro 218 en chiffres d'acier noir incrustés à droite de l'entrée. Une petite terrasse avec deux rocking-chairs et d'étroites jardinières en bois somnolaient tranquillement sous les fenêtres de devant. Au bout de l'allée, un break Taurus vert foncé – d'un modèle datant de plusieurs années – était garé devant le garage à une place. Dans l'ensemble, la maison paraissait accueillante et confortable et s'intégrait parfaitement à ce quartier typique de la classe moyenne.

*Quoi que Jude McDermott ait fait avec l'argent de Blythe Pierce, elle ne l'avait certainement pas dilapidé dans une maison de luxe*, songea Simon.

Modeste maison. Modeste voiture. Simon se demandait comment Jude avait dépensé les quelque six millions de dollars que lui avait légués son ancienne colocataire.

— Vous cherchez Jude ?

Simon s'arrêta au milieu de l'allée. La question provenait du jardin voisin.

— Oui.

— Elle ne sera pas là avant cinq heures.

Une vieille femme surgit d'un forsythia en pleine floraison.

— Elle est au travail.

— Ah.

Simon regarda de nouveau le véhicule garé au bout de l'allée : comment Jude McDermott s'était-elle donc rendue à son travail ?

— À la bibliothèque, expliqua la voisine.

— En ville, alors ?

Simon désigna le centre commercial qu'il avait traversé peu auparavant.

— C'est ça, à un pâté de maison de la rue principale. Vous êtes un ami ?

— Un ami d'ami.

— Eh bien, elle est là-bas jusqu'à cinq heures. Si vous la voyez, dites-lui que j'ai pris Waylon un moment.

— Waylon ?

La femme désigna un basset à l'œil endormi qui se prélassait sous un lilas à peine bourgeonnant.

— Waylon n'a pas l'air en forme ce matin, observa Simon.

— Ne vous y fiez pas, il sait être vif quand ça l'arrange.

— Merci de votre aide, fit Simon en saluant de la tête la précieuse voisine.

Il décida de parcourir à pied la courte distance qui le séparait du centre-ville. Trois rues plus loin, un impeccable panneau de bois indiquait la direction de la bibliothèque. Le jeune homme s'étonnait de voir que les choses soient si faciles à trouver, dans une petite ville.

Le temps s'étant considérablement réchauffé, Simon ouvrit le blouson de cuir qu'il portait sur un léger pull. Dans la poche intérieure se trouvait l'enveloppe où il avait glissé la photo de Blythe Pierce. Dès le lendemain, quand il aurait parlé avec Jude McDermott, il renverrait la photo à Betsy avec un mot d'excuse ; il l'avait emportée sur un coup de tête, imaginant que Jude serait plus encline à lui parler s'il avait une preuve de son passage chez Betsy.

Et elle avait été un atout précieux la veille, lors de sa rencontre avec Mme Hayward...

En vérité il n'avait aucune envie de se séparer de cette photo. Quelque chose dans le visage de Blythe l'attirait inexorablement. Plus il la regardait, plus il comprenait qu'un homme pût envisager de tout quitter pour garder l'amour de cette femme.

Simon se demanda brièvement quelle serait la réaction de Norton quand il lui apprendrait jusqu'où il avait poussé son enquête.

Il affronterait cela bien assez tôt... Pour l'instant, beaucoup trop de pièces du puzzle manquaient. Qui d'autre – à part Kendall, Norton et Celeste Hayward – était au courant de la liaison du président? Et pourquoi une telle chape de silence, encore aujourd'hui? Cet unique dérapage – à supposer bien sûr qu'il n'y en ait eu qu'un – aurait-il pu suffire à ruiner la réputation du président? Bien que le climat moral des années 1970 ne fût pas aussi ouvert qu'aujourd'hui, d'autres présidents avaient évidemment eu des liaisons – avant et après Hayward.

*La mort de Blythe n'a peut-être aucun rapport avec sa liaison avec Hayward.*

Bien sûr. Et peut-être cette voiture avait-elle écrasé Blythe par inadvertance.

*Peut-être, peut-être, peut-être...*

Le mot battait son crâne au rythme de ses pas.

La bibliothèque municipale Henderson était un bâtiment à un étage en brique rouge entouré de piliers blancs et doté de fenêtres dominant un joli lac. Voyant le portail ouvert. Simon le franchit.

Un chemin pavé de pierres conduisait à un jardin manifestement en cours d'élaboration. En son centre s'élevait un belvédère fraîchement peint si l'on en croyait la pancarte accrochée à la grille. Des parterres de fleurs récemment plantés l'entouraient, et des chemins en partaient tels les rayons d'une roue; Simon découvrit que chacun conduisait à une petite ère de repos. Chaque patio était aménagé différemment, certains contenant plusieurs bancs, d'autres juste une chaise solitaire... Des arbres avaient été stratégiquement plantés pour ombrager les zones où l'on s'asseyait et, ici et là dans le jardin, des abris pour oiseaux étaient disposés sur des poteaux en bois. De nombreuses plantes en pot avaient été mises de côté sur un chemin, ainsi que plusieurs gros sacs en plastique entassés. Simon les contourna pour regagner le portail au moment même où il s'ouvrait.

Une jeune femme se démenait avec une brouette grinçante chargée de sacs en plastique apparemment remplis de terre.

— Je vous tiens le portail, proposa Simon en hâtant le pas pour venir l'aider.

— Merci.

La jeune femme poussa l'encombrant chargement sur le chemin pavé.

Simon aurait pu simplement répondre un aimable « Je vous en prie », et poursuivre son chemin en direction de la bibliothèque. Mais à cet instant elle regarda par-dessus son épaule et lui adressa un sourire qui lui alla droit au cœur.

Ce sourire avait quelque chose de troublant...

Quand il eut repris ses esprits, il était sur ses pas et s'entendit proposer :

— Je peux vous aider ?

Elle posa la brouette devant le belvédère.

— Merci, ça va aller.

Et elle le gratifia d'un autre sourire tout aussi troublant.

Simon la regardait tandis qu'elle se penchait pour s'emparer d'un sac.

Grande et mince, elle portait un jean poussiéreux et un tee-shirt plus poussiéreux encore ; de grandes lunettes de soleil rondes dissimulaient trop bien son visage, et ses cheveux étaient rassemblés sous une casquette de base-ball, excepté une mèche rebelle qui pendait sur sa joue.

Sans effort apparent, elle souleva le sac du dessus et le jeta par terre.

— Ce sac pèse, quoi, vingt kilos ? demanda Simon.

— Vingt-cinq, répondit-elle en en saisissant un autre et en le jetant à côté du premier.

— Vous devez vous entraîner régulièrement.

— Tous les jours.

Elle sourit en s'emparant d'un autre sac.

— Vous soulevez des poids ?

Il était manifestement impressionné.

— Constamment, répondit-elle, visiblement très amusée par sa question.

— Vous devez passer beaucoup de temps à la gym, en déduisit-il.

Elle se redressa, souriant toujours.

— La gym, c'est pour les employés de bureau.

Il rit.

— Ah, je vois. Vous êtes le jardinier.

— Si vous restez assez longtemps à l'école, ils vous permettent de vous déclarer architecte paysagiste.

— Ça a l'air tout nouveau ici, dit-il en désignant ce qui l'entourait.

— Flambant neuf.

Elle attrapa un autre sac et le transporta sur quelques mètres avant de le lâcher par terre.

— Vous faites tout ce travail seule ?

— Je suis douée, mais pas à ce point. On m'aide beaucoup.

Elle s'arrêta derrière la brouette et le regarda.

— Ce jardin est le fruit d'un effort commun. J'ai dessiné les plans, fourni la plupart des plantes, mais presque tous les habitants de la ville ont participé à sa création, d'une manière ou d'une autre. Le belvédère, par exemple.

Elle recula, comme pour en admirer la structure.

— Il a été dessiné par un artisan local et construit par les étudiants en charpenterie du lycée technique.

Elle désigna les pierres qui pavaient le chemin.

— Les pierres ont été données par une entreprise et les chemins tracés par des bénévoles.

— Je vois ce que vous entendez par « effort commun ».

— Quand il s'agit de récolter des fonds pour une bonne cause, ne sous-estimez jamais les petites villes américaines.

— Quelle est cette cause ?

— Le jardin est dédié aux victimes du cancer. Un endroit où trouver quelques minutes de sérénité, un lieu pour la contemplation. Nous l'avons conçu pour que des familles puissent s'y réunir en toute quiétude.

— D'où les différents patios, remarqua Simon en hochant la tête, certain qu'il n'y avait pas eu de «nous» impliqué dans la conception de ce parc : il aurait parié sa Mustang qu'elle était seule à l'origine de ce projet.

— Exactement. Je… nous avons pensé que le parc devait offrir des endroits propices à l'intimité et au calme. On en a souvent cruellement besoin quand on lutte contre la maladie.

— Vous parlez comme si vous aviez vécu ça de près.

— Ma mère est une rescapée. Cela fera cinq ans en mai.

— Vous avez fait ça pour elle.

Ce n'était pas une question.

— Être témoin de son combat a rendu la maladie réelle à mes yeux, pour la première fois. Avant ça, le cancer n'était pour moi qu'un mot redoutable ; cette expérience me l'a rendu plus proche que je ne l'aurais souhaité.

Elle repéra une trace de boue sur son jean et essaya de l'enlever.

— Mais le jardin… est en réalité un mémorial pour une ancienne amie, une camarade de lycée. Elle a grandi ici, est revenue après l'université. Elle était une artiste très douée, tout le monde ici la connaissait et la respectait. Ce projet a vu le jour pour honorer sa mémoire.

Un adolescent apparut au portail juste au moment où Simon s'apprêtait à prendre la parole.

— Je suis là, Will.

Elle s'avança et lui fit signe de la main.

Le jeune garçon se dirigea d'un pas nonchalant vers le belvédère.

— Tu es en retard, William.

Elle regarda ostensiblement sa montre.

— J'ai... euh... été retenu à l'école.

— Hum, laisse-moi deviner. L'équipe féminine de foot jouait aujourd'hui, le taquina-t-elle, tandis que le visage du garçon s'empourprait. OK, jardinier en herbe, tu commences de ce côté du belvédère; je prends l'autre. Nous devons avoir terminé d'ici samedi.

Elle sortit un canif de sa poche et regarda Simon.

— Ce truc est assez blessant, quand on n'est pas habitué.

Simon recula.

— Bonne chance avec votre jardin, ça va être magnifique.

— Merci.

Elle se redressa, les mains sur les hanches, comme si elle le jaugeait.

— Revenez le voir quand ce sera fini.

— J'aurai droit à une visite privée?

— Possible... Si vous jouez les bonnes cartes.

Il y avait juste un soupçon de taquinerie dans sa voix.

— Alors je reviendrai certainement.

Simon s'arrêta au portail, répugnant à partir mais sachant qu'il avait déjà assez abusé de son temps. Elle avait du travail, et lui aussi d'ailleurs; mieux valait qu'il s'y mette.

— À bientôt, alors.

Elle toucha le bord de sa casquette, lui adressant encore une fois son merveilleux sourire, puis se concentra sur sa tâche.

— Comptez sur moi, murmura Simon, contemplant une dernière fois la jeune femme avant de s'éloigner.

Il pénétra dans le silence de la bibliothèque, dont les rayonnages atteignaient presque le plafond. Il s'arrêta devant le secteur fiction : tous les romans qui lui étaient familiers s'y trouvaient, même ceux qu'il avait lus il y a très longtemps, et jamais oubliés. Ces temps-ci, ses lectures étaient plus techniques, hélas.

Il sortit *Le Poney rouge* de Steinbeck, se remémorant les images que ce livre lui avait inspirées quand il l'avait découvert, de nombreuses années auparavant.

— Souhaitez-vous l'emprunter ? demanda une femme corpulente aux cheveux bruns coupés court.

— Euh, non, en fait je cherche Jude McDermott.

— Ah, elle n'est pas là. Puis-je vous aider ?

— Eh bien, j'aurais voulu lui parler, je croyais qu'elle travaillait aujourd'hui.

— Mme McDermott était là ce matin, mais elle est partie à une réunion vers onze heures.

— Sera-t-elle là demain ?

— Je crois qu'elle doit se rendre à Baltimore pour une conférence, elle sera de retour vendredi. Souhaitez-vous lui laisser un message ?

— Non, je passerai chez elle. Merci.

Simon rangea le livre et regarda le jardin par la fenêtre. La jolie paysagiste ne s'y trouvait plus.

Il atteignit la porte juste à temps pour voir sa silhouette disparaître à l'intérieur d'une camionnette vert sombre estampillée « GARDEN GATES ». Notant mentalement le nom de l'entreprise, Simon la regarda s'éloigner en se reprochant amèrement de ne pas avoir pensé à lui demander son nom.

Le samedi matin, il retourna à Henderson et se gara au même endroit, en face de la maison McDermott. Le break vert n'avait pas changé de place.

Il traversa la rue et s'engagea dans l'allée.

— Vous venez voir Jude ? demanda la vieille voisine depuis les marches de son perron.

— Je n'ai pas encore réussi à la rencontrer, lui répondit Simon aussi naturellement que s'il parlait à une amie.

— Eh bien, c'est pas maintenant que vous la trouverez. Pas ici, en tout cas.

La vieille femme descendit les marches avec précaution.

— Sa fille ?

— Dina. Dina est la fille de Jude.

Les mots traversèrent Simon comme une décharge électrique.

Il se rapprocha juste assez pour voir Dina sourire au photographe de la presse locale.

Ce sourire avait quelque chose…

Irrépressiblement attiré, Simon se rapprocha encore.

Quand elle retira ses lunettes, le cœur de Simon manqua un battement : il connaissait ce visage.

Sa main se glissa dans la poche intérieure de son blouson et saisit l'enveloppe qui s'y trouvait. Il en sortit la photo et la regarda, vérifiant si sa mémoire ne lui jouait pas des tours. Mais non, le visage sur la photo était exactement tel qu'il se le rappelait.

Ce qu'il voyait était indubitable, mais inexplicable : Dina McDermott était le parfait sosie de Blythe Pierce. Et ce sourire si incroyablement lumineux…

Assis dans sa voiture, à distance respectueuse de la maison McDermott, Simon essayait de raccorder ce qu'il avait vu à ce qu'il savait.

Il avait vu une jeune femme qui était l'exacte réplique d'une autre, morte depuis près de trente ans.

À moins que sa mère, Jude McDermott, ne soit une proche parente de la défunte, comment cela était-il possible ?

Mais si Jude était apparentée aux Pierce, Betsy Pierce, qui semblait si ouverte et si franche, ne l'aurait-elle pas mentionné, au lieu de faire simplement référence à Jude comme à une camarade de classe de sa [s]œur ?

La seule explication logique était bien trop tirée [pa]r les cheveux pour que Simon l'envisageât…

[L]a porte de Jude McDermott s'ouvrit, et la char[ma]nte jeune femme sortit, accompagnée du noncha-

— Elle est au jardin du cancer.

— Le jardin à côté de la bibliothèque ?

— Oui, celui qu'ils ont fait pour l'artiste qui est morte l'an dernier, celle qui peignait des dames nues sur la plage. Vous voyez qui je veux dire ? Mais il faut vous dépêcher, si vous voulez assister à la cérémonie. Ça commence bientôt.

— Et vous, vous n'y allez pas ? demanda Simon distraitement, tout à la joie de revoir la jolie paysagiste brune.

— Non, mon arthrose s'est réveillée. Je vais rentrer, d'ailleurs, ce temps n'est pas bon pour ma hanche.

La femme se détourna et rentra chez elle à petits pas.

— À plus tard.

— À plus tard ! lança Simon en retour, un sourire aux lèvres.

C'est d'un pas léger qu'il se rendit à la bibliothèque. *Cette fois je me présenterai. Je lui demanderai son nom…*

Il se mêla à la foule qui se pressait autour du bâtiment en brique, passa le portail, la chercha des yeux…

Et la trouva.

Son visage était encore mangé par ses énormes lunettes de soleil, mais ses cheveux lâchés tombaient joliment sur ses épaules en un flot de boucles noires et soyeuses. Elle portait une robe dont le tissu vert tendre épousait les formes souples de son corps, et parlait à un jeune homme qui buvait chacune de ses paroles pour les noter consciencieusement sur un carnet à spirales. Amusé par les simagrées de ce journaliste manifestement débutant, Simon s'approcha.

— … et dans l'idée d'un espace où les visiteurs pourraient trouver confort et sérénité. Je voulais créer un environnement où chacun puisse faire l'expérience de ce sentiment de paix si nécessaire à un malade atteint du cancer.

Elle se pencha pour mieux entendre la question suivante, que Simon ne put saisir.

— Eh bien, évidemment, ce jardin est d'abord dédié à Laura Bannock, qui comme vous le savez a perdu sa bataille l'été dernier…

Elle avait pris le jeune homme par le bras et l'entraînait pour lui montrer différents éléments ; le pauvre garçon, totalement sous le charme, la suivait comme un toutou.

Qui pouvait l'en blâmer ?

— Il y aura une fontaine ici et, si nos moyens nous le permettent, un banc en pierre. Nous sollicitons encore des dons ; croyez-vous pouvoir le mentionner dans votre article ?

*Oh, je parie que oui !* Simon ricanait un peu en descendant vers le lac, la laissant à ses affaires. Pour l'instant.

Plusieurs barques étaient amarrées à un étroit ponton de bois, mais personne ne semblait intéressé par un tour sur le lac. Des canards se déplaçaient bruyamment entre les roseaux qui poussaient sur la rive, et une petite volée de moineaux pépiait depuis une haie voisine.

Simon se retourna pour regarder la foule qui avait commencé à se rassembler autour du belvédère. Il remonta lentement le petit chemin, arrivant juste au moment où la jolie brune entamait son discours.

— Merci à tous d'être venus. J'ai tant de plaisir à voir notre communauté si bien représentée. Mon amie Laura Bannock me manque, comme à beaucoup d'entre vous, et je suis très touchée par la manière dont sa famille a choisi de célébrer sa mémoire. Je suis honorée, aussi, d'avoir été désignée pour concevoir son mémorial. Ce petit parc, ce jardin, est un lieu où nous serons tous les bienvenus pour voler à notre quotidien un moment de calme et de réflexion.

Elle brandit une paire de ciseaux aux lames exagérément longues.

— Madame Bannock, je vous invite à co ruban pour ouvrir officiellement le jardin.

Une femme mince portant un chapeau à larg et un tailleur bleu nuit s'avança pour prend ciseaux.

— Je pense que nous devons tous un grand n à Dina pour le merveilleux jardin qu'elle nous o

Mme Bannock cala les ciseaux sous son bras gau et incita l'assemblée à applaudir.

— Il faut préciser que Dina a travaillé bénévo ment et nous a fait don de toutes les plantes.

*Dina.* Le nom résonna agréablement dans la têt de Simon. *Elle s'appelle Dina.*

Les applaudissements redoublèrent.

— Merci à elle et à Polly Valentine – Polly, nous vous souhaitons la bienvenue dans notre communauté – et, bien sûr, merci à Jude…

Simon dressa brusquement la tête.

— Et aux élèves du cours d'horticulture qui ont aidé à planter tous les arbres.

Les applaudissements fusaient autour de lui. Simon tendait le cou pour essayer de déterminer qui était qui, mais il y avait trop de monde. Finalement, il tapa sur l'épaule de l'homme qui se tenait devant lui pour lu demander :

— Excusez-moi, je n'ai pas bien entendu les no des personnes que Mme Bannock vient de remer Pourriez-vous…

Sans se retourner, l'homme répéta :

— Les lycéens qui ont planté les arbres.

— Et avant ? Les femmes qu'elle a *nommées*

— Oh, Dina là-bas, avec les lunettes de so a conçu le jardin, et Polly Valentine, qui trava Dina…

— Et Jude est… ?

— Oh, c'est la petite blonde aux cheveux porte une veste blanche. Jude McDer bibliothécaire, juste à côté de sa fille.

lant basset. Ils passaient devant la voiture de Simon, qui avait décidé d'adopter l'approche directe, mais le temps qu'il sorte de la voiture, Dina s'était arrêtée pour parler à une voisine. Simon réfléchit aux options qui s'offraient à lui.

Il pouvait la suivre et engager la conversation. Ou bien traverser la rue et sonner à la porte. La fille était terriblement attirante, mais c'était la mère qu'il était venu voir. De toute façon, tôt ou tard, Dina rentrerait de sa promenade

Suivant sa raison plutôt que son cœur, Simon se dirigea vers la maison. Dans sa tête, d'innombrables questions réveillaient les hypothèses les plus farfelues. Seule Jude McDermott pouvait séparer la réalité de la fiction... Encore fallait-il qu'elle acceptât de le faire.

La porte s'ouvrit et il se retrouva face à elle.

— Madame McDermott, je m'appelle Simon Keller. Je suis écrivain, je prépare un livre sur l'ex-président Graham Hayward, et j'espérais obtenir quelques minutes de votre temps...

— Je... je ne l'ai jamais rencontré, je ne peux pas vous aider.

En un éclair, le visage de Jude McDermott était devenu aussi blanc que de la craie.

*Intéressante réaction.*

— On m'a dit que vous aviez une amie commune.

— On vous a mal renseigné.

Elle se ressaisit et recula en essayant de fermer la porte.

Simon glissa son pied dans l'embrasure.

— S'il vous plaît, partez, monsieur... qui que vous soyez. Je ne sais rien sur Graham Hayward.

Elle poussa encore la porte, mais Simon ne bougeait pas d'un pouce.

— Betsy Pierce ne m'a pas dit ça, déclara-t-il doucement.

Les mots parurent la frapper comme un coup de poing. Elle ne se plia pas en deux, mais ses yeux s'emplirent de terreur.

— Que vous a exactement dit Betsy ?

— Que vous et sa sœur, Blythe, étiez des amies proches. Que vous saviez peut-être qui elle fréquentait quand elle vivait à Washington.

— Je n'ai jamais rendu visite à Blythe quand elle habitait à Washington.

Jude porta une main à son front, comme prise de vertige.

— À quoi tout cela rime-t-il ?

— Je suis désolé, je suppose que je n'ai pas été très clair.

Simon lui adressa son sourire le plus sympathique, espérant la mettre à l'aise – en vain.

— J'écris une biographie de l'ancien président. J'ai pensé qu'il serait intéressant d'inclure dans mon livre les témoignages de certaines des personnes ayant régulièrement fréquenté la Maison-Blanche à cette époque-là. Dans les documents d'archives, Blythe Pierce apparaît souvent dans la liste des invités du couple présidentiel. J'essaie d'en savoir plus sur elle, au même titre que sur d'autres personnalités, pour enrichir mon livre de petites anecdotes.

— Ah...

Encore sur ses gardes, encore agitée, Jude semblait essayer de déterminer la meilleure attitude à adopter.

— Écoutez, je vous ai brusquée, ce qui n'était pas mon intention. Je sais que vous et Blythe étiez amies, alors je comprends à quel point ça peut être bouleversant de voir quelqu'un apparaître à votre porte et vous parler d'elle tant d'années après sa mort. Est-ce qu'un autre moment vous conviendrait mieux ?

— Non, non...

— Parce que si vous préférez que je revienne, il n'y a aucun problème. J'ai juste quelques questions à vous poser sur elle.

— Posez-les maintenant ; je verrai si je peux y répondre.

Jude ne s'écartait pas du seuil de sa porte.

— Je me demandais ce que vous saviez sur sa relation avec Miles Kendall.

— J'ai dû le rencontrer une fois. Il était amoureux de Blythe, je crois.

— Où l'avez-vous rencontré ?

— Quoi ?

— Vous dites n'avoir jamais rendu visite à Blythe à Washington, mais avoir rencontré Miles Kendall une fois.

Il plongea les mains dans ses poches, essayant de ne pas paraître menaçant. Il regretta de ne pas avoir emporté son petit magnétophone.

— Je me demandais juste où vous l'aviez rencontré.

— Je… ne me souviens pas.

Jude évitait son regard.

— Vous avez rencontré tellement de gens importants dans votre vie que vous ne pouvez vous souvenir où vous avez vu le secrétaire général de la Maison-Blanche, qui était de surcroît amoureux de votre meilleure amie ?

— Finalement, je crois que je n'ai pas très envie de vous parler, monsieur…

Elle agita une main impatiente.

— Blythe est morte depuis près de trente ans. Laissons son âme reposer en paix, voulez-vous ?

— Pensez-vous que la victime d'un meurtre non résolu puisse jamais reposer en paix, madame McDermott ?

— Dans la mesure où un accident de voiture est un meurtre… contra-t-elle.

— Surtout quand la victime est heurtée deux fois par le même véhicule.

— Qui vous a dit ça ?

Jude était si concentrée qu'elle ne remarqua pas Dina ni le chien avant qu'ils ne fussent à quelques mètres de la maison. Simon sentit une soudaine inquiétude – de la *panique* – dans ses yeux et se tourna.

— Tiens, vous êtes revenu, lui lança Dina en souriant, manifestement ravie de le revoir. Je vous ai aperçu, au parc. Je vous ai cherché après la séance photos, mais vous étiez déjà parti.

— Vous étiez tellement occupée avec vos admirateurs, je n'ai pas voulu vous déranger.

— Vous ne m'auriez pas dérangée du tout.

Sa beauté médusait tellement Simon qu'il ne trouvait rien de spirituel à dire.

Jude aussi semblait pétrifiée.

— Qu'est-ce qui vous arrive à tous les deux ? demanda Dina en plissant les yeux. Maman, il y a un problème ?

— Non, non, chérie. J'étais juste en train de bavarder avec monsieur…

— Keller. Simon Keller.

Il tendit instinctivement la main à Dina, qui la serra chaleureusement.

— Dina McDermott.

De Blythe Pierce, Miles Kendall avait dit qu'elle pouvait illuminer une pièce rien qu'en y pénétrant ; la même chose pouvait s'appliquer à la jeune femme qui se tenait devant Simon.

Elle ravissait le regard, c'était aussi simple que cela.

Dina défit le collier du chien, qui grimpa aussitôt les marches pour renifler les jambes du nouveau venu.

— Je ne savais pas que vous connaissiez ma mère.

— En fait, je suis en train d'écrire un livre et, au cours de mes recherches, je suis tombé sur le nom d'une ancienne amie de votre mère.

— De quoi traite ce livre ?

— De la vie du président Hayward.

— Maman, tu as eu une amie qui connaissait le président ? Et tu me l'as caché ! Qui était-elle ?

— Elle s'appelait Blythe Pierce, répondit Jude un peu sèchement.

— Et de quelle manière était-elle liée au président ? demanda Dina en passant devant Simon pour entrer dans la maison.

Elle laissait une légère traînée de parfum derrière elle, juste assez persistante pour titiller les sens de Simon.

— Elle n'était pas vraiment liée à lui, coupa Jude un peu trop rapidement. Elle a fréquenté un moment son secrétaire général, c'est tout.

— Elle a apparemment assisté à de nombreux événements à la Maison-Blanche, intervint Simon. Son nom revenait très souvent, c'est ce qui m'a donné envie d'en savoir plus sur elle.

— Maman, vas-tu laisser M. Keller faire toute son interview sur le seuil de la porte ?

— Eh bien, je pensais qu'il avait presque…

— Simon, dit-il à Dina. Appelez-moi Simon, je vous prie.

— Simon, puis-je vous offrir un thé glacé, puisque ma mère a apparemment oublié ses bonnes manières ?

— Volontiers, répondit Simon. Merci.

— Maman, accompagne Simon au salon pendant que je prépare les boissons. Que veux-tu boire ?

— Rien, lâcha Jude d'un ton abrupt.

Dina tenait maintenant la porte du salon ouverte pour Simon, mais sa mère restait rivée sur place.

— Maman, tu te sens bien ?

— Oui, oui. J'ai juste un peu mal à la tête…

— Alors je ne serai pas long, promit Simon.

— Je t'apporte de l'aspirine, lui dit Dina. Je reviens tout de suite, ajouta-t-elle à l'adresse de Simon.

Simon se tenait au seuil du salon, attendant que Jude réagisse.

Finalement, il la prit par le bras.

— Madame McDermott, voulez-vous vous asseoir ?

— Je voudrais vraiment que vous partiez, souffla-t-elle en repoussant sa main.

— Je promets de ne pas rester longtemps, j'ai juste quelques questions à vous poser.

Il gagna le canapé et s'assit, suivi par le basset. Simon le caressa derrière l'oreille et le chien se coucha à ses pieds, absolument inconscient des tourments de sa maîtresse.

Le téléphone sonna et on le décrocha quelque part dans la maison à la deuxième sonnerie. Une minute plus tard, Dina entrait au salon avec un plateau qu'elle posa sur la table basse. Elle tendit son verre à Simon, puis donna un verre d'eau à Jude.

— Tiens, de l'aspirine, dit-elle en y jetant deux comprimés effervescents. C'était Polly au téléphone. Elle a laissé les clés de la serre à l'intérieur, il faut que j'y aille.

Simon commença à se lever.

— Non, je vous en prie, restez assis, dit-elle avant de se tourner vers sa mère. Je t'appelle tout à l'heure : je veux tout savoir sur cette mystérieuse amie.

— Je suis désolé que vous partiez.

Simon s'était levé quand même.

— Moi aussi.

Elle avait l'air sincère.

— Prévenez-nous quand votre livre sortira, il me tarde de le lire.

— Je serai ravi de vous en apporter moi-même un exemplaire.

— C'est vrai, vous n'oublierez pas ?

Elle lui sourit, et Simon se sentit de nouveau pris dans son sortilège.

— Promis.

Elle se détourna et disparut avant que Simon pût ajouter autre chose.

— Elle est splendide, madame McDermott, murmura-t-il.

— Laissez-la tranquille, rétorqua-t-elle, visiblement mécontente du courant de sympathie qui passait entre eux. Finissons-en. Que voulez-vous savoir de plus sur Blythe ?

— Je veux en savoir plus sur sa liaison avec le président.

— J'ignore de quoi vous parlez.

— Je crois au contraire que vous savez absolument tout.

Un silence pesant s'abattit entre eux.

— Je voudrais que vous partiez, dit enfin Jude en se levant, le dos raide, le visage fermé.

— Madame McDermott, je suis parvenu à vous retrouver, fit remarquer Simon, toujours assis. Et très facilement, je dois dire. Combien de temps faudra-t-il pour que quelqu'un d'autre vous trouve à son tour ?

— Je ne comprends pas ce que Betsy a en tête, dit Jude, les yeux à présent pleins de larmes.

— Je me suis posé la même question.

Simon sortit l'enveloppe de sa poche et posa la photo de Blythe sur la table.

Jude détourna le regard.

— Je vous en prie, partez, monsieur Keller.

— Madame McDermott, comment expliquez-vous que votre « fille » ressemble comme deux gouttes d'eau à votre meilleure amie ? Votre amie morte depuis bientôt trente ans. Et votre fille a quel âge ?

Jude gagna la porte d'entrée et l'ouvrit.

— S'il vous plaît, partez.

Simon se leva et récupéra la photo, décidé à la faire parler.

— Que voulez-vous de moi ?

Ses yeux exprimaient une peur indicible.

— Me faire chanter ?

— Mais non, bien sûr que non, tenta-t-il de la rassurer. Je veux seulement la vérité, madame McDermott.

Elle secoua la tête en continuant à lui indiquer la sortie.

— Dina est-elle au courant? demanda Simon.

Il sortit sa carte de visite et la posa sur une table près de la porte.

Jude détourna les yeux.

— S'il vous plaît…

— Sait-elle que sa mère biologique est morte quand elle n'était encore qu'un bébé? murmura Simon, qui éprouvait malgré lui une sympathie croissante pour cette femme apeurée. Qu'elle a été délibérément renversée dans la rue et que la police n'a fait aucun effort pour retrouver son assassin?

Jude resta silencieuse.

— Que son père est un ex-président des États-Unis?

L'inconcevable hypothèse jusqu'ici refoulée lui glissa des lèvres avant même qu'il ait eu le temps de la considérer.

L'expression de pure terreur qu'il lisait sur le visage de Jude confirma ce qu'il avait besoin de savoir.

Simon franchit le seuil de la porte avant de se retourner.

— Qui prend-elle pour son père, madame McDermott?

Jude lui claqua la porte au nez.

## 11

Simon observait Miles Kendall engloutissant les chocolats à la menthe qu'il avait apportés. Il avait l'air plutôt en forme, aujourd'hui : son regard était clair et vif. Peut-être se trouvait-il dans un de ses bons jours…

138

— Miles, pouvons-nous parler de Blythe ? Vous souvenez-vous de Blythe ?

Kendall hocha lentement la tête.

— Elle a les yeux lavande.

— Oui, je sais.

Simon acquiesça en songeant à Dina. Glissant la main dans sa poche, il mit le magnétophone en marche.

— Miles, pouvons-nous parler de la mort de Blythe ? Vous rappelez-vous quand elle est morte ?

Kendall avait le regard fixé droit devant lui, et pendant un moment Simon crut qu'il l'avait perdu.

Puis le vieil homme articula, dans un murmure :

— Elle n'était revenue que pour quelques jours.

— Où était-elle partie, Miles ? Vous vous souvenez ?

— Là où se trouvait son amie.

— Quelle amie ?

— Jude. Blythe a laissé le bébé là-bas, et puis elle est revenue.

— Blythe a laissé le bébé avec Jude ?

Miles hocha la tête.

— Comment êtes-vous au courant pour le bébé, Miles ?

— Je l'ai vue.

Kendall leva les yeux, un petit sourire aux lèvres.

— Vous avez vu Blythe après son accouchement ?

— J'ai vu le bébé. Elle était… parfaite, aussi belle que sa mère. Il a pleuré quand je lui ai parlé d'elle.

— De qui parlez-vous, Miles ? Qui a pleuré quand vous lui avez parlé du bébé de Blythe ?

Supposer ne suffisait pas. Miles devait prononcer le nom.

— Graham.

— Était-ce le bébé de Graham, Miles ?

— Bien sûr, celui de Blythe et de Graham.

*Bingo*.

— Et Graham est-il allé voir le bébé avec vous ?

Simon s'exhorta à ne pas s'emballer : il y avait encore du chemin à parcourir. L'histoire était loin d'être complète.

— Oh non, il ne pouvait pas se le permettre. C'est pourquoi il m'a demandé d'y aller, pour m'assurer qu'elle allait bien. Que tout allait bien.

— Et est-ce que tout allait bien ?

— Tant qu'elle était là-bas, oui. Mais dès qu'elle est revenue...

Kendall ferma les yeux et ses mains se mirent à trembler.

— Elle n'était pas censée revenir, je n'imaginais pas qu'elle reviendrait. Et je ne pensais pas qu'elle courait un tel danger...

— Que s'est-il passé quand elle est revenue ? Quel était le danger, Miles ?

— Elle m'a supplié de l'emmener à la soirée. Je ne voulais pas, ce n'était pas une bonne idée. Je lui ai dit, pourtant : « Blythe, tu ne comprends pas, c'est différent, maintenant. » Mais elle a beaucoup insisté, et promis de ne plus jamais me le demander. « Une dernière fois, et après je m'en vais pour toujours, jurait-elle. Juste une dernière fois. »

Miles pleurait à grosses larmes, à présent.

— Il évoquait la possibilité de divorcer, pour épouser Blythe. De ne pas briguer un second mandat...

— Quoi ? s'exclama Simon. Qu'avez-vous dit ?

— ... mais elle voulait qu'il continue, elle pensait que c'était son devoir. Elle pouvait s'occuper du bébé, l'élever seule jusqu'à ce qu'il ait fini. Elle disait qu'il était un trop bon président, que le pays avait besoin de lui.

— Graham Hayward envisageait de *ne pas briguer un second mandat* ? répéta Simon, incrédule.

Il n'y avait assurément rien de tel dans les documents fournis par Philip Norton.

Simon se demanda si Norton savait...

— Elle avait des orchidées dans les cheveux ce soir-là... reprit Miles, elle portait sa robe lavande. Je l'ai raccompagnée chez elle après la soirée, cela n'aurait pas dû arriver. Je n'aurais jamais cru qu'une telle chose arriverait...

— Miles, c'est important, dit Simon en se penchant vers lui. Qui d'autre était au courant pour le bébé ?

— Je n'ai jamais rien dit. Jamais, protesta Miles.

— Qui d'autre pouvait savoir ? À qui Hayward aurait-il pu se confier ? s'interrogea Simon tout haut. Qui d'autre était au courant pour Blythe ? Pour le bébé ?

Mais Miles Kendall se retirait petit à petit là où personne ne pouvait le suivre.

— Tout d'un coup.

Kendall se tourna lentement vers la fenêtre, une expression de stupeur sur le visage.

— Tout d'un coup, elle n'était plus là. Ça n'aurait pas dû arriver...

Durant le trajet de retour, Simon essaya de digérer la dramatique information que Miles avait livrée, se demandant jusqu'à quel point on pouvait se fier à la mémoire du vieil homme.

S'il disait vrai, Graham Hayward avait été sur le point d'abandonner sa charge de président. De quitter Celeste pour Blythe. De reconnaître son enfant.

Quelqu'un n'avait manifestement pas voulu que cela se produise. Et Miles savait de qui il s'agissait.


L'aide-soignant marchait tranquillement sur le chemin poussiéreux qui menait de l'arrêt de bus au parking. Il n'aurait plus longtemps à attendre pour avoir les clés de la jolie Camaro dans sa poche, alors il repérait chaque jour les meilleures places. Pas trop près des arbres, au cas où un orage ferait tomber une branche, mais pas trop à découvert non plus : le soleil pouvait abîmer la peinture.

Il franchit la porte d'entrée, pénétra dans le hall et, comme d'habitude, sourit à la nouvelle aide-soignante de l'équipe de jour, la rousse aux longues jambes qui, comme d'habitude, fit semblant de ne pas le voir. Aujourd'hui, cependant, il n'en prit pas ombrage. Il savait que bientôt elle lui rendrait son sourire, quand elle aurait vu au volant de quoi il se pointait.

Il s'arrêta pour jeter un œil sur le registre des visites, comme il le faisait chaque jour. Rien ne bougeait depuis un moment, mais comme il était payé pour regarder – et comme il ne voulait pas qu'on le rappelle à l'ordre –, il regarda. Il faillit d'abord ne rien remarquer, parce qu'il y avait eu une fête pour les cent ans de M. Harris, aujourd'hui, et tous ses enfants et petits-enfants – trente-deux en tout – étaient venus pour le déjeuner et avaient signé. Mais il y avait bien quelque chose.

S. Keller pour M. Kendall. Entré à 13 h 25. Sorti à 15 heures pile.

Il se rendit directement au vestiaire pour composer le numéro.

— Allô ?

— Le visiteur de votre ami est revenu aujourd'hui.

— Keller ?

— Oui, il est resté plus d'une heure et demie.

— Et quel est l'état de notre M. Kendall ?

— Je ne sais pas, je vous ai appelé dès que j'ai vu son nom.

Le silence fut long et pesant.

— Vous voulez que j'y aille, puis que je vous rappelle ?

— Non, je viendrai voir par moi-même. Je serai là vers 20 heures ; vous m'attendrez à l'entrée latérale ?

— Entendu.

— Installez-le dans sa chambre avant que j'arrive.

— Très bien, répondit l'aide-soignant bien que la ligne fût déjà coupée.

Le visiteur était là à 20 heures tapantes. Il faisait déjà nuit, et la silhouette se glissa comme une ombre à l'intérieur de la maison de retraite. Faisant à peine cas de l'aide-soignant, le visiteur longea le petit couloir menant à la chambre de Kendall, saluant de la tête les quelques résidents ensommeillés qui traînaient çà et là. De toute façon, aucun ne se souviendrait que Miles Kendall avait reçu de la visite.

— Ne vous éloignez pas, dit le visiteur à l'aide-soignant avant de refermer la porte de Kendall. J'ai besoin de vous pour sortir.

— Je serai à côté, lui promit l'aide-soignant, puis il alla offrir ses services dans la chambre d'en face.

Miles Kendall était assis au bord de son lit, fixant l'obscurité au-delà de la fenêtre. Quelque part là-bas, pensait-il, il y avait une rivière. Par des nuits chaudes comme celle-ci, avec la fenêtre ouverte, il pouvait la sentir.

— Bonsoir, Miles.

Le visiteur s'assit sur une chaise en face de lui.

— Bonsoir.

Kendall hocha la tête avec méfiance. Ses paupières battirent, plissées comme s'il cherchait à reconnaître l'intrus.

— Vous souvenez-vous de moi ?

Kendall fixa son interlocuteur un long moment mais ne répondit pas.

— On m'a dit que vous aviez eu de la visite, aujourd'hui.

— En effet.

— De quoi avez-vous parlé ?

— Je ne crois pas me souvenir.

— Essayez.

— Hum… je crois… Washington.

Son menton se redressa légèrement.

— J'ai travaillé à la Maison-Blanche.

— Qu'y faisiez-vous ?

— Je travaillais avec le président.

— Oui, c'est exact, il était votre ami, à l'époque, n'est-ce pas ?

Le visiteur se pencha en avant.

— Et j'imagine qu'en tant qu'ami du président, vous savez beaucoup de choses, Miles. Je parie que vous savez de nombreux secrets.

Le vieillard demeurait raide et fermé.

— Avez-vous livré à M. Keller certains de ces secrets, Miles ?

— Je ne me souviens pas, répondit-il, avec un peu trop de hâte, peut-être.

— De quoi avez-vous parlé aujourd'hui ?

— Il m'a apporté des chocolats fourrés à la menthe.

— C'est très gentil de sa part, Miles. Lui avez-vous raconté des secrets en échange des chocolats ?

— Je ne me souviens pas.

— Lui avez-vous parlé de Blythe, Miles ?

— Nous avons peut-être parlé de Blythe, reconnut Kendall. Nous avons peut-être parlé du bébé.

— Quel bébé ?

La tête du visiteur se redressa d'un coup.

— Le bébé de Blythe.

Kendall observa l'effet de ses paroles.

— Le bébé de Blythe...

Les yeux du visiteur étaient exorbités, sa voix se réduisant à un sifflement rauque.

— Le *bébé* de Blythe ?

Kendall acquiesça.

— Où ? Où était le bébé ?

— Je ne me souviens pas.

— C'était votre bébé ?

— Bien sûr que non.

Il attendit la question, sachant qu'elle arriverait.

— Le bébé de qui ? *De qui* ?

La main agrippa durement le bras de Miles, qui sourit malgré la douleur.

— Le bébé de Graham, bien sûr.

Il prononça ces mots avec délectation, désireux de voir la confusion, l'incrédulité. La souffrance…

— Le bébé de Graham…

— Une fille, une fille magnifique.

Il aurait voulu parler de ces moments précieux où il avait tenu l'enfant dans ses bras, souhaitant de tout son cœur que cette fille soit la sienne, raconter son combat farouche contre la jalousie, combat qui avait finalement eu raison de lui et l'avait poussé à faire quelque chose qu'il ne se pardonnerait jamais, quelque chose qu'il avait essayé d'oublier toute sa vie. En vain.

Mais ce soir Kendall était las de lutter contre le passé. Ce soir la culpabilité qui le hantait depuis près de trente ans refaisait surface avec une force impressionnante, le bouleversant jusqu'au tréfonds de son âme. En même temps, elle le rendait plus fort, assez fort pour pleurer la femme qu'il avait aimée, l'amitié qu'il avait trahie.

Assez fort pour la vengeance.

— Que savez-vous, vieil homme ?

La patience de l'autre s'émoussait.

— Je sais qui vous êtes.

— Vraiment ?

Un sourire méchant.

— … quelle infortune, Miles…

— Oui, je vous connais.

— Pourquoi avoir gardé ça pour vous pendant toutes ces années ? *Pourquoi ne m'avez-vous pas parlé du bébé ?*

La colère vibrait le long de chaque nerf; la colère grandissait à chaque battement de cœur.

— Parce que je savais ce que vous lui feriez.

Il se pencha en avant, la voix sûre.

— Je ne pouvais pas vous laisser lui faire du mal, je lui devais au moins ça.

Un ricanement de dérision.

— Vous avez une curieuse manière de rembourser vos amis, vieil homme. Maintenant, dites-moi, qui d'autre est au courant ?

— Je ne vous le dirai pas.

— Où est-elle ?

Le visage se rapprocha, la voix se fit stridente.

— Dites-moi où elle est. Je ne vous le demanderai pas deux fois, Miles.

Miles secoua lentement la tête.

— Non.

Debout à présent, le visiteur plongea la main dans une poche profonde pour en sortir un étui en cuir d'où sa main fébrile extirpa une longue seringue, qu'il planta brusquement dans les plis du cou du vieil homme. Miles grimaça de douleur, mais ne cilla pas.

Pendant un très long moment, il fixa le regard vide de son assassin.

Il essaya de parler, mais sa bouche ne voulait pas fonctionner. Ce n'était pas plus mal ainsi, se dit-il. Il avait attendu suffisamment longtemps de payer pour ses péchés, alors maintenant ou demain…

Quand sa tête tomba en avant, le visiteur repoussa le corps sur le lit.

Désormais il ne parlerait plus à personne, ni de Blythe ni de son bébé, soupira le visiteur avec satisfaction, avant de sortir dans le couloir pour y attendre l'aide-soignant.

— Terminé pour ce soir ? demanda ce dernier.

— Oh oui, complètement.

— Par ici.

L'aide-soignant conduisit le visiteur le long du couloir silencieux en direction de la sortie latérale. Celui-ci franchit la porte, puis se tourna pour lui tendre une enveloppe exceptionnellement épaisse.

Sans un mot ni un regard en arrière, la silhouette disparut dans la nuit.

## 12

Depuis une butte surplombant le cimetière, Simon observait les dignitaires rassemblés autour de la tombe ouverte.

La nouvelle de la mort de Miles Kendall, qui s'était paisiblement éteint dans son sommeil, quelques heures à peine après qu'il l'eut quitté, lui avait fichu un sérieux coup. Bien que June lui ait assuré que le vieil homme souffrait d'une maladie de cœur susceptible de l'emporter à tout moment, Simon ne pouvait s'empêcher de s'étonner d'une telle coïncidence. À un jour près, les secrets de Kendall seraient restés à jamais enfouis.

Son métier de journaliste lui avait appris qu'il y avait peu de véritables *coïncidences* dans la vie. Et une petite voix insistante lui soufflait qu'en l'espèce, il ne s'agissait pas d'un hasard…

Il était temps d'avoir une discussion avec Philip Norton.

Simon commença à descendre la butte, légèrement penché pour mieux voir sans être vu. Il n'entendait rien de ce que disait le jeune prêtre, mais avait une assez bonne vue sur les personnalités présentes ; il s'était attendu à une assemblée moins nombreuse. Plusieurs anciens membres du Congrès et des diplomates occupaient les premiers rangs, avec les Hayward. Parmi eux, un homme et une femme d'une quarantaine d'années, accompagnés de trois enfants : le neveu de Kendall et sa famille, présuma Simon.

Le service fut très court, et le groupe du premier rang commença bientôt à défiler devant la tombe, chacun lâchant une rose sur le cercueil.

La famille Hayward se dirigea ensuite vers une limousine, s'arrêtant ici et là pour saluer des connaissances. Simon ne savait pas exactement pourquoi, mais il n'avait pas envie de manifester sa présence... peut-être se sentait-il de trop. La seule personne à qui il voulait vraiment parler se trouvait dans le petit groupe sur sa gauche.

Il rattrapa Philip Norton juste au moment où celui-ci atteignait sa voiture.

— Philip !

L'homme se retourna et sourit en voyant Simon approcher.

— Simon ! J'ignorais que vous étiez là.

— J'ai rencontré Miles Kendall plusieurs fois.

— Je vois.

Les yeux de Norton se plissèrent légèrement.

— J'ai essayé de vous joindre toute la semaine dernière. Vous n'interrogez jamais votre répondeur ?

— J'étais occupé.

— C'est ce que j'ai cru comprendre.

Simon planta les mains dans ses poches.

— J'aimerais vous parler de mes visites à Miles Kendall, si vous avez quelques minutes. C'est très important.

— Maintenant ?

— Oui.

— Voulez-vous que nous allions déjeuner quelque part ?

— Non, j'aimerais autant le faire ici.

— Oh, certainement.

Ils gravirent la butte au sommet de laquelle une rangée d'anges de pierre montait la garde.

— J'ai passé près de deux heures avec Miles, lundi après-midi, commença Simon.

— Ce lundi ? s'étonna Norton en haussant les sourcils.

— Oui. À peine quelques heures avant sa mort, j'étais avec lui et nous avons eu une vraie discussion. Il était vif et en pleine forme quand je suis arrivé, et quelques heures plus tard, le voilà mort.

Simon s'interrompit, puis attaqua :

— Drôle de coïncidence, non ?

— Vous connaissez mon sentiment sur les coïncidences.

— Oui. Et je suis d'accord avec vous. Étant donné les révélations que m'a faites Kendall avant de mourir…

— Quelles révélations… ?

— Il a beaucoup parlé d'une femme dont il était amoureux, Blythe Pierce.

Simon regarda du coin de l'œil si Norton réagissait à ce nom. Pas un battement de cil.

— Il m'en avait déjà parlé avant, d'ailleurs.

— Et… ?

D'un geste, Norton le pressa d'en venir au fait.

— Et il semble que Graham Hayward était lui aussi amoureux de cette femme.

Simon s'arrêta. Il devait poser la question directement, le temps des allusions était révolu.

— Connaissiez-vous Blythe Pierce, Philip ?

Les yeux de Norton se portèrent rapidement sur Simon avant de se détourner à nouveau ; Simon avait sa réponse.

— Vous me prenez de court, je dois dire, déclara Norton avec un rire gêné.

— Vous la connaissiez.

— Oui, tout le monde connaissait Blythe. Elle était jeune et ravissante, mais il y avait beaucoup de femmes ravissantes dans la capitale, à cette époque.

— Qu'est-ce qui la rendait si singulière ?

— Oh, ce qui la différenciait de toutes les autres…

Il considéra la question.

— C'est difficile à définir. Elle était issue d'un milieu aisé – fille de diplomate, héritière d'une fortune conséquente – et habituée à évoluer parmi les riches et les puissants de ce monde. Elle était bien éduquée : les meilleures écoles, et ainsi de suite. Mais, encore une fois, Washington était rempli de femmes dans le même cas. Blythe était juste un peu *plus* que les autres – plus intelligente, plus naturelle, plus intuitive, plus pertinente, plus drôle, plus belle. Personne ne résistait à tant de charme combiné à tant de véritables qualités humaines.

— Même le président ?

Norton se tendit.

— D'après Kendall, poursuivit Simon sans attendre de réponse, non seulement Hayward était amoureux d'elle, mais il lui a donné un enfant, et envisageait sérieusement de…

— Miles Kendall n'avait plus toute sa tête…

— … ne pas briguer un second mandat, pour pouvoir divorcer et épouser Blythe.

Simon chuchotait, comme s'il craignait que le vent ne transportât ses paroles jusqu'à d'autres oreilles.

— Quelqu'un l'a cru, Philip. Je pense que quelqu'un l'a cru et a tué Blythe à cause de ça. Mais vous le savez déjà, non ? Vous saviez que l'accident qui a tué Blythe n'en était pas un ? Que la voiture qui l'a renversée lui est passée dessus à deux reprises ?

Norton était devenu plus pâle que la mort.

— Simon, vous doutez-vous seulement de ce que vous êtes en train…

— Oh, mais ce n'est pas tout ; j'ai retrouvé l'enfant.

Norton tourna lentement son regard vers Simon.

— Quoi ?

— J'ai retrouvé la fille de Blythe Pierce.

Un silence.

— Et ce qui est intéressant, c'est qu'elle ne sait rien de Hayward. Ni de Blythe.

— Alors pour l'amour de Dieu, Simon, laissez-la tranquille.

Il y avait du désespoir dans le geste de Norton quand sa main se referma sur le bras de Simon.

— Je ne peux pas. Graham Hayward a été vénéré par le peuple américain comme un symbole de moralité. Quelle hypocrisie… Et si l'on parlait de la façon dont Blythe est morte ? Si l'on revenait sur l'enquête bâclée, étouffée dans l'œuf ? Comment cela a-t-il pu se produire ? Cette femme était la fille d'un d'ambassadeur, c'est-à-dire d'un homme assez influent pour faire en sorte que l'enquête se poursuive. À votre avis, qui était assez puissant pour l'en empêcher ?

Comme Norton esquissait un pas pour s'en aller, Simon le retint par le bras.

— C'est ça l'histoire, n'est-ce pas ? Le meurtre de la jeune maîtresse du président – la mère d'une enfant illégitime – a été couvert par quelqu'un de très haut placé…

— Simon, il y a tant de choses que vous ne comprenez pas…

— Éclairez-moi.

— Je ne peux pas.

— Alors je suis forcé de croire que vous avez protégé l'assassin de Blythe. Et je me demande si la personne que vous avez couverte n'était pas le président lui-même. Un homme mûr, une magnifique jeune femme…

— Mon Dieu, Simon, c'est grotesque.

— … une liaison, un enfant qu'il n'a peut-être pas voulu…

— Quoi que vous croyiez, soyez sûr que Graham Hayward aimait Blythe de tout son cœur.

— Je dois le croire parce que vous le dites ? Excusez-moi, mais votre crédibilité n'est plus ce qu'elle était, Philip.

— Vous n'avez aucune preuve, Simon, juste les délires d'un vieillard à la mémoire défaillante, un homme qui n'est même plus parmi nous. Alors si vous décidiez de publier ces élucubrations, ce serait votre parole contre l'histoire.

— Peut-être que personne ne me croirait, répliqua Simon en haussant les épaules. Mais comme tout ce que m'a raconté Kendall est enregistré…

— Quoi ?

— ... vous ne pourrez pas me répondre qu'il s'agit de simples «élucubrations». D'ailleurs, soit dit en passant, Miles connaissait l'assassin de Blythe, je le sais.

Norton passa une main nerveuse dans ses cheveux.

— A-t-il donné un nom ?

— Non. Quand j'ai commencé à me douter qu'il savait, il était reparti dans son monde et je ne pouvais plus l'interroger. Mais quelqu'un a été mis au courant de mon entretien avec Miles, et je suis sûr que ce quelqu'un l'a tué pour ce qu'il aurait pu me dire.

— Simon, détruisez cet enregistrement, et laissez tomber.

— Je ne peux pas.

— Je vous en prie, vous ignorez à quoi vous avez affaire.

— Je sais exactement à quoi j'ai affaire, en tout cas : à la plus grosse histoire de ma carrière. Une histoire que vous vouliez à tout prix étouffer.

— Simon, vous ne comprenez pas. Pour le bien de cette fille, laissez-la tranquille.

— Vous avez essayé de me manipuler, Philip, l'accusa Simon en gardant son calme malgré l'amertume qui le rongeait. Vous ne vous attendiez pas à ce que j'aille gratter au-delà du vernis, n'est-ce pas ? Vous imaginiez que je me dépêcherais de terminer ce livre pour revenir plus vite au mien. C'est vrai, votre promesse de le publier était assez alléchante. Mais comment avez-vous pu vous figurer que je serais assez docile pour obéir aveuglément aux ordres en attendant ma récompense ?

Norton chercha à l'interrompre, mais aucun son ne sortit de sa bouche.

— J'avais confiance en vous. Je vous ai respecté et admiré pendant des années. Comment avez-vous pu me faire ça ?

152

— Simon, j'admets ne pas avoir été tout à fait honnête envers vous, je ne vous ai pas transmis tous les faits.

Norton croisa le regard de Simon et poussa un lourd soupir.

— Mais je voulais vraiment éditer cette biographie...

— Et choisir le biographe pour contrôler le contenu.

— Oui. Non. Vous ne pouvez pas comprendre la situation.

— Je crois la comprendre parfaitement, au contraire. J'écrirai ce livre, Norton, mais ce ne sera pas celui que vous attendiez.

— Simon, ne faites pas ça. Des innocents pâtiront d'une telle publication.

— Je ne peux pas laisser passer une histoire aussi énorme ; je ne vois pas une seule bonne raison de le faire. Si vous refusez de la publier, je parie qu'un autre éditeur acceptera.

— C'est vrai que je voulais que vous écriviez ce livre. C'est vrai, je pensais que vous feriez du bon travail ; vous avez une excellente plume...

— Épargnez-moi vos flatteries, s'il vous plaît.

— ... et, oui, j'avais une autre raison de m'adresser à vous, mais pas celle à laquelle vous pensez.

Norton parut brusquement las.

— Je savais qu'il y avait un risque – un risque infime – que quelqu'un tombe sur l'histoire de Blythe. Un risque encore plus infime que l'on retrouve sa fille. Je me suis dit que si c'était vous qui la dénichiez, vous viendriez me le dire.

— Et que vous pourriez me dissuader de tout divulguer... pour préserver le secret de saint Graham.

— Non, pas pour protéger sa réputation.

Norton secoua lentement la tête.

— Pour protéger sa *fille*, Simon... il y a tant de choses que vous ignorez.

— Eh bien, ne vous inquiétez pas, je découvrirai bientôt toutes ces choses que j'ignore.

— Avez-vous pris le temps de vous demander quel *bien* découlerait de la publication de cette histoire ? Avez-vous pensé aux gens impliqués, à ce qui pourrait leur arriver ? La fille ne sait rien, avez-vous dit. Pensez à elle, Simon, réfléchissez aux conséquences.

— J'ai pensé à la fille. Cette fille a un nom, Philip, elle s'appelle Dina. Et ce n'est plus une fille, c'est une femme. Ne pensez-vous pas qu'elle mérite de savoir qui elle est ?

— C'est beaucoup plus compliqué que ça...

Norton se retourna brusquement et commença à descendre la butte. À mi-chemin, il s'arrêta pour se tourner vers Simon.

— Je voulais que ce soit vous, parce que je pensais que si vous retrouviez l'enfant vous auriez la maturité, la sagesse de comprendre qu'il peut parfois y avoir quelque chose de plus important qu'un gigantesque scoop et que votre intérêt personnel. Je vois que je vous ai surestimé.

— Vous ne m'avez pas donné une assez bonne raison de laisser tomber, Philip. À moins que vous puissiez me dire qui a tué Blythe...

— Je ne peux pas vous révéler ce que j'ignore.

— Dans ce cas, je ferai mon travail, et vous continuerez à faire le vôtre.

Simon ignora le brusque sentiment de regret qu'il éprouva tout à coup : il avait tant admiré cet homme, lui avait porté tant d'affection... Lui avait fait confiance.

— Au cas où vous l'auriez oublié, c'est vous qui m'avez appris que rien – jamais – n'est plus important que la vérité.

— Je me trompais peut-être.

Simon regarda Norton disparaître derrière un petit groupe d'arbres. Il ne ressentait aucune satisfaction ;

il s'était attendu à des aveux, pas à ce que son ancien mentor s'offense de ses accusations. Et il avait paru plus qu'offensé. Offensé… et inquiet.

Qui protégeait-il ? Quel était le véritable enjeu ?

*Pensez à la fille…*

Les paroles de Norton résonnaient encore dans son crâne. Simon se retourna une fois de plus dans son lit, cala son oreiller sous sa tête et remonta la couverture.

Comme s'il ne pensait pas à Dina depuis leur première rencontre. Avant même qu'elle ait enlevé ses lunettes et qu'il ait vu son visage – avant qu'il ait la moindre idée de qui elle était –, il avait été attiré par elle.

*Pensez à la fille…*

Il s'endormit en pensant à elle.

Pour se réveiller quelques minutes plus tard, couvert de sueur, ses mains agrippant le drap. Pendant un instant, il se demanda où il était, comme cela arrive parfois quand on se réveille d'un cauchemar et qu'on ne sait plus distinguer l'illusion de la réalité.

Il s'assit contre la tête du lit, le cœur battant, et ferma les yeux. Le rêve avait semblé si réel…

*Il fait nuit et la femme traverse la rue, en criant son nom. Il y a un lampadaire, mais la lumière est trop faible pour qu'il voie son visage. Et puis la voiture arrive, prend de la vitesse. La femme lui tourne le dos, les mains sur la bouche, elle l'appelle. Quand la voiture la percute, elle hurle son nom.*

*Simon !*

Il repoussa la couverture et se leva pour aller ouvrir la fenêtre et laisser l'air frais de la nuit baigner son corps nu. Le souffle encore irrégulier, il s'appuya au rebord de la fenêtre et regarda la lune ascendante, essayant de se convaincre que ce rêve avait été provoqué par sa conversation avec Norton.

*Pensez à ce qui pourrait lui arriver.*

À la fin du cauchemar, la femme est prise dans les phares de la voiture. Il voit son visage, ses yeux écarquillés de terreur, ses cheveux noirs qui forment un halo désordonné alors qu'elle se tourne vers lui, implorant son aide. Il n'y a aucun doute sur le visage qu'il voit, sur les cris qu'il entend.

*Pensez à la fille…*

*Je pense à elle.* Simon laissa son regard s'enfoncer dans la nuit.

*Tout le temps…*


# 13


La silhouette se tenait au bord de la falaise et regardait la masse d'eau obscure qui bouillonnait en contrebas. Un pied nerveux tapait le rocher tandis que les problèmes les plus pressants – et les solutions les plus prudentes – étaient considérés.

*Un enfant. Il y avait eu un enfant…*

L'impossible vérité tournait dans sa tête, railleuse. Repousse-la. Hors de ta vue, hors de ton esprit.

Cependant, les mots de Kendall résonnaient clairement…

*Le bébé de Graham…*

Un mouvement incrédule de la tête. Comment un tel secret avait-il pu être préservé pendant tant d'années ?

Mais où était la fille ? Où ? Et qui l'avait élevée ? Quelqu'un qui connaissait ses origines ? Graham Hayward n'aurait pas confié son enfant à un inconnu. Il devait y avoir quelqu'un…

Une décharge de colère vint meurtrir un corps déjà crispé par l'angoisse.

*Comment un tel secret a-t-il pu être préservé ?*

La réponse n'était que trop évidente. Quelqu'un s'était démené pour protéger l'enfant. Mystères, mensonges, tout ce qui était nécessaire pour protéger la fille du président.

Le vent porta une voix provenant de la maison : la fête était sur le point de commencer.

— J'arrive.

*Mais d'abord, respire. Évacue la colère. Laisse-la ici ; derrière toi...*

Une profonde inspiration puis une autre, et une autre encore, encore et encore, jusqu'au retour d'un semblant de normalité. Une fois la rage calmée, on pouvait la nier, elle ne comptait plus. Passer à autre chose...

Un pincement de regret en pensant à la mort de Kendall, l'espace d'un instant.

Miles n'aurait jamais dû parler à Simon Keller. Cette petite indiscrétion, s'il avait vécu, avec qui l'aurait-il commise à nouveau ? Qu'aurait-il raconté d'autre ? Non, le risque avait été trop grand.

La ligne directrice demeurait intacte : la bonne réputation de Graham Hayward devait être préservée à tout prix. Sauvegarder l'héritage était tout ce qui comptait. Et puis, se protéger soi-même aussi, bien sûr...

Un vent froid soufflait de l'océan. Tout en bas, les vagues s'écrasaient contre les rochers, projetant de l'écume à plusieurs mètres de haut. L'odeur de l'eau salée avait un effet apaisant.

Bon. Se concentrer sur la tâche en cours. Comment trouver la fille ? Comment trouver la personne qui l'avait élevée ? Suivre Simon Keller, évidemment.

Tôt ou tard, il les trouverait, si ce n'était pas déjà fait. Keller était journaliste, et l'on ne pouvait pas attendre qu'il passe longtemps une telle histoire sous silence. Il voulait sûrement la gloire, il voulait se vanter d'avoir eu l'intelligence de percer un mystère vieux de trente ans...

157

Décider de leur sort – celui de la fille, d'abord, on terminerait par le journaliste – représentait un vrai défi. Mais un défi abordable. Après tout, des défis semblables avaient été relevés dans le passé, n'est-ce pas ?

Tout mettre en ordre apaisait l'esprit et rétablissait un certain… équilibre.

Bientôt tout irait de nouveau bien.

Une fois que la fille serait retrouvée…


## 14


Dès dix heures le lendemain matin, Simon était en route pour Henderson. Si Dina courait un réel danger, une seule personne pouvait l'aider. Jude devait prendre conscience que quelqu'un s'apprêtait peut-être à leur faire du mal à toutes les deux. À elle ensuite de décider ce qu'elle révélerait à sa fille.

Ignorant la pancarte d'interdiction de stationner, Simon se gara devant la bibliothèque et se dirigea vers l'entrée du bâtiment. Une fois à l'intérieur, il chercha Jude dans les deux grandes salles. Ne la trouvant pas, il revint à la réception.

— Je viens voir Jude McDermott.

— Jude est malade, lui apprit l'employée dans un murmure.

La remerciant d'un signe de tête, Simon se hâta de repartir. Il atteignit la Mustang juste au moment où une voiture de police ralentissait à côté ; l'officier désigna la pancarte que Simon avait superbement ignorée.

— Je m'en vais !

L'officier hocha la tête mais attendit qu'il ait démarré avant de se détourner.

Quelques minutes plus tard, Simon se garait devant la maison McDermott et sonnait à la porte. Waylon aboya, mais tout restait silencieux. Simon regarda l'allée, où le Taurus était garé. Il sonna de nouveau, en vain. Où que se trouvât Jude, elle ne semblait pas être restée alitée.

À moins qu'elle ne fût au fond de son lit, terrassée par la fièvre, ou chez le docteur. Mais la voiture était là. Dina l'avait peut-être accompagnée ?

Il y avait bien un moyen de le savoir...

De toute façon, après le cauchemar de cette nuit, il avait besoin de vérifier que tout allait bien. La partie rationnelle de son cerveau lui rappela qu'il n'avait jamais eu de dons extralucides, mais cela ne le rassurait pas complètement.

Simon s'arrêta pour demander son chemin, puis suivit sur un kilomètre la route qui sortait de la ville. Il aperçut bientôt une pancarte indiquant :

GARDEN GATES
D. MCDERMOTT

Simon ralentit devant la vieille ferme jaune, s'engagea dans la cour et se gara devant la petite boutique, jetant un œil autour de lui. Les fenêtres de la boutique étaient garnies de couronnes de fleurs séchées et de rubans, de pots de fleurs remplis de jonquilles et de paniers de primeroses. En face du petit magasin se trouvait une ancienne grange avec des rideaux de dentelle aux fenêtres et des pots de pensées près de la porte. Une allée conduisait à une serre, à côté de laquelle était garée la camionnette qu'il avait vue à la bibliothèque. Simon hésitait, se demandant dans quel bâtiment il pourrait trouver Dina, quand la porte de la serre s'ouvrit à la volée devant un jeune garçon coiffé d'un casque de baladeur portant un plateau de fleurs violettes. Simon le reconnut : c'était le « jardinier en herbe ».

— S'il vous plaît ! appela Simon.

Le garçon, qui s'apprêtait à soulever la bâche arrière de la camionnette, se retourna.

— Pouvez-vous me dire où trouver Dina ?

L'apprenti-jardinier désigna la serre, continuant à remuer la tête au rythme de la musique tandis qu'il glissait son chargement dans la camionnette.

Simon se dirigea vers la serre, dont il ouvrit la porte sans frapper.

— Tu as oublié quelque chose, Will ?

Dina lui tournait le dos, et il l'admira un moment.

— Oui, j'ai oublié de vous demander votre numéro de téléphone.

Elle pivota, perplexe, puis son visage exprima la surprise, et enfin le plaisir de voir Simon sur le seuil.

— Oh, Simon, dit-elle, avant de faire quelque chose qui lui alla droit au cœur : elle rougit.

— Je vous ai fait peur ? demanda-t-il sans pouvoir retenir un sourire.

— Non, non, je croyais que c'était Will... Il vient juste de partir pour une livraison.

— Oui, je l'ai vu transporter quelque chose de violet.

Simon fourra les mains dans ses poches pour ne pas céder à la tentation de caresser ses cheveux.

— De la bruyère.

— Vous la faites pousser vous-même ?

— Oui, ça marche très bien à cette période de l'année.

— Tout cela vous appartient ?

Il désigna les champs derrière la serre.

— Oui.

— C'est une belle entreprise.

— Merci.

— Vous l'avez montée seule ?

— Oui.

— Vous devez être très fière.

— Je le suis.

Dina déplaça un plateau de plants et essuya ses mains sur son jean.

— Votre livre avance bien ?

— Pas mal.

— Aurez-vous bientôt terminé ?

— L'étape des recherches, oui.

— Ce doit être passionnant d'écrire un livre sur une personne célèbre.

— Ça a ses bons côtés, oui, mais ce n'est sûrement pas aussi passionnant que de gérer sa propre entreprise.

— Ça a aussi ses bons côtés.

Elle sourit. Quand soudain le téléphone sonna, elle s'excusa avant de se détourner pour répondre.

— Oui... Oh mon Dieu, j'avais oublié. Tu peux partir, Polly. Je serai là dans quelques minutes. Prends ma voiture ; les clés sont dessus.

Elle se tourna vers Simon.

— Je dois aller à la boutique : la fille de mon assistante joue dans une pièce de théâtre à l'école, et si Polly n'y va pas tout de suite, elle va la rater.

— Je vous en prie, allez-y. J'étais juste passé vous demander si vous étiez libre samedi soir. Pour dîner.

Il fit mine de se renfrogner.

— Ou y a-t-il un fiancé à tabasser d'abord ?

— Pas de fiancé.

Elle souriait maintenant.

— Difficile à croire. Les hommes du coin ne tournent pas rond ou quoi ?

— Vous n'êtes pas du coin ?

— Non, je vis à Arlington.

— Arlington, en Virginie ?

Sa jolie bouche s'arrondit de surprise.

— Vous feriez tout ce chemin juste pour dîner ?

— Pour dîner avec vous, oui.

— Je suis très flattée. Mais attendez une minute ; vous ne faites pas ça pour soutirer des informations sur l'amie de ma mère, j'espère ? Je vous préviens, elle ne m'a rien dit.

Simon éclata de rire.

161

— En fait, je suis passé voir votre mère à la bibliothèque, mais ils m'ont dit qu'elle était malade. Et chez elle, personne n'a répondu.

Dina parut déconcertée.

— Je lui ai parlé hier soir et elle était en pleine forme... Ça doit être sa migraine. Je passerai la voir cet après-midi, merci de m'avoir prévenue. Voulez-vous que je lui transmette un message ? Je peux lui dire de vous rappeler.

Simon hésita. Ce n'était pas exactement le genre de sujet dont on discutait par téléphone.

Il sortit une carte de visite de sa poche.

— Elle peut m'appeler quand elle ira mieux. Je pourrais peut-être la voir samedi, si elle est libre, avant de passer vous chercher. Ça vous va, si je viens vers 19 heures ?

— Ce serait parfait.

— Où dois-je vous prendre ?

Elle désigna la grange.

— Pratique.

— Très.

— Je sais que vous êtes occupée, dit-il en s'avançant vers la porte. Je ne vous retiendrai pas plus longtemps.

— Vous pouvez m'accompagner jusqu'à la boutique.

Elle contourna la table, ouvrit la porte et lui fit signe de passer devant.

Alors qu'ils se dirigeaient vers l'échoppe, un break pénétra dans la cour.

— Bonjour, madame Evans, fit Dina en agitant la main. Polly a terminé votre couronne, ce matin...

— Je vous laisse, dit Simon en s'arrêtant à sa voiture. À samedi.

— À samedi.

Elle lui fit au revoir de la main, attendant que sa cliente parvienne à la porte de la boutique, puis se tourna pour lui sourire.

Il se demanda ce qu'il adviendrait de ce sourire quand elle saurait la vérité.

*Tu n'aurais pas dû faire ça*, se sermonna-t-il en démarrant. *Très, très mauvaise idée.*

Au mieux, sortir avec Dina – élément central de l'enquête – représentait un conflit d'intérêts. Au pire, elle penserait tôt ou tard qu'il l'avait manipulée.

— Je n'avais pas prévu de l'inviter, se défendit-il tout haut, je voulais juste m'assurer qu'elle allait bien.

Il devait admettre qu'elle se portait à merveille ; elle était superbe. Il était apparemment le seul à avoir souffert des effets de son cauchemar.

Il mit un CD de Jerry Lee Lewis. Il était tout à fait d'humeur à écouter son jeu de piano… *à couper le souffle.*

— C'est tout à fait ça, murmura-t-il.

C'était exactement ce qu'il ressentait en présence de Dina. Une fascination propre à lui couper le souffle, à tel point qu'il ne pouvait la quitter des yeux. Face à elle, il plongeait dans une sorte d'état d'hypersensibilité où tout – elle, lui-même, les couleurs, les parfums, sa présence, son regard, son rire – prenait un pouvoir fou sur lui.

Et il avait appris quelque chose grâce à elle, quelque chose qui l'aidait à comprendre des événements vieux de trente ans : quand une femme comme Dina vous regardait comme elle l'avait regardé, vous vous sentiez l'homme le plus comblé de la terre. Il savait maintenant exactement pourquoi Graham Hayward avait été prêt à tout abandonner.

Simon n'avait jamais éprouvé ce sentiment auparavant, ce mélange d'attirance physique absolue et de certitude d'être en face de la femme de sa vie. Et c'était ce sentiment qui régissait tout quand il se trouvait avec Dina, ce sentiment qui l'avait poussé à l'inviter : il n'avait pas eu le choix, c'était aussi simple que ça. Pas très stratégique, peut-être, mais il n'y pouvait rien.

Et puis, si Norton disait vrai, si elle était en danger, quelqu'un ne devait-il pas la protéger ?

Autant que ce soit lui.

Depuis la fenêtre de sa chambre Jude avait regardé Simon repartir. Son attention concentrée sur lui, elle n'avait pas remarqué le van sombre garé à la lisière des arbres ni la silhouette en retrait près des bancs de pique-nique, sous le couvert des pins.

— Vous ne mesurez pas ce que vous exigez de moi, argua-t-elle au téléphone.

— Il est temps, largement.

— Je ne sais pas comment elle réagira.

Elle se mordit la lèvre inférieure pour refouler ses larmes.

— Elle n'a jamais eu aucune raison de douter qu'elle était ma fille. Comment vais-je lui annoncer ça ?

— Je vous comprends, Jude, se radoucit Simon, mais vous auriez dû lui dire la vérité depuis longtemps.

— Je n'arrivais pas à m'y résoudre. Chaque fois que j'ai essayé, les mots ne voulaient pas sortir.

— Je crains que vous ne deviez trouver un moyen, maintenant, elle *doit* savoir. Elle ne peut pas se protéger si elle reste dans l'ignorance.

— Croyez-vous vraiment qu'elle soit en danger ?

— Elle doit savoir qu'un jour – peut-être très bientôt – quelqu'un se mettra à sa recherche. Dieu sait ce qui peut se passer si on la retrouve…

Jude arpentait la maison, les mots tournant dans sa tête. *Dieu sait ce qui se passera si on la retrouve…* Et si on retrouvait Dina, Jude savait exactement à qui elle le devrait. Si elle pouvait tenir ce Simon Keller entre ses mains, elle lui tordrait le cou.

Waylon aboyant à la porte de derrière pour sortir, Jude se rendit à la cuisine comme un zombie. Elle ouvrit la porte pour aller se blottir sur la balançoire de la terrasse ; elle ne s'était jamais sentie aussi seule et vide. Pas depuis la nuit où Miles Kendall l'avait appelée pour lui dire que Blythe avait été renversée dans une rue de Washington et tuée sur le coup.

Cette nuit-là, Jude avait roulé jusqu'au désert et éteint les phares, le bébé de Blythe endormi dans son couffin sur le siège arrière. Elle était sortie de la voiture et s'était éloignée suffisamment pour que ses sanglots ne réveillent pas la petite ; assise sur le sable, la tête enfouie dans ses bras, elle avait pleuré jusqu'à épuisement.

Cette nuit-là, Jude avait levé les yeux vers les étoiles et revécu chaque moment de l'année écoulée, depuis l'après-midi où elle était rentrée chez elle pour trouver Blythe endormie dans son canapé. Son amie avait usé de ses charmes pour convaincre le concierge de la laisser entrer. Betsy, la sœur de Blythe, avait coutume de dire qu'elle n'avait jamais rencontré personne qui restât insensible au charme de Blythe – le concierge de Jude ne faisait pas exception.

— Alors, à quoi dois-je cet honneur ? avait demandé Jude pendant le dîner.

— J'avais besoin d'un peu de vacances.

— La Riviera est surchargée, ce mois-ci ?

Blythe avait souri.

— Oui, exactement. En fait, je pensais rester un petit moment.

— Ici, à Phoenix ? Je croyais que tu adorais Washington.

— C'est vrai, j'adore Washington, avait soupiré Blythe. Cette ville n'a pas son égale au monde, Jude.

— Surtout quand on y séjourne en grisante compagnie...

— C'est justement de cette grisante compagnie que j'ai besoin de m'éloigner un moment.

Jude avait posé sa fourchette.

— Bon, dis-moi tout.

— Je suis amoureuse, lui avait déclaré Blythe, ses grands yeux pétillant de joie. Absolument, totalement, raide dingue amoureuse.

— Et je parie que l'heureux élu est lui aussi fou amoureux.

Blythe avait hoché la tête.

— J'ai du mal à y croire moi-même... Mais il l'est.

— Qu'y a-t-il d'incroyable à ça ? N'importe quel homme se damnerait pour avoir la chance de te baiser les pieds.

— Cet homme-là est différent, avait rétorqué Blythe avec une gravité peu coutumière.

— S'agit-il du secrétaire général de la Maison-Blanche dont tu m'avais parlé ?

Blythe avait lentement secoué la tête.

— Quelqu'un d'autre ? Un nouveau ?

— En fait... non, avait répondu Blythe en se mordant la lèvre. Je ne t'ai pas tout dit sur une certaine chose.

Jude avait éprouvé un sentiment d'étonnement mêlé d'inquiétude. Non parce que son amie avait eu des secrets pour elle, mais parce que le regard de Blythe s'était terriblement assombri.

— L'homme dont je t'ai parlé au téléphone – Miles Kendall –, je ne l'ai pas vraiment fréquenté. Je sortais en sa compagnie, mais c'était tout.

— Je ne comprends pas.

— J'accompagnais Miles uniquement pour pouvoir voir l'autre, un homme avec lequel je ne peux pas me montrer publiquement...

— Alors laisse-moi deviner, l'homme que tu aimes est marié.

Blythe avait acquiescé de la tête.

— Ça, ma chérie, ça ne marche généralement pas très bien.

— Il y a autre chose, Jude...

— Je le craignais.

Jude avait attrapé une boîte de mouchoirs qu'elle avait posée sur la table à l'instant même où la première larme de Blythe avait commencé à couler.

— Allez, raconte-moi tout.

— Il n'est pas seulement marié, il est... il est...

— Il est quoi? Plus âgé?

Blythe avait hoché la tête.

— Il a des gosses?

Un autre hochement de tête.

— Ce n'est pas bon du tout, Blythe.

— Tu n'as pas encore entendu le pire.

— Que peut-il y avoir de pire qu'un homme plus âgé, marié avec des enfants?

— Un homme plus âgé, marié, qui a des enfants et qui se trouve être le président.

— Le président de quoi? avait demandé Jude, perplexe.

— Des États-Unis.

Il s'était écoulé un long moment avant que Jude ne réagît.

Puis elle avait éclaté de rire.

— Blythe, c'est ridic...

Son rire s'était bloqué dans sa gorge. Le visage blême de Blythe montrait clairement qu'elle ne plaisantait pas.

— Graham Hayward. Tu as une liaison avec *Graham Hayward*?

— Oui, avait soufflé Blythe.

— Graham «Droit comme un I» Hayward? Graham «Je ne mentirai jamais au peuple américain»?

— Arrête, Jude, c'est assez difficile comme ça.

Blythe avait baissé la tête.

— Il y a pire encore.

— Non. Ne me dis pas que...

— C'est pour septembre.

Les mots murmurés, à peine audibles, étaient restés suspendus entre elles.

— C'est incroyable. Comment est-ce que... oh, et puis, ça n'a plus d'importance, maintenant. Pour l'amour du ciel, Blythe, que vas-tu faire ?

— J'ai essayé d'y réfléchir, avait répondu Blythe en s'efforçant de sourire. Tu veux entendre la version courte ?

— Vas-y.

— Je voudrais emménager ici avec toi, si tu veux bien, nous pourrions prendre une maison. Je retournerai à Washington de temps en temps, jusqu'à ce que Graham ait terminé.

— Jusqu'à ce qu'il ait terminé quoi ?

— Son mandat. Il envisage de ne pas se représenter, mais bien sûr personne ne le sait encore.

Jude en était restée bouche bée.

— Il ne va pas briguer un second mandat ?

— Il l'*envisage* seulement.

— Pourquoi ?

— Parce qu'il veut quitter sa femme et m'épouser.

Si ces paroles étaient sorties de la bouche de n'importe quelle autre femme, Jude aurait éclaté de rire. Mais c'était Blythe Pierce qui avait parlé, et s'il existait une femme au monde pour laquelle un homme pouvait être prêt à tout lâcher, c'était certainement elle.

— C'est difficile pour nous deux. Graham est marié depuis très longtemps, et ses enfants comptent beaucoup pour lui. Il est absolument fou de sa fille. Et je n'aurais jamais cru tomber amoureuse d'un homme marié... Je ne l'ai pas cherché. Mais il y a ce... lien entre nous, plus fort que tout ce que j'aurais pu imaginer. Je n'ai jamais voulu que ça arrive, Jude, je te le jure. Mais c'est arrivé, et je dois en assumer les conséquences. Graham ne veut pas me laisser seule avec cette responsabilité, je crois que c'est pour ça qu'il veut divorcer et quitter sa charge, mais je pense que c'est sa culpabilité qui parle. Franchement, je ne veux pas que ça se passe comme ça.

168

— Comment tu veux que ça se passe ?

— Je lui ai dit qu'il devait accomplir son devoir de président, et que nous verrions plus tard, quand il ne serait plus un homme public. Je pense que ce serait mieux pour tout le monde, surtout pour ses enfants. D'ici la fin de son deuxième mandat, ils seront à l'université.

— Hayward est le président le plus populaire que nous ayons depuis longtemps.

— Je le sais, il le sait. Et nous savons tous les deux qu'ils ne le laisseront jamais se retirer.

— C'est trop, s'était soudain exclamé Jude, comme si elle se réveillait d'un rêve. Ce genre d'histoire me dépasse totalement.

Elle s'était levée et avait commencé à arpenter la pièce.

— Dieu sait que je ne comprends rien à ton monde, Blythe. Tu as grandi entourée de diplomates et de personnages importants. J'ai grandi dans une petite ville entre une mère serveuse et un père pompiste. Je ne sais pas du tout comment on doit réagir à ça…

Blythe avait tendu le bras pour lui prendre la main.

— T'avoir comme compagne de chambre est la meilleure chose qui me soit jamais arrivée ; tu es mon amie la plus chère. Si tu ne veux pas être mêlée à ça, il n'y a aucun problème, je comprendrai.

Elle avait essayé de plaisanter.

— Moi-même je ne suis pas sûre de vouloir y être mêlée, mais simplement je ne peux pas y échapper. Toi tu peux, et je t'aimerai de toute façon, toujours. Je le promets, Jude.

— Si tu es en train de me demander si je vais te lâcher…

— Je veux juste que tu saches que tu n'as aucune obligation. Que ça ne changera rien à mon amitié pour toi, je sais que je te demande beaucoup.

— Si je peux t'aider…

Jude avait ravalé la boule qui lui obstruait la gorge.

— Dis-moi ce que tu veux.

— Je veux louer une maison à ton nom, et j'aimerais que tu y vives avec moi.

— Quoi d'autre ?

— Rien.

Blythe avait détourné les yeux, puis l'avait de nouveau regardée.

— Juste que tu prennes soin du bébé si... eh bien, s'il m'arrivait quelque chose.

— Qu'est-ce qui pourrait t'arriver ?

— Rien... Mais je ne suis sûre de rien.

Blythe s'était mise à pleurer.

— J'ai peur, Jude. Pour moi, pour mon bébé et pour Graham... si quelqu'un découvre la vérité...

— En ce cas, il faut nous assurer que personne ne la découvre, avait répliqué Jude. Qui d'autre est au courant ?

— Seulement un ou deux amis de Graham, je crois.

— Des gens de confiance, j'imagine ?

— D'absolue confiance.

— Que vas-tu dire à ta famille ?

— Je ne sais pas. Mon père prend sa retraite l'année prochaine, ce ne serait certainement pas bon pour lui que l'histoire éclate au grand jour tant qu'il a sa charge d'ambassadeur.

— Et Betsy ?

— Je lui fais confiance, elle fera toujours ce qu'il faut.

— Tu vas lui dire qui est le père ?

— Je n'ai pas encore décidé. Parfois la vérité peut être un fardeau, tu comprends ?

Elle avait séché ses larmes et levé les yeux vers Jude.

— Mais j'ai tout prévu.

— D'accord, je t'écoute.

Jude était revenue à sa place, prête à écouter, même si la tête lui tournait un peu.

— Comme je te l'ai dit, je vais d'abord trouver une maison. J'ai besoin d'un endroit assez retiré, pour le cas où Graham trouverait le moyen de venir. Je ne crois pas que ce sera possible, franchement, mais je veux qu'il en ait la possibilité. Puis je retournerai dans l'est environ une semaine. Je dois voir un notaire.

— Pourquoi ?

— Pour m'assurer que mon enfant sera à l'abri du besoin s'il m'arrivait quelque chose. J'ai reçu un petit héritage de ma mère.

Jude avait souri, se demandant ce qu'un « petit héritage » signifiait dans le monde de Blythe.

— Et je veux te nommer tutrice.

— Bien sûr, c'est d'accord.

— Je veux que tout soit légalement réglé pour que tu puisses prendre soin de mon enfant en cas de problème. Tu disposeras librement de l'argent dont tu auras besoin pour l'élever.

— Blythe, il est toujours sage de penser à l'avenir, mais… enfin, tu as l'air si grave. Que crois-tu qui puisse t'arriver ?

— Je ne sais pas, à vrai dire.

Ses yeux s'étaient assombris.

— Je veux juste savoir que tu t'occuperas de mon enfant comme si c'était le tien, si jamais, pour une raison quelconque, je n'étais plus là pour le faire.

— Bien sûr que je le ferai.

— Tu me le promets, Jude ?

— Tu as ma parole.

Les mois qui avaient suivi s'étaient écoulés dans un tourbillon surréaliste : Blythe avait loué une maison au nom de Jude ; il y avait eu les cours d'accouchement sans douleur et les coups de fil de Washington tard dans la nuit ; les jours où Jude rentrait pour trouver Blythe alanguie au bord de la piscine, enduite d'huile et se plaignant de la chaleur ; il y avait eu les achats de vêtements pour bébé. Deux semaines avant la naissance, Betsy, la sœur de Blythe, avait débarqué les bras chargés de paquets joliment enveloppés provenant des meilleures boutiques de Philadelphie.

Blythe ne s'était pas une seule fois lamentée sur son sort, mais Jude avait été parfaitement consciente de la dureté de l'épreuve qu'elle traversait. Après la naissance de Dina, Jude et Blythe avaient sablé le champagne et organisé un baptême privé, avec Miles Kendall comme parrain et Jude comme marraine. Tout allait si bien… Dina était un si beau bébé…

Les choses auraient dû continuer ainsi.

Mais Blythe était retournée à Washington pour voir Graham.

Et en un clin d'œil, tout avait basculé.

C'était arrivé si vite que, même aujourd'hui, des années après, Jude se demandait encore comment une telle chose avait pu se produire.

Il y avait eu l'appel de Blythe pour rassurer Jude, lui disant combien Graham et elle étaient heureux de se revoir.

Les plans de Graham avaient changé, cependant : il avait finalement décidé d'honorer un second mandat. Blythe n'avait paru ni surprise ni mécontente de sa décision.

— Je savais qu'ils ne le laisseraient jamais abandonner. Ce n'est pas grave, nous aurons tout le reste de notre vie à passer ensemble, avait-elle dit à Jude.

Puis, deux jours plus tard, le deuxième appel ; celui de Miles, qui avait eu tant de mal à lui annoncer la nouvelle.

Cela avait été incompréhensible.

Et la mort de Blythe n'avait pas plus de sens aujourd'hui, dans l'esprit de Jude…

Waylon vint s'asseoir sur ses pieds comme il en avait l'habitude. Jude le caressa machinalement, se demandant où tout cela mènerait.

Comment pourrait-elle révéler à Dina ce qu'elle lui avait caché pendant tant d'années ?

Oh, elle avait toujours su qu'elle devrait lui dire – un jour. Et elle comptait bien le faire. Un jour.

Dina avait le droit de savoir la vérité ; elle n'avait tout simplement jamais trouvé la bonne occasion, la bonne manière de la lui révéler.

Tout était allé si vite…

Après la mort de Blythe, il y avait eu cette brève visite de Miles, lui apportant un nouveau certificat de naissance, où Jude était désignée comme la mère de Dina, pour protéger le bébé de quiconque aurait eu vent de la liaison de Blythe avec Graham. Personne, lui avait précisé Miles, *personne* ne devait jamais connaître la véritable identité de Dina.

À l'époque, cela avait semblé la meilleure option. Restait à désigner un père. Miles avait suggéré d'utiliser une fausse identité, mais Jude pensait que le bébé méritait d'avoir un véritable père, même si elle ne le connaîtrait jamais.

Jude savait à quel homme faire appel.

Frank McDermott avait été son ami depuis l'école primaire. À l'époque du lycée, ils avaient un peu flirté, mais sans aller plus loin ; ensemble ils avaient passé de longues soirées d'été assis sur la terrasse de Jude à parler de ce qu'ils feraient après le bac : Jude voulait aller à l'université dans l'est ; Frank venait juste de recevoir sa lettre de convocation pour le service militaire – sinistre perspective en ces jours où les jeunes garçons américains étaient embarqués dans des avions et largués dans une jungle à l'autre bout du monde… À l'époque de ces soirées où tous leurs rêves semblaient possibles, ni l'un ni l'autre n'aurait pu imaginer que Frank passerait les années suivantes dans une cage, prisonnier de guerre, et que les blessures qu'on lui avait infligées mettraient finalement un terme prématuré à sa vie.

Quand Jude vint raconter à Frank qu'elle avait eu un enfant de l'un de ses professeurs – la seule histoire plausible qu'elle avait pu trouver – et qu'elle avait besoin d'un nom de père à inscrire sur le certificat de naissance, Frank avait volontiers offert le sien. À l'orée de la mort, l'idée de laisser derrière lui un enfant portant son nom lui avait apporté un grand sentiment de paix. L'aumônier de la marine avait officié dans la chambre d'hôpital de Frank, et Jude Bradley était ainsi devenue Jude McDermott. Elle avait amené le bébé à l'hôpital pour que Frank le voie, et les photos qu'elle avait prises durant cette visite, encadrées, trônaient encore sur une table dans l'entrée de Jude.

Comment pourrait-elle maintenant révéler à Dina que le jeune homme qui la tenait si fièrement dans ses bras sur ces photos n'avait été qu'un très cher ami de jeunesse ? Que le père auquel Dina, enfant, adressait ses prières chaque soir avant de s'endormir ne lui était pas plus proche que n'importe lequel de leurs voisins ?

N'était-ce pas Shakespeare qui avait comparé les mensonges à des toiles d'araignées ? Une fois pris dans la toile, plus on se débattait, plus les fils se resserraient.

Avec un lourd soupir, Jude songea qu'il était à présent vain de se débattre ; elle ne pouvait plus éviter l'inévitable… Il ne lui restait plus qu'à trouver comment – et quand – dire la vérité à Dina.


# 15


— Maman ? appela Dina depuis l'entrée. Tu es là ?

— Je suis derrière.

— Je t'ai apporté de la soupe, annonça Dina en plaçant la boîte dans le réfrigérateur. Au poulet.

— En quel honneur ? demanda Jude depuis le seuil de la porte.

— Quand on est malade, c'est bon de boire chaud. Mais je ne te ferai pas croire que je l'ai préparée moi-même ; je l'ai achetée chez Elena en passant.

— Ah, tu as téléphoné à la bibliothèque, dit Jude en hochant la tête.

— Non, Simon Keller est passé me voir à la serre.

Jude se figea.

— Tu l'as vu ?

— Il m'a rendu visite ce matin.

Dina souriait ; il était clair que cette visite l'avait enchantée.

— Pourquoi ? lâcha abruptement Jude.

— Pourquoi ? répéta Dina, étonnée. Un bel homme vient me voir, et ma mère demande *pourquoi* ? Merci beaucoup, maman.

Jude n'avait toujours pas bougé du seuil de la cuisine.

— Il m'a invitée à dîner…

Dina s'interrompit pour examiner le visage défait de sa mère.

— Ça va, maman ?

— Dina, ne sors pas avec lui, supplia-t-elle doucement.

— Mais qu'est-ce que tu as contre lui ? Qu'est-ce qui t'arrive, maman ?

— Rien. Je m'inquiète parce que tu le connais à peine ; je t'ai toujours dit de te méfier des inconnus, tu sais bien.

— D'accord, quand j'avais neuf ou dix ans… mais j'en ai bientôt trente, maman ; crois-tu sérieusement qu'il faille encore me rappeler qu'il n'y a pas que des gentils sur terre ? Que je dois être prudente, ne pas parler aux inconnus ?

— Je suis désolée, Dina…

Jude porta une main à son visage. Et soudain Simon Keller fut le dernier de ses soucis.

Comment lui dire ? Elle s'en ira, pour ne jamais revenir. Comment pourrait-elle me pardonner de lui avoir menti pendant tant d'années ? Pourquoi ne lui ai-je pas avoué plus tôt ?

Waylon gémit à la porte de devant. Jude se détourna pour aller chercher sa laisse.

— Je le sors, proposa doucement Dina. Tu n'es visiblement pas bien.

— Je peux... protesta Jude.

— Moi aussi. Va t'allonger sur le canapé avec un bon livre, nous serons de retour dans quelques minutes.

Dina attacha la laisse autour du cou du chien et ouvrit la porte.

— À tout de suite.

La plupart des maisons du quartier étaient plongées dans l'obscurité. Tandis qu'elle se dirigeait vers l'extrémité du pâté de maisons, le basset sur ses talons, Dina remarqua qu'il y avait de plus en plus de pancartes à VENDRE depuis quelque temps, les vieux résidents partant les uns après les autres rejoindre leurs enfants ou vivre en maison de retraite. Ce joli quartier, avec le parc de l'autre côté de la rue, avait été longtemps prisé par les jeunes familles...

*C'est triste de voir les plus vieux s'en aller*, songea Dina en s'arrêtant un instant devant la maison vide des Peterson. M. Peterson était mort l'année précédente. Trop d'espace pour une personne seule, avait décrété sa veuve en annonçant son projet d'aller s'installer avec sa sœur à Ocean Pines.

Dina traversa et tourna la tête vers la propriété des Peterson. À la lumière du lampadaire, elle pouvait distinguer la vigne vierge qui occupait l'un des angles du jardin. L'année où M. Peterson l'avait plantée, Jude s'était installée à Henderson pour prendre son poste de bibliothécaire ; Dina était à l'époque une petite fille timide aux boucles brunes, d'après ce que

176

lui avait raconté Jude. La jeune femme avait l'impression que cela datait d'hier…

Dina suivit Waylon le long des jardins privatifs. Plongée dans ses pensées, elle ne vit pas le van sombre qui sortait du parking, toutes lumières éteintes. Il accéléra progressivement, de sorte que Dina ne le remarqua pas avant qu'il fût pratiquement sur elle. Se jetant sur le côté en tirant de toutes ses forces sur la laisse pour entraîner Waylon avec elle, Dina se retrouva à quatre pattes sur la pelouse des Turner tandis que le van bondissait sur le trottoir, semblant presque la suivre, avant de rejoindre la route pour disparaître à l'angle de la rue.

Terrifiée, le cœur battant à tout rompre, la jeune femme s'accroupit derrière la haie des Turner pour récupérer son souffle, une main sur la bouche pour s'empêcher de crier. S'accrochant à un Waylon dérouté et tremblant de tout son corps, elle resta à l'abri jusqu'à ce que sa respiration s'apaise. Mais alors qu'elle s'apprêtait à se lever, elle entendit le ronronnement d'un moteur. Tenant fermement la laisse du basset, Jude rampa jusqu'au bout de la haie pour inspecter les environs.

Le van longeait la rue un peu plus bas ; il avait dû faire le tour du pâté de maisons et revenir, se dit-elle en le regardant avancer lentement, comme à l'affût. Dina tendit le cou, espérant distinguer les chiffres de la plaque minéralogique quand le véhicule passa devant elle, mais quelque chose – de la boue, peut-être ? – les brouillait. Elle ne parvint pas non plus à voir nettement le conducteur, dont le visage était dissimulé par un chapeau porté bas sur le front.

Le van finit par tourner à droite au stop, comme s'il prenait la direction du centre. Dix longues minutes plus tard, une fois certaine que le véhicule ne reviendrait plus, Dina émergea de sa cachette et courut jusqu'à la maison de sa mère. S'engouffrant dans l'entrée, elle claqua la porte derrière elle et s'y adossa, pantelante.

— Dina, mon Dieu… s'écria Jude en arrivant du salon.

Dina se précipita dans la cuisine, attrapa le téléphone sans fil et composa le numéro du poste de police.

— Une voiture a essayé de me renverser, haletat-elle en désignant la rue obscure. Tu te rends compte ? Quelqu'un a délibérément essayé de me renverser !

Pour la première fois de sa vie, Jude McDermott s'évanouit.

Tom Burton, qui servait dans la police de Henderson depuis presque aussi longtemps que Jude était bibliothécaire, arriva avant même que le cœur de Dina ait repris un rythme normal. Elle alla ouvrir la porte et l'attendit sur le seuil tandis qu'il traversait la pelouse.

— On m'a dit que vous aviez eu un accident de voiture, Dina ? demanda-t-il calmement.

— Non, pas un accident : quelqu'un a essayé de me renverser.

— Essayé de vous *renverser* ?

L'officier fronça les sourcils.

— Un van est arrivé de nulle part et a tenté de me percuter alors que je promenais Waylon.

— Quand vous dites « arrivé de nulle part » – il enleva son chapeau et passa une main dans ses cheveux gris –, que voulez-vous dire exactement ?

— Que je ne l'ai pas vu avant qu'il soit quasiment sur moi ; il a descendu la rue feux éteints et attendu que je traverse, puis a accéléré pour me renverser.

— Le conducteur était peut-être distrait et ne vous a pas vue.

Tom fronçait toujours les sourcils.

— Il m'a pourchassée jusque sur le trottoir, ça n'était pas un problème de distraction : il est même

178

revenu pour longer la rue à ma recherche. On aurait dit un requin en chasse.

— Le conducteur voulait peut-être vérifier s'il ne vous avait pas blessée, il voulait peut-être vous venir en aide.

— Il est revenu pour voir s'il pouvait m'achever.

La patience de Dina était à bout.

— Tom ? appela Jude.

— Vous avez assisté à ça, Jude ?

— Non, j'étais dans la maison. Mais si Dina dit que le van a délibérément essayé de la renverser, vous pouvez la croire.

— Dina, pourquoi voudrait-on vous faire du mal ? Vous n'avez pas un seul ennemi.

— Apparemment, j'en ai au moins un.

Ces mots glacèrent Jude.

— Écoutez, je vais faire un rapport et demander aux autres gars de service s'ils ont vu un… vous n'avez pas noté la couleur, par hasard ? Ou la marque ?

— Non, il faisait trop sombre. La rue n'est pas éclairée à l'endroit où je me trouvais. Et puis tout s'est passé si vite, et j'étais distraite, la tête ailleurs.

— Avez-vous vu le conducteur ?

Elle secoua la tête.

— Il ou elle portait un chapeau, du genre chapeau de pluie. C'est tout ce que j'ai pu distinguer.

— Ça ne nous avance pas beaucoup.

Il prit encore quelques notes et rangea son stylo.

— Ça n'a pas beaucoup de sens…

— Ce van est monté sur le trottoir juste devant la maison des Turner, martela Dina, qui commençait à perdre son calme. Venez, je vais vous montrer.

L'officier, Jude et le chien la suivirent dans la rue.

— Là, regardez.

Dina pointait le sol du doigt.

— Il y a des marques de frein sur le trottoir.

— Hmm.

Tom posa un genou à terre pour suivre les traces avec sa lampe torche.

— On dirait qu'il est monté ici avant de repartir sur la route.

— C'est ce que je disais : quelqu'un a bel et bien essayé de me renverser.

— Et vous avez une idée de qui cela pourrait être ?

— Non.

Jude frissonna sous l'assaut du vent qui prenait de la force, annonçant un orage.

— Je passerai demain matin prendre quelques clichés des traces de pneus.

Tom se redressa.

— Je demanderai aussi à mes collègues s'ils n'auraient pas aperçu un van en ville, ce soir. Mais la moitié des familles de Henderson possède ce genre de véhicule… Même mon fils en a acheté un pour promener les gosses.

Ils regagnèrent la maison. Tom s'arrêta au début de l'allée.

— Et si j'inspectais le jardin avant de partir ? proposa-t-il. Juste pour être sûr…

— Ce serait gentil, Tom, répondit Jude.

Elle l'attendit.

— Rien, dit-il en revenant, mais je passerai en faisant ma ronde cette nuit, pour que vous dormiez tranquilles.

Il coinça sa lampe sous son bras.

— Et je dirai à la patrouille suivante d'en faire autant. Dina, appelez-nous si quelque chose vous revient.

— Je n'y manquerai pas. Merci d'être venu, Tom.

Il monta dans sa voiture et s'en alla.

Jude, consciente que le moment de vérité était arrivé, prit sa fille par la main pour rentrer. Elle ne doutait pas que le conducteur du van eût un lien avec le passé.

— Simon Keller, murmura-t-elle, quelqu'un a dû suivre Simon Keller. Il était ici ce matin... mon Dieu, il y avait un van de l'autre côté de la rue tout à l'heure, à la lisière des arbres...

— Maman, de quoi parles-tu ? Quel rapport avec Simon ?

— Dina, il faut que je te parle...

Le cœur de Dina s'emballa. La seule fois où elle avait perçu ce tremblement dans la voix de sa mère, c'était le jour où Jude lui avait annoncé son cancer.

— Mon Dieu, ce n'est pas facile. Dina, il y a quelque chose que je dois te dire. Quelque chose dont nous devons absolument parler. Je sais que j'aurais dû le faire depuis longtemps, mais...

— Il est revenu, c'est ça ?

Les yeux de Dina s'emplirent de larmes.

— Quoi ?

— Ton cancer, il est revenu ?

— Oh, non, non, chérie, je vais très bien.

Dina plongea la tête dans ses mains et éclata en sanglots.

— Oh, Dina, je suis désolée, je n'imaginais pas que tu penserais à ça.

Jude vint s'asseoir près d'elle et la prit dans ses bras, exactement comme elle l'avait fait tant de fois pour consoler ses malheurs de petite fille. *Oh, si les choses pouvaient encore être aussi simples...*

— Je ne suis pas malade, chérie.

Elle la berça lentement, savourant ce moment tout en se demandant si ce serait le dernier.

— Je crains que ce ne soit pas aussi simple.

— Simple ?

Dina en resta bouche bée.

— Simple ? Je ne qualifierais pas de simple ce que nous avons traversé il y a quelques années.

— Eh bien, quand tu auras entendu ce que j'ai à te dire, tu regretteras peut-être que la nouvelle n'ait pas été celle-là.

— Maman, tu es folle ? s'horrifia Dina. Il n'y a rien… rien qui puisse être pire que ça.

— Attends de m'avoir entendue pour en juger.

Jude s'interrompit, espérant bénéficier d'une soudaine inspiration divine. Comme rien ne venait, elle prit les mains de Dina et demanda :

— Tu te souviens de la visite de Simon, il y a quelques jours ?

— Oui, bien sûr.

— Tu te souviens des raisons de cette visite ?

— Il voulait te poser des questions sur une ancienne amie à toi. As-tu fini par comprendre ce qu'il recherchait exactement ?

— Oh, je savais ce qu'il voulait savoir et pourquoi. Mais ce qu'il savait au juste, ça je ne le savais pas encore.

— Maman, je ne comprends rien à ce que tu racontes.

— Blythe et moi étions très proches. Forcément, après avoir partagé la même chambre pendant trois ans.

— Alors que cherchait-il ? Qu'avait-elle fait ? Quel est le grand secret ?

— Elle…

Jude déglutit avec difficulté.

— Blythe avait une liaison avec Graham Hayward, le président Graham Hayward.

— Ça alors ! s'écria Dina, les yeux écarquillés. Ton amie couchait avec le président ? Waouh, maman, tu as dû en voir passer, du beau monde.

— Pas du tout. La relation de Blythe avec Graham n'était pas une passade. Oh, ça a peut-être commencé comme ça, je ne sais pas… Un simple flirt entre un homme puissant et une belle jeune femme.

Jude leva les yeux au ciel. Il restait tant à dire, et elle avait tellement envie d'en rester là…

— Blythe disait qu'ils étaient deux âmes sœurs, qu'ils étaient profondément amoureux.

— Et c'est de ça que Simon voulait te parler ? De la liaison de ton amie avec le président ?

— Oui.

— Il n'aurait pas pu trouver ça dans les magazines de l'époque ?

— En ce temps-là, on ne parlait pas si ouvertement de ce genre de choses. En fait, personne n'était au courant de leur liaison. L'ironie, c'est qu'il s'agissait de Graham Hayward, réputé pour son intégrité, considéré comme un grand homme attaché à la famille...

— Et personne n'a vendu la mèche ? s'étonna Dina. Impressionnant. Mais je ne vois pas pourquoi cette histoire te bouleverse tant.

— Eh bien, ce que Simon ignorait en venant ici la première fois, c'est que Blythe avait eu un enfant de Hayward.

Les yeux de Jude s'emplirent de larmes, mais elle s'efforça de continuer.

— Une petite fille. Quelques mois après sa naissance, Blythe mourait...

— Je suis désolée pour ton amie, maman.

Dina lui tapota tendrement l'épaule.

— Qu'est-il arrivé au bébé ?

— Je l'ai élevée comme ma fille.

Dina pencha la tête d'un côté, comme si elle essayait de comprendre.

— Je ne saisis pas. Je m'excuse...

— Tu étais ce bébé, Dina.

— Maman, tu es folle.

— C'est la vérité.

— Non, ça n'est pas la vérité, s'insurgea Dina en secouant la tête, ça ne peut pas être vrai.

— Chérie, je suis tellement désolée...

— Non. Non, ça n'est pas vrai.

Dina repoussa Jude et se dressa sur ses jambes tremblantes.

— Je sais que j'aurais dû te mettre au courant depuis longtemps. Mais je lui avais promis et puis...

— Non, je ne te crois pas. Comment serait-ce possible ? Je ne comprends pas.

— Dina, s'il te plaît, assieds-toi et laisse-moi expliquer...

Jude lui saisit des mains qu'elle trouva soudain glacées. Elle commença à les frictionner comme elle le faisait quand Dina était petite et rentrait après avoir joué dans la neige.

— Expliquer ?

D'un mouvement violent, Dina retira ses mains et garda un long moment le silence.

— Comment peux-tu expliquer que je ne suis pas ta fille ? articula-t-elle finalement. *Je ne suis pas ta fille ?*

— Je crois que tu dois écouter toute l'histoire.

— Parce que ce n'est pas tout ?

La colère commençait à remplacer la confusion dans le regard de Dina.

— Tu m'as menti toute ma vie, ça ne suffit pas ?

— Je ne voulais pas...

— Comment as-tu pu me mentir pendant *toute ma vie* ?

Dina tremblait de la tête aux pieds.

— Comment peux-tu ne pas être ma mère ?

— Dina... balbutia Jude, plus désemparée qu'elle ne l'avait jamais été.

— Qui es-tu ? cria Dina. Qui es-tu si tu n'es pas ma mère ?

— Dina, s'il te plaît, calme-toi et écoute-moi...

— Me calmer ? Tu me dis que tout ce que j'ai cru sur toi – tout ce que j'ai cru sur moi-même – est un mensonge, que ma vie entière, mon existence est un mensonge, et tu voudrais que je me calme ?

Elle respirait avec peine, et les larmes inondaient son visage.

— Pourquoi ne m'en as-tu pas parlé plus tôt ?

— Parce que, après la mort de Blythe, ton père m'a fait jurer de ne pas le faire.

— Pourquoi ?

— Parce qu'il avait peur pour toi, peur que quelqu'un ne veuille s'en prendre à toi si la vérité éclatait.

— Pourquoi ?

— Parce que la mort de Blythe n'était pas un accident. Tu n'avais que quelques mois quand elle a été assassinée.

Jude savait qu'elle passait beaucoup de détails, mais l'heure n'était pas aux détails.

— Pourquoi me le dire maintenant ?

— À cause de ce qui est arrivé ce soir… Je ne peux pas croire que ce soit une coïncidence. Et je ne peux prendre le risque qu'un autre «accident» se produise. Je t'ai déjà assez mise en danger en ne te parlant pas plus tôt.

— Tu ne crois quand même pas que c'était Simon, n'est-ce pas ?

— Non… Je ne sais pas ce que je crois, je ne sais pas à qui me fier ni de qui me méfier.

Jude se leva, se tordant nerveusement les mains.

— Je peux comprendre le choc que tu éprouves, ta souffrance, et je suis incapable de dire à quel point je suis désolée. Oui, je t'ai menti toute ta vie. Je ne t'en voudrai pas si tu te mets à me détester, si tu t'en vas pour ne plus revenir. Mais pendant toutes ces années, j'ai fait de mon mieux pour te garder en sécurité. Aujourd'hui encore, rien n'est plus important pour moi que ta sécurité.

Dina examina le visage de la femme qui se trouvait en face d'elle.

— Est-ce que tu vas tout me dire ? souffla-t-elle.

Jude hocha la tête, son regard triste ne se détachant pas une seconde de sa fille.

— J'ai rencontré Blythe pendant ma première année d'université ; nous avions un ou deux cours en commun et logions dans la même résidence étudiante, mais c'est tout ce qui nous unissait. Elle était belle, riche, et tout le monde l'admirait ; j'étais pauvre et n'avais pu accéder à l'université que grâce à une bourse. Curieusement, nous sommes devenues amies – j'ai été la première surprise quand elle m'a proposé de partager la même chambre en deuxième année. Nos personnalités se complétaient, et au fil des années nous devînmes les meilleures amies du monde. Cette amitié a duré jusqu'à sa mort.

Jude déglutit avec peine, il lui était encore difficile de parler de Blythe.

— Quand je suis partie en Arizona pour entamer mon troisième cycle, Blythe a voyagé en Europe pendant six mois, puis décidé de s'installer à Washington, où son père possédait un appartement.

— Comment a-t-elle rencontré le président Hayward ?

— À une réception à laquelle elle avait accompagné son père. Puis leurs chemins se sont croisés plusieurs fois au cours de semblables occasions. J'ignore comment les choses se sont passées entre eux mais, environ un an après, Blythe était devenue une habituée de la Maison-Blanche, en tant qu'invitée du meilleur ami du président, un certain Miles Kendall.

— Ce nom me dit quelque chose, murmura Dina en fronçant les sourcils.

— Il est mort récemment, les journaux en ont parlé.

Jude se massa les tempes.

— Simon Keller l'a rencontré au début de ses recherches pour son livre sur Hayward. Il lui a apparemment tout raconté.

— Même que Blythe avait eu un enfant de Graham ?

— Je ne suis pas sûre qu'il ne l'ait pas deviné lui-même.

— Comment ?

— Il a rencontré la sœur de Blythe, qui lui a montré une photo de ta mère ; tu lui ressembles tellement, Dina…

Dina accusa difficilement le coup.

— Je suis désolée, ma chérie, mais quiconque a connu ta mère te reconnaîtrait comme sa fille.

— Alors comment as-tu espéré pouvoir le cacher ?

— Ici, dans cette petite ville, les chances de tomber sur quelqu'un ayant connu Blythe étaient assez minces.

— C'est pourquoi tu ne voulais pas que je poursuive mes études près de Washington ?

Jude hocha la tête.

— Comment Simon t'a-t-il retrouvée ?

— La sœur de Blythe lui a dit où j'étais.

— Est-elle au courant de mon existence ?

— Oui.

— Alors pourquoi lui a-t-elle dit où te trouver ?

— Je me le demande.

— Tu ne lui as pas posé la question ?

— Non, nous ne sommes plus en contact depuis longtemps ; nous avons eu un désaccord il y a quelques années.

— Pourquoi ?

— Parce que Betsy voulait… faire davantage partie de ta vie. Elle voulait que tu connaisses ta famille, mais j'ai résisté. J'ai dit que j'avais peur que la situation soit trop compliquée pour une enfant : tu te serais demandé quel lien tu avais avec Betsy. Mais en regardant en arrière, je pense que j'ai agi égoïstement et que j'ai eu tort. Je savais qu'un jour je devrais te dire la vérité, mais je repoussais toujours…

Jude avança les mains dans un geste implorant.

— Je t'ai toujours considérée comme ma fille, Dina, c'est plus fort que moi. Je sais que quelqu'un d'autre t'a donné la vie, mais au fond de mon cœur tu as toujours été mon bébé. Je suis désolée. Ce n'est pas une assez bonne raison pour t'avoir caché la vérité sur tes... racines... pendant toutes ces années. Mais je t'aimais tant, je voulais tellement que tu sois ma fille...

— Je ne peux plus entendre ça.

Dina plaqua ses mains sur ses oreilles.

— Je ne peux plus.

— Dina...

Jude se leva pour la suivre.

— Arrête.

Dina leva la main comme pour la repousser.

— Il faut que je parte, j'ai besoin de sortir d'ici.

Elle franchit la porte comme si un démon la poursuivait.

— Dina... l'appela Jude depuis le seuil.

Dina s'arrêta au milieu de l'allée et se retourna.

— Qui a choisi mon prénom, elle ou toi ?

Jude se retint au montant de la porte.

— C'est elle, murmura-t-elle. C'était le prénom de sa grand-mère.

Dina se détourna et partit en courant, essayant d'échapper à l'insupportable réalité.

En larmes, Jude la regarda partir, sachant qu'il ne lui restait plus qu'à prier pour qu'un jour Dina lui pardonne. Et qu'elle revienne.

*Pas vrai, pas vrai, pas vrai, pas vrai...*

Les mots résonnaient dans la tête de Dina, comme scandés par une cloche en furie.

Elle se gara devant chez elle, et resta assise là, le regard rivé devant elle, essayant de donner un sens à ce qui venait de se passer. Le trou dans son crâne s'agrandit jusqu'à ce qu'elle se sente complètement vidée, comme s'il ne restait plus en elle qu'un froid abominable.

Quelque part elle entendit un téléphone sonner plusieurs fois. Tel un automate, elle ouvrit sa portière, sortit, et se dirigea vers la maison. Une fois à l'intérieur, elle s'assit dans son salon pour fixer la fenêtre d'un regard absent.

Comment sa *mère* pouvait-elle ne pas être vraiment sa mère ? Et cet homme qui avait été son père…

Un président des États-Unis.

C'était absurde. Qui pouvait croire une chose pareille ?

Dina prit la photo de Frank McDermott posée sur la table à côté d'elle, la même photo qui trônait chez Jude.

— Savais-tu la vérité ?

Un million de questions se pressaient dans sa tête, jusqu'à lui faire mal ; impossible d'échapper à leur incessant bourdonnement. Elle monta dans sa chambre et s'allongea en travers de son lit, son oreiller serré contre elle.

Il existait une famille qu'elle n'avait jamais rencontrée, dont elle n'avait jamais entendu parler jusqu'à ce jour. Blythe avait une sœur.

J'ai une tante.

Y avait-il aussi des grands-parents ? Des cousins ?

Hayward avait-il d'autres enfants ? Il avait un fils, non ? Un membre du Congrès ou un sénateur, quelque chose dans ce genre…

*Sont-ils au courant de mon existence ?*

*La sœur de Blythe sait…*

Une image oubliée depuis longtemps émergea du plus profond de sa mémoire. Dina ferma les yeux et fut, l'espace d'un bref instant, enveloppée d'un parfum. Du gardénia, reconnut-elle, même si à l'époque elle ne devait savoir ni son nom ni celui de la femme qui le portait. Elle se souvenait d'une grande femme blonde au regard bienveillant, et de sa douceur quand elle s'agenouillait pour l'embrasser.

Sa marraine fée. C'était ainsi que son imagination d'enfant voyait la femme qui arrivait toujours char-

gée de cadeaux joliment enveloppés aux anniver-
saires, à Noël, parfois sans raison. Dina essaya de se
rappeler sa voix, mais c'était trop lointain. Les visites
avaient cessé l'année de ses cinq ans, sans qu'on lui
explique pourquoi, et bien que la femme eût continué à lui rendre visite dans ses rêves, son souvenir
s'était finalement estompé avec le temps.

Était-ce la sœur de Blythe ?

Dina alla ouvrir son armoire pour en sortir la boîte
en bois à demi oubliée qu'elle gardait sur une étagère, la boîte qui contenait les objets insolites de son
enfance. Elle s'assit au milieu du lit et l'ouvrit, cherchant une pièce précise parmi ses trésors.

La bague en or – une bague de lycée, s'était-elle
rendu compte en grandissant – avec les initiales B.D.P.
gravées à l'intérieur, le nom de l'école et l'année de la
promotion, « *The Shipley School 1964* », sur le dessus.
La bague que sa marraine fée lui avait glissée dans la
main lors de sa dernière visite et que Dina avait instinctivement cachée à Jude pendant des années. Quand
elle l'avait finalement interrogée, Jude avait serré les
mâchoires et rétorqué qu'elle avait appartenu à l'une
de ses cousines. Pour des raisons qu'elle n'avait pu s'expliquer, Dina n'avait pas cru sa mère.

Elle passa la bague à son doigt. La bague de lycée
de Blythe.

Dina l'examina. Où se trouvait Shipley School ?
Blythe était-elle une bonne élève ? Populaire ? Sportive ? Quel style de vie menait-elle à cette époque ?

Maman – *Jude* – saurait répondre. Jude savait tout.
Depuis toujours.

Brusquement la pièce parut trop petite pour contenir sa colère. Le cœur et l'esprit en feu, elle sortit
arpenter les champs obscurs. Elle marcha longtemps,
soulevant çà et là des mottes de boue, ses pas s'ac-
cordant à ses pensées désordonnées. Elle finit par
s'asseoir sous un saule solitaire au bord du lac qui

constituait la limite la plus lointaine de sa propriété. Tout était calme, silencieux, en contraste absolu avec la tempête qui l'habitait. Elle s'adossa à l'arbre et pleura, ses sanglots perçant le silence et faisant détaler quelques petites créatures nocturnes effrayées.

Si elle pleurait suffisamment, les larmes balaieraient peut-être sa rage, et sa douleur aussi.

Elle pensa à sa conversation avec sa mère, à la façon dont Jude avait tremblé. De peur, comprenait-elle maintenant.

— J'ai peur, moi aussi, maman, murmura-t-elle. Si je ne suis pas ton enfant, si je ne suis pas Dina McDermott, qui suis-je ?

Le soleil venait à peine de se lever quand Waylon poussa sa maîtresse du museau en gémissant pour sortir.

— Waylon, va-t'en, il est trop tôt.

Jude, qui n'avait pas fermé l'œil de la nuit, se retourna, espérant encore voir le sommeil venir, ne serait-ce que pour une heure.

Waylon se dressa sur ses petites pattes, s'appuya contre le côté du lit, et gémit un peu plus fort.

Jude se résigna à se lever. Pieds nus, elle descendit l'escalier, suivant l'impatient basset qui semblait particulièrement en forme pour une heure aussi matinale. Elle lui ouvrit la porte et se figea : Dina était assise sur le perron.

— Tu te souviens quand j'avais huit ou neuf ans et que je voulais jouer au soft-ball ? dit-elle sans se retourner. Le club n'acceptait les inscriptions qu'à condition qu'au moins un parent s'engage bénévolement dans ses activités. Quand ils t'ont appelée pour te demander d'être assistant entraîneur, tu as accepté sans hésiter, alors que tu ne connaissais rien à ce jeu ; tu avais trop peur qu'ils refusent ma candidature. Le lendemain, tu es revenue de la bibliothèque les bras chargés de livres sur le base-ball. Je n'ai pas eu le cœur de te dire que ça n'était pas tout à fait la même chose.

— Moi qui me demandais pourquoi ils m'avaient fait passer du terrain à la buvette... soupira Jude.

— Et quand j'avais dix ans et que je t'ai nominée pour le prix du Père de l'année ?

— Je me souviens.

— Je voudrais retourner dans le passé, je voudrais être encore Dina McDermott.

— Tu es...

— Non, je ne le suis pas. Je ne connais même pas mon véritable nom. Pierce ? Ou Hayward ?

— Légalement...

— Je me fiche de ce qui est *légal*. Mon certificat de naissance n'est qu'un bout de papier. Quel rapport avec ce que je suis ?

Sa voix était rauque.

— Dina, si tu veux changer ton nom...

Dina se tourna et croisa le regard de Jude. Ses yeux exprimaient une colère et une souffrance indicibles.

— Dis-moi ce que tu veux, Dina.

— *Je veux que tu sois ma mère.*

— Dans mon cœur, tu es – tu as toujours été – ma fille. J'ai mal agi, et rien ne pourra effacer mon mensonge, mais je t'ai aimée de tout mon cœur depuis le jour de ta naissance. Rien ne pourra non plus effacer cette vérité.

— Je sais, souffla Dina en hochant lentement la tête.

— Chérie, si je pouvais souffrir à ta place, je le ferais.

— Je le sais aussi.

— Je me demande comment t'aider, je me sens si désemparée. Je donnerais n'importe quoi pour revenir en arrière et changer le cours des choses.

Jude s'assit à côté de Dina et passa un bras autour d'elle. La jeune femme ne la repoussa pas, mais posa sa tête sur son épaule, comme elle l'avait fait si souvent, enfant, quand elle avait besoin d'être consolée.

— Je n'avais jamais ressenti une telle colère. C'est effrayant, comme si tout s'obscurcissait. Mais en même temps, je sais que je ne peux pas ne pas t'aimer, maman. Tu es ma *mère*, en dépit de tout.

— Merci, ma chérie.

Jude caressa les cheveux de Dina, pleine de gratitude pour ce cadeau inattendu. C'était bien plus que ce qu'elle avait osé espérer.

Elles restèrent assises, enveloppées dans la lumière du matin. Il y aurait un temps pour d'autres discussions, d'autres questions, d'autres réponses, d'autres accès de colère et de larmes.

Mais pour l'instant, le peu de réconfort et de force que leur procuraient le silence et leur mutuelle douleur suffirait.


Une troisième boîte de mouchoirs plus tard, Dina demanda :

— Hier soir tu disais que la mort de Blythe n'avait pas été un accident. Comment est-elle morte ?

— Elle a été renversée par une voiture en pleine nuit.

— Comme ce qui m'est arrivé hier soir ?

— Oui.

— Comment sais-tu que ça n'était pas un accident ?

— On a pu prouver qu'elle a été heurtée deux fois. Par la même voiture.

— C'est horrible ! Ont-ils retrouvé la personne qui a fait ça ?

— Non.

— Tu ne penses tout de même pas que c'est la même personne qui… ?

— Je ne sais plus quoi penser, avoua Jude.

— Tu ne soupçonnes pas Simon, n'est-ce pas ?

— Quelqu'un a pu le suivre. Quelqu'un a peut-être peur que cette histoire ne refasse surface.

— Mais après tant d'années, quelle importance cela aurait-il ?

— Plusieurs hypothèses sont envisageables. J'imagine que la famille Hayward préférerait que cela ne soit pas rendu public, surtout si le fils de Graham veut se présenter aux présidentielles.

— Les Hayward sont-ils au courant de mon existence ?

— Mme Hayward a certainement su pour Blythe. J'ignore si les enfants ont jamais été au courant.

— Combien d'enfants a-t-il eus ?

— Deux : Gray et une fille. Je ne me souviens pas de son nom.

— Il faudrait peut-être parler de tout ça à la police.

— Cela impliquerait de tout leur dire, et je doute qu'ils me croiraient.

Jude retira une fleur fanée d'un des pots de pensées.

— Nous devons en parler à quelqu'un, maman. C'est trop dangereux de rester ainsi isolées.

— Tu as peut-être raison. Mais qui pourrait nous croire ?

— Simon Keller. Il sait déjà la vérité. À l'heure qu'il est, il a peut-être même une idée de qui nous menace.

— Je ne sais pas si je peux lui faire confiance.

— J'ai confiance en lui, maman.

— Pour l'amour du ciel, Dina, c'est un journaliste. Pour l'instant nous ignorons ce qu'il projette de publier exactement.

— Nous avons toutes les raisons de penser qu'il sait la vérité depuis plusieurs semaines. As-tu lu quoi que ce soit dans les journaux ? As-tu été harcelée par la presse à scandale ? Même à moi, Simon n'a rien dit.

— J'imagine que les journalistes eux-mêmes peuvent avoir des scrupules. T'en parler aurait été... de mauvais goût.

— Le «mauvais goût» n'arrête habituellement pas les journalistes, maman. Simon me respecte vraiment.

— Parce qu'il est attiré par toi.

— Je l'espère. Il y a longtemps qu'un homme ne m'avait pas autant plu…

Dina lança une balle à Waylon, qui la renifla puis la lui ramena.

— Et puis je ne vois pas à qui d'autre nous pourrions parler.

— Il y *a* quelqu'un d'autre à qui nous devrions parler, déclara Jude avec un brusque regain d'énergie. Peux-tu t'absenter quelques jours en laissant la boutique à Polly ?

— Oui, mais…

— Bien. Rentre chez toi et organise ton départ ; nous partons en voyage, toi et moi.

Jude hocha la tête avec détermination.

— Un voyage que nous aurions dû faire depuis longtemps…


# 16


Simon sonna à la porte de la demeure que Gray Hayward et sa femme avaient fait construire trois ans plus tôt. Leur rencontre avait déjà été reportée deux fois en raison de l'emploi du temps chargé du membre du Congrès, qui vint lui-même l'accueillir. Il était aussi grand, élégant et séduisant que les photos de presse le suggéraient.

— Entrez, je vous prie, dit-il en tendant chaleureusement la main à Simon. Avez-vous déjeuné ? Jen est en train de préparer des sandwiches. Le voyage n'a pas été trop pénible ?

— Oui… Et non… je veux dire, je n'ai pas déjeuné, répondit Simon, un peu désarçonné par l'accueil plus que sympathique qui lui était réservé.

On disait du président Hayward qu'il pouvait mettre n'importe qui à l'aise en quelques secondes ; son fils semblait avoir hérité de ce don.

— Allons au salon...

Gray le précéda à travers une maison claire, ouverte sur l'extérieur et remplie de plantes vertes.

— Nous espérions que le temps se réchaufferait pour vous montrer notre nouveau patio, mais le vent pique un peu trop. Jolie vue, toutefois, vous ne trouvez pas ?

— Magnifique, acquiesça Simon.

La maison, qui semblait tout droit sortie de l'imagination d'un designer excellant dans l'art de marier mobilier de famille et art primitif au sein d'un espace aéré, offrait une vue époustouflante sur la baie de Narragansett.

— Le paysage est splendide.

— Voilà exactement ce que nous avons pensé la première fois que nous sommes venus ici, et c'est encore plus beau depuis ces rochers, là-bas. Venez voir.

Gray et Simon se retrouvèrent bientôt côte à côte au sommet d'un pic rocheux dominant la baie agitée.

— J'ai tout de suite su que c'était ici que nous devions construire. Il y a une petite île au large, ajouta-t-il en pointant le doigt. Les matins de brouillard, on jurerait entendre les sirènes chanter ; cet endroit est tout simplement magique.

— Ça doit être dur pour vous de passer autant de temps à Washington.

— Oui, mais j'aime mon métier. J'aime les habitants de Rhode Island et la confiance qu'ils me portent.

De la bouche de n'importe qui d'autre, de telles paroles auraient laissé Simon légèrement dubitatif, mais il y avait chez Hayward quelque chose qui vous persuadait qu'il *croyait* véritablement chaque mot qu'il prononçait. Un autre héritage paternel ?

— Et puis si l'ensemble constitue une très agréable maison familiale, poursuivit Hayward, je sais que ce sera aussi le lieu idéal pour ma retraite, quand le temps sera venu. Allez, rejoignons Jen à la cuisine et voyons ce qu'elle nous a préparé. J'ai une faim de loup, pas vous ?

— Je ne dirais pas non à un sandwich.

Les sandwiches – jambon braisé sur lit de salade, rondelles de tomates et cornichons – étaient accompagnés d'un bol de soupe typique de la Nouvelle Angleterre, à base de légumes et de fruits de mer.

— J'espère que vous aimez notre soupe traditionnelle, déclara Jen Hayward, une jolie blonde à la silhouette sportive, en posant le plateau sur une table ronde en bois.

— Ça sent délicieusement bon.

— Eh bien, régalez-vous.

Elle lui sourit en lui tendant la main.

— Je suis désolée de ne pas pouvoir rester avec vous ; mon fils joue dans la pièce de théâtre de son école et je dois y aller.

— Je suis désolé, moi aussi, répliqua Simon en commençant à se lever.

— Non, non, ne bougez pas, je vous en prie.

Elle se pencha et embrassa son mari sur la joue avant de partir en hâte.

— Vous savez, nous aurions pu repousser l'interview afin que vous puissiez voir votre fils jouer.

— J'y suis allé hier soir, répondit Gray en souriant. Aujourd'hui, c'est le tour de Jen : nous essayons de suivre au mieux les activités de nos enfants – ensemble, de préférence –, mais quand nos emplois du temps nous en empêchent, nous nous relayons.

— C'est admirable d'être si proches de vos enfants.

Gray haussa les épaules.

— La famille a toujours été une priorité pour nous. Nos enfants seront encore là longtemps après que j'aurai quitté le Congrès.

— Ou la Maison-Blanche.

— Si c'est au programme, nuança Gray en éclatant d'un rire chaud et généreux.

— Vos enfants ont…

— Douze, neuf et sept ans.

— Vivre à la Maison-Blanche n'est pas trop difficile pour des enfants aussi jeunes ?

— Vivre à la Maison-Blanche est difficile pour n'importe qui.

— Des impressions sur votre propre jeunesse là-bas ?

Simon sortit son carnet de sa poche.

— Je n'ai pas vraiment grandi là-bas. J'étais déjà en fac quand mon père a été élu, et je n'habitais plus avec mes parents. Je pense que cela a dû être plus dur pour ma sœur Sarah.

— En quel sens ?

— En tant que cadette et unique fille, Sarah était la prunelle des yeux de mon père. Avant l'élection, elle était habituée à n'en faire qu'à sa tête et à passer beaucoup de temps avec lui ; elle a eu du mal à accepter de ne plus être le centre de l'attention.

— Elle m'a dit qu'on lui avait permis de rester à la même école, nota Simon. Il semble qu'elle n'ait pas dû renoncer à beaucoup de choses.

— Oh, en réalité, elle a renoncé à très peu de chose.

Gray sourit de nouveau.

— Sarah n'était pas du genre à se laisser marcher sur les pieds. Quand elle voulait rentrer à la maison, elle rentrait ; quand elle voulait rester à l'école, elle restait. Elle avait tout le monde dans sa poche, y compris les services secrets.

— Vous semblez jaloux.

— Il y a certainement eu des moments où je l'ai été : le bébé de la maison bénéficiait d'un régime de faveur.

— Avez-vous voyagé avec vos parents quand votre père était président ?

— Pas une seule fois. La plupart de leurs déplacements avaient lieu durant l'année scolaire. Je ne pouvais pas me permettre de manquer les cours.

— Ah, j'en déduis que vous étiez un étudiant plus consciencieux que votre sœur.

Graham pencha la tête, comme s'il s'apprêtait à poser une question. Comme il restait silencieux, Simon précisa :

— Sarah m'a dit qu'elle avait pris une année sabbatique – son année de terminale, je crois – pour voyager avec vos parents.

— Oh, fit Gray en hochant la tête, les sourcils légèrement haussés. Bien sûr, sa terminale, j'avais oublié…

— Quels sont vos souvenirs préférés de cette période ?

Gray posa son sandwich et prit le temps de réfléchir.

— La fierté que j'éprouvais envers mon père, je crois. C'était un grand homme.

— Et un grand président ?

— D'autres en jugeront, dit-il doucement. Je peux seulement parler de lui en tant que père.

— Et quel père était-il ?

— Tendre. Attentif. Toujours concerné, toujours attentionné. Jamais trop occupé pour écouter. Je ne me souviens pas d'une seule fois où il m'ait repoussé ou fait sentir que mes problèmes étaient insignifiants.

— Il semble que lui et votre mère étaient très proches.

— Je pense qu'ils s'aimaient profondément.

Simon fit mine d'écrire plus longtemps que nécessaire, laissant à Gray le temps de sentir le doute qu'il laissait volontairement planer.

— Évidemment, on ne sait jamais vraiment ce qui se passe dans un couple, n'est-ce pas ? concéda finalement celui-ci avec un large sourire.

Mais il n'en pensait pas un traître mot ; Gray croyait sincèrement savoir ce qui se passait entre son père et sa mère : ils s'aimaient. Pour lui, cela faisait sans doute partie des rares vérités indiscutables en ce monde.

Gray désigna de la tête le carnet de Simon, comme pressé de conclure.

— D'autres questions ?

— De votre point de vue, quel a été l'événement qui vous a fait le plus sentir le pouvoir de votre père ?

— Ça me paraît évident : rencontrer Elvis. Rien ne m'a plus impressionné que de voir Elvis venir à la Maison-Blanche, invité par mon père. Je suppose que vous espériez quelque chose de plus important, mais cette rencontre a vraiment été un grand moment dans ma vie, conclut-il en riant.

— Votre famille a occupé la Maison-Blanche pendant huit ans. Aviez-vous alors le sentiment de faire partie de l'histoire ?

— Oui, absolument.

Le visage de Gray reprit son sérieux.

— J'avais une conscience aiguë de la valeur de mon père : c'était un grand homme. Je le sais aujourd'hui, et je l'ai toujours su. Il suffisait d'entrer dans le Bureau ovale et de le voir assis à ce bureau pour le savoir. Tout en lui respirait…

— … le pouvoir ? suggéra Simon.

— Oui, certainement. Mais cela allait bien au-delà. Parce qu'on ne pouvait imaginer qu'il abuserait un jour de ce pouvoir, on savait qu'il l'utiliserait toujours à bon escient.

Gray Hayward regarda Simon droit dans les yeux en ajoutant :

— Mon père a toujours agi avec droiture, sans se soucier de son propre intérêt. Responsabilité, honnêteté, persévérance étaient ses maîtres mots. Il méritait sa bonne réputation et travaillait dur pour qu'elle ne soit pas ternie.

Hayward se leva et alla à la fenêtre.

— J'avais vingt-deux ans l'été où le général Andrew Fielding a été forcé de démissionner, vous vous souvenez ?

Il sourit.

— Évidemment vous étiez trop jeune, mais vous avez dû en entendre parler.

— Oui.

— Alors vous savez que le général Fielding s'était hautement distingué au Vietnam. C'était un homme exemplaire, sur tous les plans, et mon père lui portait une grande confiance. Malheureusement, dans les années qui suivirent la guerre, il fit partie d'un réseau qui s'enrichissait en fournissant de très jeunes filles à des bordels en Thaïlande.

— Je me souviens, dit Simon.

— Quand l'affaire a fait surface, ils ont voulu que mon père l'étouffe. Il n'avait qu'à prétendre que Fielding prenait sa retraite parce que sa femme était malade, et le temps ferait le reste, l'opinion publique finirait par oublier Fielding.

Gray lâcha un long soupir.

— Mon père croyait fermement que le peuple américain devait avoir une absolue confiance en sa parole. Ce qu'il leur dirait ne leur plairait peut-être pas toujours, mais ce serait toujours la vérité. Et il se tint à son principe. Certains membres du haut commandement militaire ne lui pardonnèrent jamais.

Gray se tourna vers Simon.

— Quoi que l'histoire puisse dire sur mon père, elle sait qu'il n'a jamais menti au peuple américain.

— Une approche originale de l'art de gouverner.

— Un héritage que je tiens à honorer.

— En tant que président ?

— Si les choses s'orientent en ce sens, j'espère bien suivre les traces de mon père. Mais en tant que membre du Congrès j'essaie déjà de perpétuer sa philosophie du pouvoir.

Gray revint à la table et se tint devant sa chaise, comme s'il hésitait à se rasseoir.

— Avez-vous ce dont vous avez besoin pour votre livre ?

— Vous m'avez donné de précieuses indications. J'envisage de fonder la dynamique de cette biographie sur les souvenirs qu'a pu laisser votre père, aussi bien en tant qu'homme qu'en tant que président. J'ai déjà rassemblé un certain nombre de témoignages très intéressants.

— Avez-vous contacté Mme William, la bibliothécaire de mon père ?

— Oui ; son aide m'a été précieuse.

Simon avait du mal à croiser le regard de Gray. Tout ce discours sur l'honnêteté et la sincérité le rendait un peu nerveux.

Ils passèrent encore un moment ensemble, Gray évoquant souvenirs et impressions sur les membres du cabinet présidentiel, les dignitaires étrangers et diverses crises, publiques et domestiques.

Quand Jen apparut à la porte pour prévenir son mari d'un important coup de fil, Simon saisit le signal et ferma son carnet.

— Je vous remercie pour le temps que vous m'avez consacré.

— C'est moi qui devrais vous remercier. Philip pense que ce livre sera une réussite et un hymne à la gloire de mon père.

— Je ferai de mon mieux.

Simon récupéra sa mallette et se dirigea vers la porte.

— Comme mon père disait toujours, on ne peut rien demander de plus, dit Hayward en le suivant dans le couloir. Il ne reste plus qu'à attendre les premières épreuves, maintenant.

— Franchement, je ne sais pas quand elles seront disponibles.

— Ah.

Gray avait l'air manifestement déçu.

— J'espérais que le livre serait publié d'ici à la fin décembre, pour qu'on en parle au début de l'année, un peu avant que...

— ... votre candidature soit annoncée, termina Simon en s'arrêtant au seuil de la porte d'entrée.

— C'était l'idée.

— Je ferai mon possible.

Simon doutait sérieusement qu'il y aurait un livre d'ici la fin de l'année, mais ne considérait pas qu'il lui appartenait d'en discuter avec Gray. Si Norton lui avait laissé entendre que la parution se ferait à cette date, il n'avait qu'à se charger du démenti.

— Si vous avez besoin de mon aide, je suis à votre disposition, lui assura Gray en lui serrant la main. Je vous faxerai mes réponses aux questions que vous m'avez laissées.

— C'est super. Merci encore.

Simon releva son col pour se protéger du vent. L'amour et le respect que Gray portait à son père étaient impressionnants. Ces sentiments changeraient-ils quand il découvrirait l'existence de sa demi-sœur ?

C'est alors qu'une voix lui souffla : Et si Gray savait déjà ?

## 17

Betsy était postée devant la fenêtre. Il y avait peu de circulation à cette heure, et toute voiture venant de l'est arriverait par la colline sur la droite. Son regard ne quittait pas ce point ; il n'était pourtant que 9 h 30, et Jude avait bien précisé qu'elles seraient là vers 11 heures.

Elle avait à peine pu contenir sa joie lorsque celle-ci l'avait appelée, la veille. Jude avait finalement parlé à Dina, et cela ne s'était pas très bien passé.

*Évidemment !* avait eu envie de crier Betsy. *Qu'espérais-tu d'autre, après trente ans de mensonge ?*

Mais elle s'était retenue, choisissant plutôt d'assurer Jude de son soutien dans cette situation difficile et acceptant, bien sûr, de voir Dina.

Le nom de Simon Keller n'avait pas été prononcé.

Il semblerait, songeait Betsy avec satisfaction, que son petit pari sur Simon Keller avait joliment payé. Il avait trouvé Dina, et Dina venait enfin à Wild Springs, demeure de ses ancêtres. Elle était une Pierce et, en tant que telle, avait le droit de savoir ce qui lui appartiendrait un jour. Dépourvue d'héritier, Betsy avait depuis longtemps rédigé son testament en sa faveur, espérant que la jeune femme saurait la vérité avant de lire ce testament : c'eût été une manière bien brutale de découvrir qui avait été sa véritable mère.

Betsy se demandait si Simon avait eu autant de succès dans son enquête sur la mort de Blythe.

Mais, l'un dans l'autre, elle n'était pas mécontente. Elle réalisait d'ores et déjà un important bénéfice par rapport à un si maigre investissement…

— Mademoiselle Pierce ?

Mme Brady venait d'apparaître au seuil de la porte.

— Je peux vous apporter votre petit déjeuner ?

— Non, merci.

— Un café, alors, ou bien du thé ?

— Je veux bien un café.

Betsy se tourna vers sa gouvernante, au service de sa famille depuis plus de vingt ans.

— Avez-vous trouvé mon mot au sujet du déjeuner ?

— Oui. Un déjeuner pour trois à douze heures trente, sur la terrasse arrière.

— Avons-nous des fraises ?

— Non, mais je peux aller en chercher, si vous voulez.

— Merci. Ce serait parfait.

Elle se retourna vers la fenêtre.

— Nous aurons de la compagnie pendant un ou deux jours ; avec un peu de chance, elles resteront plus d'une nuit. Madame Brady, vous ai-je annoncé l'arrivée de ma nièce ?

— Votre nièce... ?

Mme Brady fronça les sourcils... Mlle Pierce n'avait pas de nièce...

— Oui, ma nièce. Alors il nous faut vraiment des fraises au dessert.

— Je vais voir ce que je peux trouver, assura Mme Brady en quittant la pièce, méditant sur la soudaine irruption de cette mystérieuse nièce.

Betsy sourit et se pencha pour appuyer ses coudes sur le large rebord de la fenêtre.

— Blythe a toujours adoré les fraises...


Le café resta intact dans la tasse, et le fauteuil roulant ne bougea pas de la fenêtre. Il était 10 h 50 quand l'Explorer blanc aborda la colline, ralentissant juste avant la montée. Le cœur battant, Betsy se dirigea vers la porte d'entrée et l'ouvrit.

Le véhicule remontait lentement l'allée pour se garer devant la maison. Betsy observa la jeune femme qui regardait autour d'elle avec curiosité.

*Mon Dieu, c'est le portrait de Blythe...*

Ses invitées sortirent de la voiture et commencèrent à se diriger vers la maison. Elles s'arrêtèrent, soudain et à l'unisson, quand elles aperçurent Betsy sur le seuil de la porte.

— Dina, salua celle-ci, d'une voix tendue par tant d'émotions contenues.

— Bonjour, répondit Dina sans sourire.

— Je me demandais si tu viendrais un jour, murmura Betsy, incapable de détacher ses yeux de son visage.

La ressemblance était saisissante.

— Pendant toutes ces années, j'ai prié pour que ce moment arrive…

Dina resta figée sur place, ne sachant pas manifestement quoi répondre.

Finalement, Betsy se tourna vers Jude.

— Le temps t'a épargnée, dit-elle avec douceur.

— Betsy, je ne savais pas… balbutia Jude.

— Oh, le fauteuil roulant ?

Betsy baissa les yeux sur ses jambes inertes.

— Ça fait longtemps, maintenant.

— Qu'est-ce que… ?

— Un accident de cheval.

Betsy se tourna vers Dina.

— Tu montes à cheval ?

— Pas vraiment, non.

— Mieux vaut ne pas sauter avant ta monture.

Betsy sourit faiblement, puis recula à l'intérieur de la maison.

— Mais j'oublie mes bonnes manières. Entrez, je vous en prie.

— Betsy, je suis désolée de t'avoir prévenue si tard, s'excusa Jude tandis que Dina entrait avec précaution, comme effrayée par ce qui pouvait l'attendre à l'intérieur.

Le sol du vaste hall était couvert de tapis orientaux et ses murs de photographies. Des souvenirs enfouis et confus faisaient surface…

— Je suis déjà venue ici, remarqua Dina avec une pointe d'incertitude.

— Oh, il y a longtemps, confirma Betsy. Je suis étonnée que tu t'en souviennes ; tu ne devais pas avoir plus de quatre ou cinq ans.

— Je me souviens d'*elle*.

Dina désigna un tableau représentant une jeune femme au visage doux, vêtue d'une robe décolletée et parée d'un collier de perles.

— C'est l'arrière-grand-mère de ta grand-mère, l'informa Betsy en jetant un bref regard à Jude. Eliza Donaldson Pierce. Elle a milité contre l'esclavage et pour les droits de la femme avant que ce ne soit à la mode.

Quelque chose d'autre affleura à la mémoire de Dina.

— Des chiens qui aboient…

— Nous avons toujours eu un important chenil de chiens de chasse.

— …et des oiseaux blancs dans une cage.

— Ma mère élevait des colombes. Ses oiseaux lui ont survécu longtemps.

Sentant ses émotions la submerger, Betsy se détourna et fit rouler son fauteuil vers le salon.

— Venez donc vous asseoir.

Dina et Jude la suivirent pour s'asseoir côte à côte dans le canapé au tissu fleuri.

— Je suis vraiment étonnée que tu te souviennes de tant de choses, Dina. Tu n'es venue ici que quelques fois.

— C'est une surprise pour moi aussi.

— Jude t'a-t-elle dit à quel point tu ressembles à ta mère ?

Betsy secoua la tête comme si elle n'arrivait pas à le croire. Elle tendit la main pour toucher le visage de Dina.

— Vous nous avez rendu visite, quand j'étais petite, déclara Dina au même instant.

— Plusieurs fois, acquiesça Betsy.

— Je vous prenais pour ma marraine fée.

— Ah oui, c'est vrai, dit Betsy avec un petit rire. C'est ainsi que tu m'appelais. Je t'en prie, j'aimerais que tu me tutoies… Comme avant.

— Pourquoi as-tu arrêté de venir ?

— Parce que nous – Jude et moi – avons pensé qu'en grandissant les choses deviendraient trop confuses pour toi. Comment aurait-on pu t'expliquer mes visites ? Nous… n'estimions pas souhaitable de te dire la vérité.

— J'apprécie ta solidarité, Betsy, intervint Jude, mais je lui ai déjà dit que tu voulais lui révéler la vérité depuis longtemps Elle sait que je suis seule responsable de votre éloignement.

— Sait-elle que Graham souhaitait le secret absolu, si lui ou Blythe venaient à mourir ?

— Oui, répondit Dina en hochant la tête. Mais il n'aurait pas dû l'exiger.

— Qui peut dire que cela ne se justifiait pas ? trancha Betsy. Ma sœur a quand même été assassinée… qui sait ce qui aurait pu t'arriver ?

Betsy alla à la fenêtre, se lovant comme un chat dans l'unique petit carré de soleil.

— Après la mort de Blythe, ton père est devenu franchement paranoïaque en ce qui te concernait ; il voyait le danger partout, ne se fiait plus à personne.

— Quand le danger est réel, on ne peut pas parler de paranoïa, nota Jude. Nous l'avons appris à nos dépens, n'est-ce pas, Dina ?

— De quoi parles-tu ? demanda Betsy en lui faisant face.

Dina lui parla du mystérieux van qui avait essayé de la renverser.

— Mon Dieu, exactement comme Blythe…

Betsy blêmit, ses mains se mirent à trembler.

— Oui, comme Blythe. Dina, grâce à Dieu, a été plus rapide qu'elle.

Une pointe d'amertume teintait les propos de Jude.

— Je crois qu'on peut te remercier, Betsy.

— Que veux-tu dire ?

— C'est toi qui as conduit Simon Keller à ma porte. Pendant toutes ces années j'ai réussi à la protéger. Et puis ce Keller arrive et…

— Es-tu en train de dire que c'est Simon Keller qui a voulu la renverser ?

— Non. Je remarque simplement que la personne qui conduisait le van a dû suivre Simon Keller. Hier matin, il est venu à la maison ; je téléphonais en haut et ne lui ai pas répondu, je l'ai simplement vu par la fenêtre. Il y avait un van au bout de la rue, un ancien modèle, vert foncé, correspondant exactement à la description de Dina.

Le visage de Jude s'enflamma de colère.

— Pourquoi as-tu dit à Simon Keller où nous trouver ?

— Parce qu'il était temps, Jude : je ne pouvais pas attendre plus longtemps que tu te décides à parler. Je ne vivrai pas éternellement, et toi non plus. Dina a le droit de savoir qui elle est, qui était Blythe. Tu ne donnais pas signe de vie, tu ne répondais pas à mes appels, alors j'ai pris les choses en main. J'en avais assez de me demander ce qui était réellement arrivé à ma sœur, tu comprends. Je ne voulais évidemment pas mettre Dina en danger, mais *il était temps*.

— Mais un journaliste ? Tu as choisi un journaliste pour confident ? Nous avons vraiment de la chance de ne pas faire la une des journaux à scandale, tu sais ?

— Tôt ou tard, la vérité aurait éclaté, Jude. En trente ans, j'ai vu de nombreux journalistes défiler à ma porte pour poser des questions sur Blythe, sur sa relation avec Miles, sur ses nombreuses visites à la Maison-Blanche. Simon Keller n'est pas le seul journaliste intelligent ici-bas : un jour ou l'autre, quelqu'un aurait fait le rapprochement.

— Mais pourquoi lui ? Pourquoi maintenant ?

— Parce qu'il était le seul à se préoccuper de la façon dont Blythe était morte.

Un silence suivit ce qui apparaissait soudain comme une évidence.

Mais Jude n'était pas près de lâcher prise.

— Si tu ne lui avais pas dit où me trouver, déclara-t-elle en se levant, mains sur les hanches, s'il était resté en dehors de tout ça, nous ne serions pas *ici*.

— Justement. Tu ne crois pas que vingt-cinq ans d'attente suffisaient amplement ? Dina est mon unique famille, Jude, j'estime que j'ai le droit de la rencontrer. Elle aussi, d'ailleurs, a le droit de connaître sa famille maternelle, de voir ce qui lui appartiendra un jour…

Betsy défia Jude du regard.

— Elle est tout ce que j'ai.

— Elle est tout ce que *j'ai*, répliqua Jude du tac au tac.

— Arrêtez, toutes les deux, intervint Dina en levant les mains. Ne charge pas Simon, maman : toi seule as décidé de tout garder secret. Qu'il découvre la vérité et que Betsy lui en indique la direction est tout à fait normal. Je sais que tu as toujours agi pour me protéger, mais je comprends que Betsy veuille me connaître et obtenir des éclaircissements sur la mort de sa sœur. C'est son droit le plus strict, maman.

Le regard de Dina passa de l'une à l'autre.

— Quand tout ça sera fini, vous pourrez vous hurler dessus tant que vous voudrez, mais pour l'instant nous avons un problème, un problème de taille qu'aucune de nous n'est capable de résoudre : il ne nous reste plus qu'à appeler Simon. Peut-être a-t-il des informations précieuses à partager. Franchement, je crois que nous n'avons pas le choix.

Dina leur laissa le temps de digérer son discours.

— Sauf si vous avez une meilleure idée ?

— Nous pourrions engager un détective privé, suggéra Jude.

— Mon père l'a fait, lui rappela Betsy, il a essayé à plusieurs reprises de faire rouvrir le dossier, mais s'est heurté à des obstacles insurmontables. Il a tiré toutes les ficelles, fait jouer l'étendue de ses relations, mais il n'a jamais rien appris.

La bouche de Betsy prit un pli amer.

— Il est mort quelques années après Blythe, très en colère et très aigri d'avoir été abandonné par le gouvernement qu'il avait servi pendant tant d'années. Non, mesdames, un détective privé ne nous sera d'aucune utilité.

Jude poussa un long soupir résigné.

— Où est le téléphone ?

— Il y en a un dans le hall, répondit Betsy.

— À toi l'honneur, Dina, conclut Jude.

La première chose que Simon remarqua en rentrant de Rhode Island fut le clignotant de son répondeur sur la table du hall.

— Simon, c'est Dina McDermott. Pourriez-vous me rappeler dès que vous aurez ce message ? Je suis chez Betsy Pierce.

*Betsy Pierce ?*

Il n'y avait qu'une explication possible : Dina savait la vérité sur ses origines. Seule l'heure tardive – il était près d'une heure du matin – le retint de la joindre sur-le-champ.

Betsy décrocha quand il appela le lendemain, en début de matinée.

— Nous devons vous parler dès que possible.

— Nous ?

— Jude, Dina et moi. Nous vous prenons de court, mais…

— Je peux être chez vous vers midi.

— Vous ne me demandez pas pourquoi ?

— Non, je suis sûr que vous avez une bonne raison.

— Oh ça, vous pouvez le dire, confirma gravement Betsy.

Moins de trois heures plus tard, Simon était accueilli dans l'ancienne demeure et conduit au salon où les trois femmes qui l'avaient convoqué étaient assises.

— Merci de me convier à votre réunion, mesdames.

Il toucha le bras de Dina et demanda du coin des lèvres :

— Comment en est-on arrivé là ?

— C'est une longue histoire, souffla-t-elle.

— Je parie que…

— Sortons dans le patio, suggéra Betsy en faisant rouler son fauteuil vers la porte. Le temps est vraiment magnifique, ce matin.

— Avez-vous fait bon voyage ? demanda Dina à Simon alors qu'ils suivaient Betsy jusqu'à la double porte, devant laquelle ils s'arrêtèrent.

— Pas trop secouée ? lui demanda-t-il à voix basse.

— J'essaie de surmonter.

Quand Dina leva les yeux vers lui, Simon y lut les vestiges de ce qui avait dû être une nuit sans sommeil.

— Je fais de mon mieux pour me comporter normalement, mais ça n'a pas été facile, ces derniers jours.

Simon prit dans les siennes ses mains qui tremblaient.

— Tout ça me dépasse un peu, vous comprenez, ajouta-t-elle avant qu'il ait pu lui répondre.

— Vous venez ? les appela Jude depuis le patio.

— Nous voilà, dit Dina en passant la porte, un sourire accroché aux lèvres.

Betsy leur désigna de confortables fauteuils autour d'une table de verre surmontée d'un large parasol. Le patio dominait un vaste jardin doté d'une piscine et de courts de tennis. Simon prit place, attendant que quelqu'un prît la parole.

— Raconte-lui ce qui s'est passé avant-hier, Dina, l'engagea Betsy.

Dina s'exécuta.

— Mon Dieu, pourquoi ne m'avez-vous pas appelé ? s'affola Simon.

— Il y a eu plus de peur que de mal, répondit-elle avec un faible sourire. Et j'ai essayé de vous appeler, mais vous n'étiez pas là.

— J'ai dû me rendre à Rhode Island pour interviewer Gray Graham. Si vous m'aviez tout expliqué dans votre message, je serais arrivé ici hier soir. Avez-vous prévenu la police ?

— Oui, bien sûr, mais à ce moment-là, j'ignorais pourquoi l'on aurait pu m'en vouloir...

— C'est après ça que j'ai compris que je devais tout dire à Dina, déclara Jude.

— Ça n'a pas dû être facile.

Jude confirma d'un signe de tête.

— Alors que comptez-vous faire, maintenant ? demanda Simon.

Les trois femmes échangèrent un regard.

— En fait, nous n'avons pas de plan. Ce n'est pas une situation courante, vous comprenez.

Dina s'éclaircit la gorge.

— Nous ne savons pas par quoi commencer ni à qui nous adresser.

— Nous avons pensé que moins de gens sauraient mieux cela vaudrait, ajouta Jude. Et puisque vous enquêtiez déjà sur la liaison de...

— Il ne s'agit plus d'une simple histoire de mœurs, fit remarquer Simon. Mais d'un meurtre resté trente ans impuni.

— Mais peut-on séparer les deux ? demanda Dina. Peut-on vraiment penser que Blythe aurait été tuée si elle n'avait pas été la maîtresse de Hayward ?

— Je me pose ces questions tous les jours depuis la mort de ma sœur, dit Betsy.

— Moi je me suis toujours empêchée de me les poser, admit Jude d'une voix émue. Je pensais que seuls le secret et le silence pouvaient protéger Dina...

Je réalise aujourd'hui à quel point je manquais de clairvoyance.

— Le meurtre de Blythe et l'agression dont j'ai été victime sont-ils forcément liés ? demanda Dina.

— Il n'y a aucun doute là-dessus, trancha Simon.

— Nous devons découvrir qui est l'assassin avant que quelqu'un d'autre ne soit touché, dit Jude.

Elle n'avait pas pu se résoudre à dire *avant que Dina ne soit tuée.*

— Simon, nous nous demandions si vos recherches vous avaient appris quelque chose. Qui a pu être au courant de la naissance de Dina ? Qui pourrait avoir un motif de… la faire disparaître ? Et que faire pour empêcher que cela n'arrive ? Nous ne pouvons même pas nous adresser à la police…

— D'autant qu'il peut exister des connexions à n'importe quel niveau, nota Simon.

Il se tourna vers Betsy.

— Êtes-vous certaine que l'enquête du détective engagé par votre père soit restée infructueuse ? Avez-vous lu ses rapports ?

— J'ai commencé à regarder les dossiers, mais je n'ai rien trouvé. Nous pourrons poursuivre les recherches après le déjeuner.

— Simon, vous avez certainement des hypothèses. Qui, à votre avis, était au courant pour Blythe et moi ? s'enquit Dina en s'adossant à sa chaise.

— J'y réfléchis depuis des semaines.

— Et quelles sont vos conclusions ?

— Eh bien, il y a d'abord Philip Norton, mon ancien professeur de journalisme. Il dirigeait le service de presse de Hayward et est resté proche de la famille du président ; c'est lui qui a commandé le livre que je prépare. Il est au courant pour Blythe et vous.

— Philip était très proche du président, dit Jude.

— Vous le connaissez ?

— Je ne l'ai pas vu depuis des années, mais nous nous téléphonons de temps en temps. Je ne peux pas croire qu'il soit responsable de ce qui est arrivé à Blythe ou à Dina, dit-elle en secouant lentement la tête.

— Qui d'autre, Simon? demanda Dina.

— Mme Hayward, je crois, était au courant pour Blythe. Pour vous, je ne sais pas, mais c'est possible : son époux lui avait peut-être tout avoué en lui annonçant son intention de divorcer. Quant à leurs enfants, j'ignore ce qu'ils savent.

— Donc vous mettez Norton et Mme Hayward sur la liste des suspects?

— À ce stade de l'enquête, nous ne devons exclure personne. Mais il faut aussi prendre conscience que nous ne trouverons peut-être rien, après tant d'années.

— Nous commencerons par chercher les rapports du détective, dès que nous en aurons terminé avec l'excellent repas préparé par Mme Brady, déclara Betsy.

Ils fouinèrent jusqu'à 16 heures, mais finirent par dénicher les fameux rapports dans un dossier dépourvu d'intitulé.

— On dirait qu'il n'y a pas grand-chose, remarqua Simon. Le rapport de police sur l'accident…

— Je peux le voir? demanda Dina.

Simon le lui tendit avant de poursuivre.

— L'affaire a été classée en une semaine, marmonna-t-il en tournant les pages dactylographiées. Le rapport ne contient que deux pages au lieu des six d'origine; j'ai parlé avec l'officier qui l'a rédigé.

— Quelqu'un a enlevé quatre pages? s'étonna Dina.

— Exactement. Et quelqu'un de haut placé, d'après ce même officier, qui a l'époque n'était qu'un bleu n'osant pas protester.

— L'enquête a donc été étouffée, résuma pensivement Dina.

— Ce qui exclut Norton de notre courte liste de suspects, intervint Betsy. Quelle influence pouvait-il avoir?

— Sauf s'il agissait au nom de Hayward, suggéra Simon. N'oubliez pas qu'il était son attaché de presse. Peut-être le président a-t-il donné l'ordre d'arrêter l'enquête pour qu'on n'aille pas fouiller de trop près dans la vie de Blythe. Ou dans sa mort.

— Dans ce cas, cela aurait aussi bien pu être Miles, nota Betsy. Ou quelqu'un *prétendant* agir au nom de Hayward à son insu.

— J'imagine mal Graham laisser l'assassin de Blythe s'en tirer à si bon compte, intervint Jude. Il aimait profondément Blythe : il aurait plutôt remué ciel et terre pour découvrir qui l'avait privé de son bonheur.

— Rien ne prouve qu'il ne l'ait pas fait, murmura Simon en buvant une gorgée du thé que Mme Brady avait servi.

— Mais s'il avait trouvé l'assassin, n'aurait-il pas réagi ? réfléchit Dina. Je veux dire, il aime une femme, découvre qui l'a assassinée… C'était le *président*. L'idée qu'il ait pu ne pas réagir n'a aucun sens.

— Peut-être ne pouvait-il pas s'élever contre le meurtrier, pointa Simon.

— Qui aurait pu avoir ce pouvoir-là sur lui ? demanda Dina.

Un coup de tonnerre les fit tous sursauter.

— La météo prévoit un gros orage pour la soirée, annonça Mme Brady. Je me demandais si je pouvais partir plus tôt.

— Partez dès maintenant, avant la pluie, madame Brady, lui conseilla Betsy. À nous quatre, nous trouverons bien le moyen de préparer le dîner.

— J'ai cuisiné un poulet à l'estragon ; vous avez juste à le mettre au four. J'ai aussi préparé une chambre pour M. Keller, au cas où.

— Merci, madame Brady. Allez, rentrez chez vous avant que le temps ne se gâte. Nous nous verrons demain matin.

— Bonne soirée, lança Mme Brady en souriant, avant de s'éclipser.

216

— Bon, je mise sur Celeste Hayward, dit Jude dès que la gouvernante fut partie.

— Ou sur l'un de ses enfants, suggéra Betsy.

— Ou encore sur quelqu'un de très haut placé refusant de voir Graham renoncer à un second mandat, proposa Simon.

— Quel âge avaient les enfants, à l'époque ? demanda Dina.

— Gray devait avoir dix-neuf ou vingt ans, Sarah quinze ou seize. Gray était à l'université…

Il fronça les sourcils.

— Enfin, je pense que c'est ce que Miles a dit. Il faudra que je vérifie sur la cassette.

— Quelle cassette ? demanda Dina.

— J'ai enregistré mes conversations avec Miles, avoua Simon.

— C'est légal ? s'enquit Betsy.

— Je ne l'ai fait que pour mon propre usage ; j'avais peur de le perturber en sortant un crayon et un carnet.

— Où se trouve cette cassette actuellement ? demanda Dina.

— Chez moi, à Arlington, je n'ai pas pensé à l'apporter. Je rentre ce soir…

— Attendez demain matin, que l'orage soit passé, lui conseilla Betsy. Cela nous permettra de spéculer tout notre soûl pendant le dîner. En attendant, je propose que nous nous mettions aux fourneaux.

Dina était assise au pied du grand escalier, un sac à ses pieds, quand Simon descendit le lendemain matin. Les cheveux tirés en arrière, elle portait un jean et un pull rouge. Un blouson était posé sur ses genoux.

— Je ne voulais pas vous rater, dit-elle en levant les yeux vers lui. Je pars avec vous.

— Vraiment ? Pourquoi ?

— Parce que j'ai besoin de m'éloigner un peu de cet endroit. J'ai bien peur d'être en train de devenir dingue.

— Betsy et Jude sont-elles au courant ? demanda-t-il en s'arrêtant devant elle.

— Je leur ai laissé un mot, leur disant que nous serions de retour pour dîner. J'ai eu raison ?

Simon observa son visage, les cernes qui ombraient ses beaux yeux, la tension de sa bouche.

— Nous devrions être rentrés d'ici là. Mais je doute que Jude soit ravie de découvrir que vous êtes partie avec moi. J'ai toujours l'impression qu'elle me considère comme une sorte d'Antéchrist... Elle va peut-être s'inquiéter si vous disparaissez une journée entière.

— Elle sait comment me joindre, déclara-t-elle en montrant son téléphone portable. Et puis j'ai préparé de quoi vous convaincre : café et muffins aux myrtilles. Mme Brady a pensé à notre petit déjeuner.

Simon attrapa le sac.

— Alors vous m'emmenez ou vous comptez filer seul avec les muffins ?

— Je ne manquerai jamais une chance de passer une journée avec vous, dit-il en allant ouvrir la porte. Et pas question de laisser rassir les muffins de Mme Brady.

Un manteau de brume recouvrait les pâturages. Mais dans une heure à peine, le soleil qui pointait à l'horizon reprendrait ses droits.

Dina passa devant Simon, songeant que Blythe avait dû connaître des matins semblables. La conscience du lien qui l'unissait à cette inconnue s'imposa soudain, comme une évidence.

— Alors, que pensez-vous de Betsy ? demanda Simon pour rompre le silence alors qu'ils atteignaient l'autoroute.

— Je pense que c'est une femme bien qui n'a pas été épargnée par la vie.

— Elle semble heureuse de vous accueillir dans cette demeure ancestrale.

— Ça fait au moins une heureuse...

Dina ouvrit le sac pour en sortir un muffin qu'elle tendit à Simon.

Ce dernier haussa un sourcil.

— Je commençais à penser que vous en aviez pris votre parti.

— Si vous voulez parler des mensonges qu'on m'a racontés pendant près de trente ans, non, je n'en ai pas *pris mon parti*.

Elle pêcha un autre muffin dans le sac et commença à le grignoter.

— Mais vous comprenez sûrement la raison de ces mensonges…

— Bien sûr. Il n'en reste pas moins qu'on m'a menti sur les points les plus fondamentaux de ma vie. J'ai toujours cru qu'il n'y avait que ma mère…

Sa voix se brisa sous l'effet de la colère.

— J'aime ma mère – je veux dire, Jude. Nous avons toujours été très proches, et c'est ce qui rend les choses si difficiles pour moi ; elle était tout à la fois ma mère, mon père, ma meilleure amie. Rien ne pourra changer le fait qu'elle a été une mère extraordinaire. Mais ce qui a changé, c'est qu'elle n'est plus vraiment à moi.

Simon conduisait en silence. Dina attendit longtemps avant de reprendre la parole.

— Même l'argent que je croyais avoir hérité de mon père me vient de Blythe.

— Qu'est-ce que ça change ? demanda Simon.

— Ça change que c'était aussi un mensonge.

Elle poussa un soupir.

— C'est beaucoup plus compliqué que vous ne pouvez l'imaginer. Ma colère est si profonde qu'elle m'effraie, mais mon amour l'est tout autant. Blythe Pierce m'a peut-être donné le jour, mais je ne sais presque rien d'elle, elle ne semble pas réelle. C'est Jude qui m'a élevée, Jude ma seule famille. Quel que soit mon ressentiment, elle reste ma mère. Pour l'instant, je veux surtout découvrir qui a essayé de me tuer. Et, si possible, qui a assassiné Blythe.

— C'est très sage de votre part.

— Vous vous moquez ?

Elle ouvrit le sac posé à ses pieds et prit le thermos.

— Un café ?

— Oui pour le café, et non je ne me moque pas. C'est très généreux de laisser momentanément de côté vos propres souffrances pour coopérer avec Betsy *et* Jude.

Dina lui tendit un gobelet.

— Betsy est restée au second plan trop longtemps, dit-elle en laissant aller sa tête contre le dossier, les yeux clos. Et puis, il est temps qu'elles fassent la paix.

Elle se tut quelques instants, avant de se tourner vers Simon.

— Intéressant, vous ne trouvez pas, qu'elles regardent chacune la situation d'un point de vue opposé ?

— Que voulez-vous dire ?

— Pendant tout ce temps Betsy n'a pensé qu'au meurtre de Blythe, et Jude à garder le secret pour me protéger.

— Et lequel de ces points de vue adoptez-vous ?

— Les deux : je veux découvrir qui a tué Blythe, qu'on lui rende justice. Et je veux garder mon anonymat.

Dina but une gorgée de son café et ajouta :

— Vous imaginez ce que deviendrait ma vie si la presse découvrait que je suis l'enfant illégitime du président Hayward ?

Simon se sentit mal à l'aise : il *était* la presse. Mais il ne pouvait imaginer devenir la cause d'un surcroît de malheur dans la vie de Dina.

— Il ne sera peut-être pas possible d'avoir l'un sans l'autre, déclara-t-il doucement.

— Pourquoi pas ?

— Si nous trouvons la – ou les – personne(s) responsable(s) de la mort de Blythe, comment réclamer justice sans rendre l'affaire publique ?

Dina tourna la tête et regarda le paysage défiler, considérant cette impasse. Simon aurait voulu pouvoir l'aider, lui dire quelque chose qui apaisât sa douleur, qui effaçât les traces de fatigue et de tension sur son visage.

— Comment vous êtes-vous retrouvé impliqué dans tout ça ? demanda-t-elle.

— J'écris un livre sur Hayward.

— Ça, je le sais déjà.

Elle lui lança un regard en coin.

— Pourquoi Hayward ?

— Pourquoi Hayward, en effet, marmonna Simon. C'est une longue histoire.

— Le trajet jusqu'à Arlington est assez long aussi, il me semble.

— Je travaillais sur un projet personnel quand Philip m'a proposé d'écrire la biographie de Hayward. Ça ne m'intéressait pas particulièrement, mais j'avais besoin d'argent et il s'engageait à publier mon livre.

— Quel est le sujet de votre livre ?

— Une affaire de blanchiment d'argent dans laquelle sont impliqués plusieurs hauts fonctionnaires de l'État.

— Intéressant.

— C'est que j'ai pensé.

— Apparemment le Dr Norton le pense aussi.

— C'était une carotte.

— Comment ça, une carotte ?

— Il a proposé de publier mon livre pour que j'accepte d'écrire la biographie : il savait que j'aurais des problèmes pour trouver un éditeur, et me voulais comme biographe attitré.

— Pourquoi ?

— Il était conscient des difficultés que je rencontrerais pour me faire éditer parce que j'ai dû démissionner du *Washington Press* à cause de cette affaire. Et il voulait que ce soit moi qui écrive cette biographie parce qu'il pensait pouvoir me manipuler. Du moins est-ce la conclusion à laquelle je suis arrivé.

— Vous avez démissionné à cause d'une affaire de blanchiment d'argent ? s'étonna-t-elle.

— Le service juridique voulait que je dévoile mes sources, ce que je refusais absolument de faire. Mon rédacteur en chef ne m'a pas soutenu : il ne me restait plus qu'à plier bagage.

Dina prit le temps de digérer l'information.

— Vous avez donc décidé d'écrire un livre sur cette affaire, reprit-elle enfin. Sans dévoiler vos sources...

— Exact.

— Ça demande un certain cran.

— Je déteste la 95.

— Quoi ?

— Je déteste conduire sur la 95.

— Je suppose que, dans la situation où vous vous trouviez, la proposition de Norton a dû vous paraître trop belle pour être vraie.

— Et manifestement, elle l'était.

— Vous pensez qu'il voulait vous utiliser pour mieux vous contrôler ? Pour que vous ne rendiez pas publiques certaines informations ?

— Oui.

— Ce n'est pas nécessairement une mauvaise chose, si on pense aux gens qui pourraient en souffrir.

Elle mordillait sa lèvre inférieure, pensive.

— Je croirais entendre Norton ; c'est à peu près ce qu'il a dit.

— Très astucieux de sa part.

Elle se laissa de nouveau aller contre son siège, contemplant le paysage, puis demanda :

— Vous traversez Washington pour aller à Arlington ?

— Non. C'est possible, mais nous ne sommes pas obligés. Pourquoi ?

— Je me demandais juste... si je pouvais voir l'endroit où Blythe vivait.

— On peut faire un petit détour.

— Ça ne vous dérange pas ?

— Pas du tout : Arlington n'est qu'à quelques kilomètres de la ville ; nous avons tout l'après-midi devant nous.

— Betsy a dit qu'elle avait un bel appartement dans un immeuble de style Art déco. Et un jour – pas aujourd'hui, mais un jour –, j'aimerais voir le parc où elles allaient se promener, et aussi Dumbarton Oaks.

— Vous n'y êtes jamais allée ?

— Oh si, plusieurs fois. Ces jardins sont vraiment magnifiques, soupira-t-elle. À n'importe quelle saison. Ils ont été conçus par Beatrix Jones Farrand, l'une des premières femmes paysagistes ; elle en a aussi dessiné les portails en fer forgé et les sculptures.

— Elle était très créative, on dirait.

— C'est mon idole. Quand j'étais étudiante, j'allais voir ses jardins dès que j'en avais l'occasion. Ils sont restés tels qu'elle les a conçus, même s'ils appartiennent aujourd'hui à l'université de Harvard. Son centre d'études en architecture paysagiste propose des ateliers passionnants et des conférences souvent accessibles au public. J'avais prévu d'assister à un congrès il y a quelques mois, mais j'ai dû annuler.

— Quel en était le thème ?

— L'environnement dans l'architecture paysagiste.

— Ça m'a l'air très intellectuel, s'étonna Simon. Moi qui ai toujours vu le jardinage comme une activité un peu terre à terre… Sans vouloir vous offenser.

— Il y a de la place pour les deux dimensions, dit Dina en souriant pour la première fois depuis le début de leur voyage. Connaissez-vous ces jardins ?

— J'avoue que non, mais j'ai visité le musée Dumbarton quand j'étais étudiant.

— Betsy m'a raconté que Blythe faisait du bénévolat pour l'université de Georgetown, quand elle vivait à Washington.

— Vous plaisantez ?

— C'est incroyable, n'est-ce pas ? Nous avons suivi les mêmes chemins...

— La coïncidence est assez étonnante.

— Oui. Quand je pense que j'ai fait presque toutes mes études à seulement quelques kilomètres de Washington...

Simon doubla une Honda qui respectait scrupuleusement la limitation de vitesse depuis plusieurs kilomètres.

— ... pour découvrir aujourd'hui que ma mère y vivait... et que mon père occupait la Maison-Blanche.

Elle avait prononcé ces derniers mots si bas que Simon ne fut pas sûr d'avoir bien entendu.

— Pardon ?

— Je n'ai pas pris de congé depuis si longtemps que j'ai l'impression de faire l'école buissonnière.

— Vous devez vous investir beaucoup dans votre travail.

— Je ne fais que ça, admit-elle.

Elle fronça soudain les sourcils.

— Simon, pensez-vous que la personne qui m'a agressée puisse me suivre jusque chez moi ?

— Tout est possible, mais il faut d'abord que cette personne trouve votre adresse...

— Pas difficile, dans une ville comme Henderson. Il n'y a qu'à s'arrêter à la première station-service et demander. Je devrais peut-être prévenir Polly, lui dire de m'appeler si quelqu'un de bizarre se présentait.

— C'est une bonne idée.

Dina chercha son téléphone dans son sac, puis composa le numéro.

— Salut, dit-elle d'un ton volontairement enjoué. Tout va bien ?... Ils ont appelé ce matin ? Tu peux les rappeler et leur dire que je les contacterai dès mon retour... Eh bien, je ne sais pas exactement... Je prends des mini-vacances...

Elle resta un moment silencieuse, inspectant pensivement ses ongles courts.

— Mais je voulais te dire… si quelqu'un se présente et te paraît bizarre d'une façon ou d'une autre, préviens-moi. Je ne peux pas entrer dans les détails maintenant, mais si on demande après moi, dis que j'ai pris une semaine de vacances… Non, non, je vais bien, vraiment… Mais non, je n'ai pas d'ennuis, c'est juste un peu… compliqué, je t'expliquerai à mon retour… Merci.

Elle coupa la communication et poussa un soupir fatigué.

— Vous avez l'air épuisée, remarqua Simon. Si vous vous reposiez un peu ?

Dina appuya sa tête contre le dossier et ferma les yeux. Simon baissa la radio, chercha une station de musique classique, puis accéléra pour se fondre dans le flot de voitures en direction de Washington.

## 18

Simon tourna assez longtemps dans le quartier avant de trouver une place dans une des rues adjacentes. De là, lui et Dina gagnèrent Connecticut Avenue et s'arrêtèrent au numéro indiqué dans le rapport de police.

L'immeuble blanc faisait partie de ces nombreux bâtiments Art déco construits dans les années 1920 et chargés de colonnes octogonales, de bandes décoratives en zigzag et de panneaux sculptés incorporés à la façade.

— Betsy m'a dit qu'elle occupait l'appartement du deuxième étage, là, à droite, déclara Dina en regardant les fenêtres. Il paraît qu'à l'époque, l'endroit était très à la mode.

Elle se tourna vers la rue.

— On a du mal à imaginer quelqu'un renverser un piéton ici et faire marche arrière pour l'écraser une deuxième fois sans que personne ne le voie... C'est tellement animé.

— Il était deux heures du matin et il y a eu un témoin, d'après la police, lui rappela Simon. Même s'il était ivre...

— En cherchant un peu, ils auraient certainement trouvé quelqu'un qui regardait à la fenêtre à ce moment-là. Il n'y a que des habitations des deux côtés de l'avenue.

Elle se tourna vers Simon.

— Je suis sûre que quelqu'un a vu l'accident.

— Mais trente ans plus tard, quelles sont nos chances de le retrouver ?

— Quasiment nulles, murmura Dina. Quasiment nulles...

Elle alla se poster au carrefour et suivit des yeux l'intense circulation des voitures et des taxis. Quand le feu passa au rouge, elle s'engagea jusqu'au milieu de la rue. Simon la suivit.

— Le rapport de police dit qu'elle a traversé de ce côté... Pourquoi s'éloignait-elle de son immeuble à deux heures du matin ? Où allait-elle ?

Sans attendre de réponse, Dina fit quelques pas de plus.

— Voilà, c'est exactement là. C'est là que Blythe est morte...

— Dina, attention ! s'écria Simon en la ramenant sur le trottoir alors que le feu passait au vert et qu'une voiture accélérait. Nous allons, si possible, éviter que l'histoire se répète, d'accord ?

Dina paraissait ailleurs.

— C'est si triste, balbutia-t-elle d'une voix tremblante. Elle avait tout pour être heureuse : un bébé, un homme qui l'aimait... Qu'a-t-elle pensé en voyant la voiture arriver sur elle ? Qu'a-t-elle ressenti en comprenant qu'elle perdait tout, en un claquement de doigt...

Simon passa un bras autour de ses épaules et l'entraîna vers la voiture.

— Nous pourrons revenir un jour pour visiter Dumbarton Oaks, déclara-t-il quand ils furent à l'intérieur.

— Ça me ferait plaisir, Simon. Merci.

Il rabattit une mèche rebelle derrière son oreille.

— Ça me donnera une bonne excuse pour passer une autre journée avec vous, dit-il avant de démarrer.

— Simon ? souffla-t-elle.

— Oui ?

— Vous n'avez pas besoin d'excuse.

Ses doigts vinrent effleurer les siens, s'entrelacer à eux.

— Vous êtes la seule chose que je ne changerai pas dans tout ce gâchis.

— Même si c'est moi qui ai amené ce gâchis à votre porte ?

— Vous n'êtes pas responsable de la réalité. Dites-moi seulement que vous ne m'avez pas invitée à dîner pour les besoins de votre travail.

— Je vous ai invitée en dépit de mon travail, répondit-il sincèrement, portant ses doigts à ses lèvres.

Il avait envie de la remercier pour sa générosité d'esprit, de la réconforter, de trouver un moyen d'apaiser les émotions pénibles qui devaient la torturer. Il avait envie d'oublier un moment qu'il était encore un journaliste et qu'il n'avait jamais couvert une affaire aussi énorme...

Mais il ne dit rien, et tourna simplement à droite pour prendre la direction du pont qui les mènerait à Arlington, songeant que, pour lui aussi, Dina était le seul bien qui ressortait de cette sale affaire. Plongés dans leurs pensées respectives, ils gardèrent le silence pendant le reste du trajet.

— Votre quartier est vraiment joli, commenta Dina alors qu'ils franchissaient les fausses colonnes grecques qui en marquaient l'entrée.

— Oui, et il est aussi relativement tranquille : il y a plus de célibataires et de jeunes couples que de familles. On a un centre d'activités complet – avec piscine et gymnase bien équipé.

— Vous y allez ?

— Non, répondit-il en secouant la tête. La gym, c'est pour les employés de bureau.

Dina éclata de rire, ravie de ce clin d'œil au jour de leur rencontre.

— Joli aménagement, remarqua-t-elle en sortant de la voiture. Un bel équilibre entre les arbustes et les vivaces, juste ce qu'il faut d'arbres...

Simon se réjouissait de voir Dina d'humeur un peu plus légère. Il introduisait la clé dans la serrure... lorsqu'il s'aperçut que la porte était déjà ouverte.

— Oh, oh, murmura-t-il.

Il leva la main pour empêcher Dina d'entrer.

— Faites le 911. Dites-leur qu'il y a eu une effraction.

— Vous êtes sérieux ?... Oh, mon Dieu, Simon, n'y allez pas...

Il poussa la porte juste assez pour se glisser à l'intérieur et constater qu'on lui avait rendu plus qu'une simple visite. Les tables et les lampes étaient renversées, les coussins du salon jetés par terre.

— Restez dehors et appelez le 911, répéta-t-il en s'avançant dans le hall.

— Pourquoi pouvez-vous y aller et pas moi ? demanda-t-elle avant de composer le numéro.

Sans répondre, Simon poursuivit son avancée prudemment, pas à pas, même s'il était quasiment sûr que son visiteur était parti depuis longtemps. Traditionnellement, les cambriolages avaient lieu la nuit.

Le silence était total. Il s'immobilisa, guettant le bruit d'une éventuelle respiration, mais rien n'indiquait la présence de quelqu'un d'autre dans la maison. Il balaya du regard la salle à manger ; il avait travaillé sur la table deux soirs auparavant, avant de partir pour son rendez-vous chez les Pierce. N'ayant prévu de s'absenter que quelques heures, il n'avait pas pensé à emporter son ordinateur... qui n'était plus là.

— *Merde !*

Dina se précipita dans le hall.

— Simon... ?

— Mon ordinateur a disparu. Avec la disquette qui s'y trouvait.

Il croisa le regard de Dina.

— Elle contient une grande partie de mes notes...

— Oh non...

Le tiroir central du petit buffet était partiellement ouvert, et son contenu jeté par terre. Simon l'ouvrit complètement pour y plonger la main et la ressortir, bredouille.

— La cassette n'y est plus.

— Bon sang.

Dina s'adossa contre le mur.

— Maintenant, quelqu'un d'autre est au courant...

— Je ne pense pas, souffla-t-il, la voix vibrante de colère. Il ne s'agit pas d'un cambriolage au hasard, même si tout a été mis en scène pour le faire croire. La personne qui est entrée ici connaissait l'existence de la cassette.

— Qui... ?

Le regard de Simon se porta sur un point derrière elle, et il fit signe à l'officier de police qui venait d'arriver.

— Bonjour. Entrez !

— Qu'allez-vous leur dire ? glissa Dina.

— Que c'est un simple cambriolage, bien sûr.

229

La liste des objets manquants était courte, et celle que Simon donna à la police l'était encore plus.

— Je suis en location meublée ici, alors je n'ai pas beaucoup d'affaires personnelles. Il n'y avait vraiment pas grand-chose à emporter.

— Excepté la télévision, nota le jeune officier en revenant au salon. Je rêve d'un écran plat comme celui-ci ; je me demande pourquoi ils n'ont pris que l'ordinateur.

— C'est peut-être tout ce qu'ils pouvaient transporter ? suggéra Simon.

— Vous avez regardé en haut ?

— Ah non, admit Simon.

— Je monte voir s'il n'y a personne, déclara le policier tandis qu'une autre voiture de patrouille se garait devant la maison.

Il fit signe à son collègue et attendit qu'il ait franchi le seuil de la porte.

— Juste un ordinateur, pour l'instant.

— Vous travaillez pour le FBI ? demanda le nouveau venu à Simon.

— Non.

— CIA ?

— Non, pourquoi ?

— Juste pour savoir, fit-il en haussant les épaules. Habituellement, ce genre de travail – tout sens dessus dessous et rien d'autre qu'un ordinateur volé – a quelque chose à voir avec le gouvernement.

Il suivit son collègue à l'étage. Quelques instants plus tard, ils redescendaient.

— Aviez-vous une autre télé à l'étage ?

— Non.

— Voudriez-vous monter voir s'il manque quelque chose ?

Simon obtempéra, mais tout était en place.

— Bizarre qu'ils n'aient fouillé que le rez-de-chaussée, remarqua le plus jeune des officiers.

— Peut-être ont-ils été interrompus. Mes voisins ont l'habitude de rentrer tard dans la nuit.

— Ou bien ils ont trouvé ce qu'ils cherchaient dans l'ordinateur, dit l'autre officier en sortant un carnet de sa poche. Bon, reprenons depuis le début...

Cela prit vingt-cinq minutes en tout. Il n'y avait pas grand-chose à dire, expliqua Simon. Il était parti la veille au matin et était rentré aujourd'hui pour trouver sa porte fracturée et son ordinateur envolé.

— Appelez-nous si vous constatez qu'on vous a volé autre chose, dit l'officier au carnet, décochant un dernier regard appréciateur à Dina avant de suivre son collègue et de fermer la porte derrière lui.

— Et maintenant ? demanda Dina quand ils furent seuls.

— D'abord, la poche de la veste, marmonna Simon.

— Pardon ?

— Je reviens, dit-il en grimpant l'escalier quatre à quatre.

En un éclair, il était de nouveau là, une cassette à la main.

— Tout n'est pas perdu.

— Vous avez dit qu'on l'avait volée.

— Seulement la copie.

— Mais quelqu'un d'autre sait maintenant...

— Je soupçonne que ce quelqu'un savait déjà.

Il glissa la cassette dans sa poche et prit Dina par la main.

— Ce quelqu'un a pris la cassette pour que je n'aie aucune preuve des déclarations de Kendall.

— Vous pensez savoir de qui il s'agit ?

— Une seule personne était au courant de son existence.

Il ferma la porte derrière eux.

— Dina, je crois qu'il est temps pour vous de rencontrer Philip Norton...

Le trajet pour Georgetown ne fut pas une partie de plaisir ; Simon conduisit comme un possédé. En moins d'une demi-heure, ils sonnaient à la porte de Philip Norton.

— Simon, quelle surprise...

Norton, une pipe suspendue à ses lèvres, fixa Dina, qui se tenait derrière Simon.

Son sourire se figea.

— Doux Jésus...

— Dina, voici le Dr Philip Norton, dit Simon d'un ton brusque, un vieil ami de la famille.

Norton ne pouvait détacher son regard de la jeune femme.

— Mon Dieu, pardonnez-moi...

Il s'interrompit, interrogeant Simon du regard.

— Oui, elle sait.

— Vous ressemblez tellement à votre mère.

— On me l'a beaucoup dit ces derniers temps.

— Je veux la cassette, Philip, dit Simon d'un ton chargé de colère.

— La cassette ?

— S'il vous plaît, épargnez mon temps. Rendez-la moi, et nous repartirons...

— Faites-vous référence à l'enregistrement de Miles... ?

— Vous savez exactement à quoi je fais allusion. Je veux la récupérer. Il n'y a plus de secret, Philip. Elle se tient devant vous.

— Je n'ai pas volé cette cassette, Simon.

— Personne d'autre que vous n'était au courant.

— Simon... Dina, entrez. Je vous en prie, ne discutons pas de ça dehors ; on ne sait jamais qui peut passer...

Il s'écarta pour leur permettre d'entrer avant de fermer la porte derrière eux.

— Venez vous asseoir et nous...

— Je ne suis pas là pour discuter. Je veux la cassette.

— Simon, je ne l'ai pas, répéta calmement Norton. Je suppose qu'elle a été volée…

— Vous le savez bien.

— Vous m'avez dit ce qu'elle contenait. Pourquoi l'aurais-je volée ?

— Pour que je n'aie plus de preuves de la liaison de Blythe et de Hayward.

— Dans quel but ? demanda Norton, légèrement amusé.

— Pour que l'affaire ne soit pas rendue publique et que rien ne vienne porter de l'ombre à la candidature de Gray Hayward.

— De nos jours, l'affaire, comme vous dites, ne scandaliserait pas grand monde. Et puis, la preuve se tient à côté de vous.

Norton désigna Dina.

— Les tests ADN sont très fiables.

— Alors pour quelle autre raison avez-vous pris la cassette ?

— Simon, ces derniers temps vous m'avez accusé de beaucoup de choses. Et maintenant de vol avec effraction. Pourquoi n'employez-vous pas votre énergie à essayer de trouver qui a votre cassette ?

— À qui en avez-vous parlé ?

— À personne.

— Alors pourquoi a-t-on violé mon domicile ?

— Que vous a-t-on volé d'autre ?

— Mon ordinateur portable.

— Y avait-il une disquette dedans ?

Simon hocha la tête.

— Contenant mes notes…

— Vos notes sur quoi ?

— Sur Blythe, sur Dina. Sur le désir qu'avait Hayward de s'éloigner de sa famille comme de sa fonction…

— Et la cassette portait-elle une étiquette ?

— On ne peut plus claire : « Interview de Miles Kendall ».

— Je n'ai parlé à personne de cet enregistrement, vous avez ma parole.

— Vous croyez qu'on a forcé ma porte par hasard ?

— Non. Mais on peut raisonnablement supposer qu'en tant que journaliste travaillant sur un sujet important, vous êtes une cible de choix pour les indiscrets de tous ordres. Je ne pense pas que quelqu'un *savait*. Je crois que quelqu'un a simplement tenté sa chance et tapé dans le mille.

Simon enfonça les mains dans ses poches et regarda Norton droit dans les yeux.

— Philip, il y a quelques jours, on a essayé de renverser Dina. Un van de couleur sombre l'a littéralement poursuivie. Avez-vous une idée de qui ça peut être ?

— Mon Dieu… souffla Norton en s'asseyant sur le bras d'un fauteuil. Vous n'avez rien ?

Dina fit signe que non.

— Qui d'autre savait ce qui se passait entre Blythe et Graham Hayward ? lui demanda-t-elle.

— Plusieurs agents des services secrets. Mais ils sont morts aujourd'hui, j'ai vérifié. Le président du parti, Peter Stinson, savait pour Blythe, mais pas pour vous, je crois. Franchement, je ne pense pas que quiconque ait été au courant de votre existence, Miles et moi mis à part, bien sûr.

— Vous deviez être très proches pour que Graham Hayward vous accorde une telle confiance.

— Assez, oui. La mort de Blythe l'a littéralement brisé ; il n'a plus jamais été le même après, il l'aimait tellement…

— Qui d'autre savait qu'il envisageait de ne pas se représenter ?

— Stinson, sans doute. Et Conrad Fritz, son directeur de campagne. Et le vice-président. Qui sait à qui ils ont pu en parler ?

— Et vous ? demanda Simon. En avez-vous parlé à quelqu'un ?

— Non, bien sûr.

— Où puis-je trouver Stinson et Fritz?

— Stinson vit à Green Lake, dans le New Jersey. Je ne sais pas où habite Fritz, mais je peux me procurer son adresse.

— Avez-vous de quoi noter votre numéro de téléphone portable? demanda Simon à Dina en lui tendant un stylo.

Dina sortit un petit bloc-notes de son sac et inscrivit son numéro qu'elle tendit à Norton.

— Appelez quand vous aurez retrouvé Fritz, lui dit Simon. Au revoir, Philip.

Il prit Dina par la main et l'entraîna vers la porte.


— Vous ne pensez pas que le Dr Norton conduisait le van, n'est-ce pas? demanda la jeune femme alors qu'ils s'engageaient dans la circulation.

— Non, ce n'est pas un assassin. Et je ne le vois pas non plus couvrir un meurtre.

— Alors pourquoi ne lui faites-vous pas confiance?

Simon prit le temps de réfléchir.

— Peut-être parce que j'ai toujours la sale impression qu'il a essayé de me manipuler.

— Croyez-vous que l'un de ces hommes, Stinson ou Fritz, ait pu tuer Blythe?

— Je ne sais pas. Le retrait de Hayward aurait été un coup très dur pour des tas de gens du parti.

— Je crains de ne pas comprendre.

— Parce que ça aurait offert à l'opposition un créneau pour s'imposer à la présidentielle, puis aux sénatoriales. Beaucoup y auraient vu un signe de trahison, ou au moins d'égoïsme. On ne lâche pas comme ça le pouvoir et le prestige qui en découle pour son parti, c'est tout simplement impensable.

— Vous pensez que Graham l'aurait fait?

— Je ne crois pas qu'on le lui aurait permis, de toute façon. Mais le simple fait d'en avoir évoqué la possibilité a pu rendre des tas de gens très, très nerveux.

— Mais pourquoi s'en prendre à moi aujourd'hui ?

— Quelqu'un estime peut-être que votre existence porte tort à Gray Hayward en diminuant ses chances d'être élu. Ou peut-être est-ce plus personnel. Une volonté de préserver à tout prix la mémoire de Graham Hayward. Pour l'instant, nous ne pouvons malheureusement qu'émettre des hypothèses. Je rendrai visite à Stinson dès demain. Qui sait ? Il a peut-être des choses à nous apprendre…

## 19

— Eh bien, vous pouvez vous vanter de nous avoir gâché la journée, vous deux, les interpella Jude depuis le pas de la porte. On s'est fait un sang d'encre.

— Désolée, maman, je ne pensais pas que nous rentrerions si tard. Mais il y a eu un contretemps, comme je te l'ai dit au téléphone, et puis nous avons eu faim sur le chemin du retour et nous nous sommes arrêtés pour dîner…

— Et qu'est-ce que c'était, ce contretemps ?

— Oh, Jude, laisse-les au moins entrer avant de les passer à la question ! lança Betsy depuis l'intérieur. Et pour information, je n'étais pas inquiète, Dina. Je savais que Simon prendrait soin de toi.

— Merci, Betsy, dit Dina en posant un baiser sur la joue de Jude tout en adressant un clin d'œil à sa tante.

— Pas de quoi, répondit celle-ci en fermant la porte derrière Simon. Alors, vous avez la cassette ?

— Oui, dit Simon en la sortant de sa poche. Mais quelqu'un d'autre l'a aussi.

— Qui ça ? s'étonna Betsy en faisant pivoter son fauteuil.

— Quelqu'un s'est introduit chez Simon et a volé son ordinateur, ainsi qu'une disquette contenant ses notes et une copie de l'enregistrement, expliqua Dina.

Le tic-tac de la vieille pendule ponctua un long moment le silence.

— Mais alors quelqu'un d'autre… reprit finalement Jude.

— Oui, acquiesça sombrement Simon. Quelqu'un d'autre sait ce que Miles m'a révélé. Je suis désolé, Jude.

— Qui était au courant pour la cassette ?

— Seulement Norton. Et il jure qu'il ne l'a pas prise.

Simon résuma leur entretien avec le professeur.

— Il jure aussi n'avoir rien dit à personne.

— Est-ce que vous le croyez ? demanda Betsy.

— Oui.

— Qu'allons-nous faire, maintenant ? demanda Jude.

— D'abord, nous allons nous installer dans le bureau et boire un brandy, annonça Betsy. Puis nous réfléchirons à la procédure à suivre.

— J'ai un coup de fil à donner, déclara Simon. Je peux utiliser votre téléphone ?

— Bien sûr.

Après avoir appelé Norton, qui lui donna les coordonnées de Stinson et de Fritz, lequel se trouvait en Virginie, Simon envisagea d'appeler Stinson pour le prévenir de sa visite, puis y renonça : mieux valait ne pas lui laisser le loisir de se préparer. Il était trop tard pour prendre la route immédiatement, de toute façon, et il lui faudrait prier Betsy de l'héberger encore une nuit.

Dans le bureau, ces dames sirotaient leur brandy en attendant que Simon les rejoigne.

— Alors, dit-il en entrant dans la pièce. On écoute cette cassette ?

Jusqu'à minuit, ils passèrent et repassèrent l'enregistrement, puis discutèrent de son contenu et des répercussions possibles de sa disparition. Sans parvenir à aucune conclusion.

— Je suis trop vieille pour veiller si tard, conclut finalement Betsy en dirigeant son fauteuil vers la porte. Toi aussi, Jude. Laissons ces jeunes gens.

— Mais...

— Il n'y a pas de mais. Tu pourras m'aider à monter ; mon élévateur était encore détraqué, cet après-midi.

— Bonne nuit, maman, dit Dina en l'embrassant. Fais de beaux rêves.

— Toi aussi, chérie.

Elle hésita un instant avant d'ajouter :

— Bonne nuit à vous, Simon.

— Merci, Jude, répondit-il en s'efforçant de ne pas sourire.

Contrairement à Betsy, Jude n'appréciait visiblement pas l'idée de les laisser seuls.

Quand les deux femmes furent parties, Dina et Simon, assis côte à côte sur le canapé, échangèrent un regard complice.

— Merci de m'avoir emmenée avec vous aujourd'hui.

— Tout le plaisir a été pour moi.

— Ai-je une chance de vous accompagner demain ?

— Voir Stinson ?

— Oui.

— Désolé, dit-il en secouant la tête. Je ne veux pas qu'il vous voie et fasse le rapprochement entre Blythe et vous. S'il ne sait rien, autant le laisser dans l'ignorance.

— Croyez-vous qu'il se souvienne de Blythe ?

— Si vous lui ressemblez autant que tout le monde le dit, il ne peut l'avoir oubliée.

Il tendit la main pour effleurer sa joue. Elle la prit et la retint.

— Simon, est-ce que vous voulez m'embrasser ?

— J'en ai envie depuis la minute où je vous ai vue.

238

— Pourquoi vous ne le faites pas ?

— Pourquoi je ne vous embrasse pas ?

Il sourit et se pencha vers elle.

— Pourquoi je ne fais pas ça…

Ses lèvres vinrent toucher les siennes, légèrement, jouant à les caresser. Elle l'enlaça pour l'attirer contre elle, l'invitant à s'aventurer davantage. Alors il s'empara pleinement de sa bouche, parfumée d'un léger goût de brandy mêlé à une délicieuse saveur qui n'appartenait pas à l'alcool.

— Je me demande ce que j'attendais, souffla-t-il.

— Je commençais à me le demander aussi.

Elle se laissa aller contre le dossier du canapé, l'entraînant avec elle.

— J'y pensais, avoua-t-il. Beaucoup. Mais avec tout ce que vous venez de traverser, je me disais que vous n'aviez pas besoin qu'un type vous tombe dessus.

— Je ne vous considère pas comme « un type ».

— Comment me considérez-vous, alors ?

— Comme un cadeau bienvenu dans ma vie.

— J'aime entendre ça.

Il effleura sa lèvre supérieure.

— Alors vous ne m'en voulez pas d'avoir provoqué toute cette folie ?

— Cette folie a commencé il y a trente ans. Tôt ou tard elle m'aurait rattrapée.

Elle plongea son regard dans le sien.

— Je suis heureuse de vous avoir rencontré, Simon Keller.

— Moi aussi.

Il se pencha pour éteindre la seule source de lumière de la pièce.

— Au cas où le palefrenier de Betsy rôderait dehors avec son fusil, souffla-t-il en la serrant contre lui pour s'emparer de sa bouche.

Le cœur de Dina se mit à battre plus fort. Ce qu'elle avait attendu toute sa vie était en train de lui arriver.

Un homme l'embrassait, et le monde semblait chavirer autour d'elle.

Elle était en train de se demander jusqu'à quel point on pouvait supporter ce vertige quand Simon s'écarta et lui caressa la joue.

— Vous avez l'air fatiguée, dit-il avec douceur.

— Je *suis* fatiguée, admit-elle.

— À quand remonte votre dernière vraie nuit de sommeil ?

— Quel jour sommes-nous ?

— C'est bien ce que je pensais.

Il lui massa les épaules.

— Vos muscles sont durs comme de la pierre. Tournez-vous...

Elle se tourna, accueillant son massage avec un soupir d'aise.

— Je me sens comme une poupée de chiffon, déclara-t-elle quelques minutes plus tard.

— C'est bon signe, ça veut dire que ça marche. Et si vous montiez dormir un peu ?

— Je ne peux pas bouger, murmura-t-elle d'une voix ensommeillée.

— Alors je vous porterai.

Il se leva.

— Ce ne sera pas nécess...

Elle rit quand il la souleva du canapé d'un seul mouvement.

— Vraiment, Simon, je peux...

— Trop tard.

Il se dirigea vers l'escalier.

— Non, sérieusement, vous pouvez me poser, maintenant.

— Pas avant de vous avoir amenée saine et sauve devant votre porte.

— C'est à gauche, lui indiqua-t-elle quand ils atteignirent l'étage. Merci pour le transport.

— Pas de quoi.

Il la déposa devant sa porte et se pencha pour lui embrasser le cou.

— Je vous verrai quand je reviendrai de chez Stinson.

— Simon ?

— Hum ?

— J'essaie vraiment d'y voir clair – en moi-même, je veux dire –, mais ça peut prendre du temps.

Elle leva vers lui un regard chargé d'émotions contradictoires.

— C'est difficile d'aller vers quelqu'un quand on sent sa vie entière vaciller. Difficile de s'ouvrir – même si on le souhaite très fort – quand on ne sait plus vraiment qui on est.

— Je comprends.

Il l'enlaça et lui caressa les cheveux.

— Je ne suis pas pressé. Je vous attendrai.

*Autant de temps qu'il faudra*, promit-il intérieurement. Certaines choses valaient la peine qu'on attende.

Green Lake étant ce qu'elle était, une petite ville d'à peine mille habitants, trouver Stinson fut relativement facile : Simon entra au Green Lake Country Store, qui faisait aussi office de poste.

— Excusez-moi, dit-il à l'employé derrière le comptoir. Je cherche Peter Stinson, on m'a dit qu'il habitait ici. Pouvez-vous m'indiquer son adresse ?

— Vous devriez demander au magasin, lui répondit l'homme, la poste n'a pas le droit de donner des adresses.

Simon suivit son conseil et répéta sa question à la personne qui tenait le drugstore.

— Vous êtes un de ses amis ?

— Nous avons un ami commun.

— Paraît qu'il a vécu à Washington.

— Il y a longtemps, confirma Simon.

— Lui et sa femme ont acheté la maison Isaac Martin 1745 il y a environ dix-huit mois, déclara un homme assis à une table avec deux autres types, sirotant du café. Ils viennent juste de finir de la rénover : c'est plutôt réussi.

— Ils ont tout refait, même le garage, renchérit l'un de ses compagnons. Il fréquente les amateurs d'oiseaux du coin.

— Je l'ai entendu dire à Angus Simpson qu'il avait vu un moineau Henslow près du marais, intervint une femme sans lever le nez de son journal.

— Ah bon ? fit le buveur de café en se tournant sur son siège. De quel côté du marais ?

— Est-ce que vous connaissez son adresse ? demanda Simon, essayant de ne pas paraître impatient.

— C'est la maison Isaac Martin 1745, répondit le buveur de café.

— Mais quelle est l'adresse ?

— C'est l'adresse, lui expliqua l'homme derrière le comptoir. Toutes les maisons de Green Lake ont des appellations historiques ; le village entier se trouve dans le registre des sites historiques. Nous désignons les bâtiments par leurs noms.

— Comment les repérez-vous ?

— Toutes les maisons sont marquées, dit quelqu'un.

— Pour la maison Isaac Martin 1745, vous allez tout droit et à gauche, en direction de la rivière, dit la femme au journal. Elle est sur le côté gauche de la route ; le revêtement extérieur est peint en jaune et elle a une grande terrasse.

Simon les remercia pour leur aide, puis prit le temps d'avaler une bonne tasse de café en parcourant le journal local.

Comme promis, la maison Isaac Martin 1745 était située à moins de trois minutes du drugstore et agrémentée d'une terrasse sur laquelle trônaient deux rocking-chairs. Assise sur l'un d'eux, une femme tenait un gros livre entre les mains et un chat sur ses genoux.

— Bonjour ! lança Simon en sortant de sa voiture. Je suis à la recherche de M. Stinson.

— Vous l'avez raté d'une heure.

La femme sourit et glissa une mèche blanche derrière son oreille.

— Vous êtes du magazine d'ornithologie ?

— Non, en fait, je suis un ami d'un vieil ami à lui. Vous êtes Mme Stinson ?

— Oui.

— Je travaille avec le Dr Norton sur une biographie de l'ex-président Hayward. Il m'a suggéré de rencontrer votre mari, vu qu'il était président de son parti pendant ses deux mandats. Nous avons pensé qu'il avait sûrement des anecdotes intéressantes à partager.

— Oh, je suis sûre qu'il sera ravi de vous aider, dit Mme Stinson. Il est près du marais, tout droit par ce chemin...

Elle indiqua la direction du doigt.

— Mais surtout ne faites pas de bruit. Il observe depuis une semaine un couple de fauvettes à gorge jaune, et il ne faut pas les effrayer.

— Il ne m'entendra pas arriver, dit Simon en portant un doigt à ses lèvres.

— Essayez quand même de ne pas lui donner une crise cardiaque, plaisanta-t-elle.

— Je trouverai un juste milieu, promit-il en s'éloignant.

Simon s'engagea sans bruit sur le chemin dissimulé par les herbes hautes. Il sentit le marais avant même de le voir : une odeur salée portée par la brise printanière vint l'envelopper.

Un homme se tenait immobile sur la rive, tenant une paire de jumelles devant ses yeux. Simon essaya de faire juste assez de bruit pour manifester sa présence sans pour autant effrayer les animaux que l'homme observait.

— Hérons verts, murmura celui-ci tandis que Simon approchait. Je crois qu'ils ont construit un nid dans les roseaux, là-bas.

Simon se pencha en avant pour mieux regarder, mais rien ne bougeait.

L'homme lui tendit ses jumelles.

— À droite de cette branche basse, lui indiqua-t-il.

— Je les vois, annonça Simon.

Il observa un moment, puis lui rendit ses jumelles.

— Merci.

— Pas de quoi.

— Êtes-vous Peter Stinson ? demanda Simon, toujours à voix basse.

— Oui. Et vous êtes… ?

— Simon Keller. Je travaille sur une biographie de Graham Hayward, et Philip Norton m'a suggéré de…

— Je l'ai vu récemment. Il m'a parlé d'un livre, mais nous n'avons pas eu le temps d'en discuter.

Stinson porta de nouveau les jumelles à ses yeux, un moment distrait par quelque chose qui remuait dans les roseaux.

— Que souhaitiez-vous savoir ?

— Eh bien, ce livre étant basé sur une sélection de souvenirs de l'entourage de l'ex-président, je me disais que vous pourriez y contribuer.

— Mes souvenirs sur Hayward, vous dites ?

Simon hocha la tête.

— Graham était un fichu numéro, déclara Stinson en pointant un doigt vers le ciel. On dirait une mouette à tête noire, là-bas, j'en mettrais ma main à couper.

— Hum…

Simon leva les yeux. Pour un gars de l'Iowa, une mouette était une mouette.

— Pourriez-vous préciser votre pensée ?

— Il était du genre faites-ce-que-je-dis-pas-ce-que-je-fais.

— Tout ce que j'ai lu sur lui montre qu'il était totalement honnête et droit...

— Oh, je vous en prie, railla Stinson. Avez-vous déjà vu une fauvette à gorge jaune ?

— Euh, non, jamais.

— Regardez sur la branche la plus basse de cet arbre mort, là, devant.

— Ah, oui, je les vois... En ce qui concerne le président Hayward...

Simon garda les jumelles cette fois, espérant ainsi empêcher Stinson de se disperser à nouveau.

— Sous-entendez-vous que sa moralité n'était pas aussi irréprochable qu'on...

— Posez la question à Norton ; il était au courant.

— Au courant de quoi ?

— Hayward avait une maîtresse.

— Hayward avait une maîtresse ? répéta Simon, feignant la surprise.

— Ouais. Une jeune. Superbe, mais très jeune. Pas un mot n'a filtré sur cette histoire. Je parie que vous n'en parlerez pas non plus dans votre livre, pas avec Norton dans le coup.

— Qu'est-ce qui vous fait dire ça ?

— Il ne le permettra jamais ; il est comme le gardien de la flamme. Et puis, avec le fils Hayward qui se présente aux prochaines élections, ça ferait désordre.

— Alors pourquoi m'en avez-vous parlé ? demanda Simon en lui rendant les jumelles.

— Quelle différence ? répondit Stinson en haussant les épaules. Vous travaillez avec Norton, donc il doit vous faire confiance. De toute façon il ne vous laissera pas utiliser cette information.

— C'est donc le seul scandale à propos de Hayward ? Il avait une maîtresse ?

— Ça ne suffit pas ? grogna Stinson. Vous pouvez pas savoir comme ça m'a mis en rogne quand je l'ai appris. Toutes ces années à jouer Monsieur Moralité, à nous imposer son fameux code de l'honneur, et il était là, à faire exactement ce que tout le monde rêvait de faire sans le pouvoir, de peur qu'il ne le découvre et ne nous envoie ses foudres.

Stinson secoua la tête.

— Hayward était un fichu hypocrite.

— Comment avez-vous su pour la maîtresse?

Stinson observa l'envol d'un groupe d'oiseaux sur la rive opposée du marais.

— Par David Park.

— Le vice-président.

— Oui, il était assez excité à l'idée de grimper...

Il s'arrêta au milieu de sa phrase.

— ... les échelons? termina Simon. Pourquoi Park aurait-il espéré une telle chose? L'infidélité n'a jamais été une cause de destitution.

— Hayward ne risquait pas la destitution. Mais à un moment donné il a émis la ridicule hypothèse de renoncer à un second mandat.

— Pourquoi aurait-il fait ça?

— Parce que, dans un bref moment d'insouciance, il a pensé pouvoir se détourner de tout ça.

— De sa charge.

— Ouais. Pour la fille.

— Mais bien sûr il ne l'a pas fait.

— Nan. On ne lui aurait jamais permis une telle stupidité.

— Qui l'en a dissuadé?

— Moi. Moi et Kendall, en fait. Mais vu la tournure des événements, il n'aurait pas pu suivre son idée de toute façon.

— Pourquoi donc?

— La fille est morte.

— Tout d'un coup?

— Ouais. Sacrée coïncidence, hein? Un chauffard l'avait renversée, disaient-ils, mais qui sait la vérité sur ces choses-là?

246

— Vous la saviez, monsieur Stinson ?

— Non, mais je me suis posé des questions. Cet accident tombait affreusement à pic, et ils n'ont jamais retrouvé le chauffard. Bien pratique, si vous voulez mon avis. Officiellement, personne n'a rien vu ni entendu, même si ça s'est passé sur l'une des artères les plus fréquentées de la ville. Bien sûr, c'était en pleine nuit, mais tout de même, ça laisse perplexe, vous comprenez ? Ça ne colle pas.

Il regarda Simon droit dans les yeux.

— J'ai eu envie d'étrangler Hayward de mes propres mains quand il a commencé à parler de ne pas se représenter. Tout ce temps, tout cet argent consacrés à construire sa carrière politique… Mais tuer la fille ? Je ne vois vraiment pas qui serait allé aussi loin. Hayward a fini par garder sa charge, mais entre vous et moi, il n'a plus jamais été le même.

— Dans quel sens ?

— Il a baissé les bras. La fille est morte, et il s'est comme vidé de sa substance. Il est mort dans le mois qui a suivi la fin de son deuxième mandat.

— Oui, je sais.

Stinson porta les jumelles à ses yeux pour scruter le ciel.

— J'imagine que cette petite anecdote ne figurera pas dans votre livre, hein ?

— Stinson a admis qu'il était au courant pour Blythe, qu'il savait que Hayward songeait à ne pas se représenter, ce qui n'avait pas été pour lui plaire. Mais il ne m'a pas donné l'impression d'être au courant de votre naissance, ni d'être impliqué dans la mort de Blythe. Il semble aussi perplexe que nous à ce sujet.

Simon se tenait dans une étroite cabine téléphonique, la porte fermée pour se protéger des rideaux de pluie qui ruisselaient sur les parois transparentes. Il regrettait de ne pas pouvoir se transporter d'un coup de baguette magique jusqu'à Wild Springs pour voir le visage de Dina aussi clairement qu'il entendait sa voix; il s'était surpris à penser terriblement souvent à ce visage, ces derniers temps.

— Nous pouvons le rayer de notre liste des suspects. En plus, le jour où vous avez été renversée, il donnait un cours sur les oiseaux migrateurs.

— Vous êtes sûr? s'obstina Dina, déçue.

Elle avait tant espéré que ce soit Stinson, qu'il soit confondu, que c'en soit fini de cette incertitude. Ça n'était pas très réaliste de sa part, elle en était consciente, mais elle avait quand même compté sur un petit miracle.

— Absolument. Je pars pour Virginia Beach, maintenant.

— Pour quoi faire?

— Je dois voir Conrad Fritz demain, à la première heure.

— Alors vous ne rentrez pas chez Betsy, ce soir?

— Non. Je voyagerai de nuit pour avoir une chance de l'attraper au saut du lit.

— Et ensuite?

— Ça dépendra de ce que Fritz a à dire.

— Simon, vous serez prudent, n'est-ce pas? Vous n'allez pas… dire ou faire quoi que ce soit qui puisse le pousser à vous faire du mal?

— Ne vous inquiétez pas. J'ai trop envie de vous revoir pour prendre de tels risques. À bientôt, Dina…

## 20

Polly leva les yeux en entendant tinter la clochette de la porte. Une petite silhouette dans un imperméable jaune soleil entra, secouant son parapluie avant de le laisser sur le seuil.

— Bonjour! l'accueillit Polly depuis le comptoir où elle composait une couronne d'hortensias séchés. Je peux vous aider?

— Êtes-vous Mlle McDermott? demanda la femme.

— Non. Y a-t-il quelque chose que je puisse faire pour vous?

— Je cherchais Dina McDermott.

— Elle est absente pour le moment.

— J'espérais discuter avec elle de la rénovation d'un jardin; j'ai entendu dire qu'elle est assez douée.

La cliente potentielle sourit chaleureusement.

— Elle est la meilleure, confirma Polly en souriant en retour.

— Mon mari et moi avons des vues sur une ancienne ferme qui est en vente à quelques kilomètres d'ici, et je me demandais si le jardin méritait d'être rénové ou s'il valait mieux tout raser pour tout replanter.

Un autre sourire.

— J'aurais voulu avoir une idée de ce que cela nous coûterait. La rénovation de la maison représente déjà un gros budget, alors nous préférons savoir à quoi nous attendre.

— C'est plus sage, en effet, approuva Polly.

— Je souhaiterais donc la rencontrer au plus vite. Rentrera-t-elle bientôt?

— Je ne sais pas exactement.

Polly était embarrassée. C'était la troisième éventuelle rénovation qui se présentait depuis qu'elle avait eu Dina au téléphone, deux jours auparavant. Ce qui la retenait devait être sacrément important, songea-t-elle.

— Le mieux est de me laisser votre nom et vos coordonnées, je transmettrai votre message, sans faute.

— C'est gentil à vous. Je suis Mme Dillon; voici mon numéro…

Dès que la cliente eut quitté la boutique, Polly décrocha le téléphone pour appeler son amie, mais elle dut se contenter de lui laisser un message.

— Salut, Dina, désolée de te déranger – entre nous, j'espère qu'il est beau et que vous avez un grand soleil. Bref, il faut quand même que tu saches que trois clients se sont présentés pour des rénovations. Un certain McMansion – un voisin des Patterson ; Mme Field – son mari et elle viennent d'acheter la maison rouge sur la gauche en sortant de la ville. Et puis une autre cliente, qui s'est présentée à la boutique pour un devis. Elle a des vues sur une ancienne ferme à quelques kilomètres d'ici, j'ai oublié de demander où exactement. Elle s'appelle Mme Dillon. Je te donne les numéros où les joindre…

À Wild Springs, les trois femmes s'étaient installées dans un début de routine. Betsy avait beau être clouée dans son fauteuil, elle passait son temps entre le manège – où, avec l'aide d'un autre professeur, elle donnait des leçons trois après-midi par semaine et le samedi matin – et le court de tennis. Ou bien elle se promenait à travers les champs et les bois qui entouraient la propriété. Jude tournait comme un lion en cage, accompagnant parfois Betsy dans ses pérégrinations. Dina, quant à elle, s'occupait du jardin.

Durant les deux premiers jours, Dina avait passé plusieurs heures à inspecter les parterres, arrachant machinalement une mauvaise herbe çà et là, taillant mentalement tel ou tel massif de roses ou d'iris – des gestes, pour elle, aussi naturels que le fait même de respirer. Des gestes qui n'étaient pas du travail mais s'apparentaient à une véritable thérapie : ils la reliaient à quelque chose de familier et d'apaisant à quoi elle aspirait en ces temps tourmentés. Alors que sa vie entière était bouleversée, les fleurs et la terre restaient la seule constante, et elle ne laissait pas échapper la moindre occasion d'y revenir.

— Il faudrait tailler ton ibis sibérien, annonça-t-elle au petit déjeuner, le matin où Simon était parti voir Stinson.

— Je le noterai sur la liste pour le jardinier, lui répondit Betsy en se servant des œufs brouillés. Mais je ne sais pas quand il pourra s'en occuper, il a des problèmes avec sa hanche : arthrite.

— As-tu envisagé de faire venir quelqu'un d'autre ?

— Chhh, souffla Betsy. C'est le mari de Mme Brady, il travaille ici depuis des années. Je ne veux pas qu'il pense qu'il sera remercié à la moindre défaillance, c'est mauvais pour le moral. Il a été au service de mon père et de mon grand-père ; je ne peux tout simplement pas le remplacer.

— Verrais-tu un inconvénient à ce que je mette un peu les choses en ordre, alors ?

— Oh, je ne veux pas que tu te sentes obligée, Dina.

— À vrai dire, je me sentirais mieux si j'avais une activité. Je ne suis pas habituée à ne rien faire.

— Je comprends tout à fait, ma chérie. Après le petit déjeuner, je te montrerai où se trouvent les outils.

— Ça m'aidera peut-être à moins culpabiliser de laisser Polly seule. La pleine saison démarre et il y a beaucoup à faire.

— Tu l'as eue au téléphone au moins vingt fois depuis hier, Dina, lui rappela Jude. Et ne parlais-tu pas avec Mme Fisher ce matin même ? Tu es loin de négliger tes affaires !

— Je sais, mais ce n'est pas pareil.

— Bien sûr, pourtant il faudra faire avec jusqu'à ce que Simon trouve un suspect.

— Tenir un suspect ne sert à rien, à moins qu'il n'avoue, remarqua Betsy. Pour ma part, je doute que cela se produise.

— Peut-être, mais on ne peut pas définir une marche à suivre sans savoir qui…

Dina secoua la tête et sortit, laissant les deux femmes à leurs polémiques.

Elle avait seulement prévu de tailler quelques plantes, mais avant que la matinée ne se termine elle avait désherbé trois parterres et préparé la place pour les nouveaux plants.

L'après-midi, les trois femmes se retrouvaient dans le salon pour le thé, comme elles le faisaient chaque jour depuis l'arrivée de Jude et de Dina, regardant les albums photos qui s'alignaient dans la bibliothèque. Dans ces moments-là, Dina avait un aperçu de ce que signifiait être une Pierce et de la somme d'hostilité qui sous-tendait les rapports de Jude et de Betsy.

— Ces photos ont toutes été prises quand mon père était ambassadeur en Belgique. Celles-là sont très belles... c'était avant que maman ne tombe malade...

Le visage de Betsy s'assombrit.

— Nous avons vécu un an à Bruxelles, c'était merveilleux. Blythe et moi fréquentions une école réservée aux enfants de diplomates, où l'on ne parlait que le français. J'ai dû apprendre très rapidement. Blythe le parlait déjà un peu, mais moi je ne comprenais pas un mot. Et puis quand maman est tombée malade, nous sommes rentrées. Papa, bien sûr, est resté...

— Et ensuite elle est allée à Shipley ?

Dina montra la bague gravée qu'elle portait à sa main droite.

— J'ai remarqué que tu la portais, approuva Betsy. Oui, nous avons toutes les deux intégré Shipley. L'école existe toujours, à quelques kilomètres d'ici. Un trajet parfois un peu chaotique, surtout l'hiver...

Betsy but une gorgée de thé.

— Durant toutes ces années, je me suis souvent demandé à quoi tu pensais en regardant cette bague.

— Je n'ai jamais su qui était « BDP », mais mon instinct m'a longtemps dicté de ne pas te montrer cette bague, déclara Dina en levant les yeux vers Jude. Quand j'ai finalement eu le courage de t'interroger à son sujet, tu m'as dit qu'elle avait appartenu à une cousine à toi.

— Tu lui as raconté ça, Jude ? s'offusqua Betsy.

252

— Tu aurais pu me dire que tu la lui avais donnée ; j'ai été complètement prise de court quand elle est descendue un soir avec cette bague pour me demander d'où elle venait.

La voix de Jude monta d'un cran.

— C'est la première explication qui m'est venue à l'esprit. Tu t'attendais à ce que je dise quoi ?

— Tu aurais pu essayer la vérité.

— Ça n'était pas le bon moment.

— Ça n'était apparemment jamais le bon moment, grommela Betsy. Tu n'as rien fait pour entretenir le souvenir de sa mère.

— *J'étais* sa mère, répliqua énergiquement Jude. Et je le suis toujours.

— Maman, Betsy, s'il vous plaît, plaida Dina, le visage blême. Pouvez-vous arrêter ça ?

— Dina a raison. L'heure n'est pas à la discorde, dit Betsy.

— C'est toi qui as commencé il y a des années de ça en offrant ces objets à Dina sans me prévenir, lança Jude.

— Je voulais qu'elle connaisse ses origines. Je soupçonnais – à raison – que tu ferais tout ton possible pour les lui cacher.

— J'ai fait ce qui m'a paru le mieux pour elle...

— ... et ne l'était manifestement pas, sinon nous ne serions pas toutes ici en ce moment, n'est-ce pas ?

— Prévenez-moi quand vous aurez fini, déclara Dina en se levant. Je ne vais pas rester assise à vous écouter. Vous avez des comptes à régler, réglez-les, mais il serait temps que vous commenciez à vous comporter en adultes. Je serai dehors...

Pour la deuxième fois de la journée, Dina trouva refuge dans le jardin, laissant les deux femmes à leurs griefs – leurs éclats de voix lui parvenant parfois d'une fenêtre ouverte.

*Jude, si modérée, si douce, n'avait pas la langue dans sa poche quand elle le voulait,* songeait Dina en taillant un arbuste. *Peut-être cela valait-il mieux pour elle, pour toutes les deux, qu'elles expriment enfin tant de non-dits. Ce silence avait dû être si difficile à supporter. Il était temps qu'elles mettent cartes sur table une bonne fois pour toutes; alors elles pourraient peut-être tourner la page.*

*Peut-être même devenir amies...*

*Autant espérer que le soleil se lève à l'ouest,* railla-t-elle aussitôt, narquoise.


*Ça n'allait pas. Vraiment pas.*

Où était Jude McDermott? Où était la fille?

Trop avisé pour retourner à Henderson avec le van, le conducteur avait emprunté un véhicule plus récent – et, surtout, moins repérable. La voiture était trop basse pour permettre une supervision des alentours, pour ressentir ce sentiment d'omnipotence que l'on a au volant d'un véhicule surplombant la route, mais elle était en revanche juste à la bonne taille pour se glisser derrière les feuillages des arbustes du parking, et on ne pouvait rien redire à ça. De toute façon, il ne s'agissait ce soir que d'une simple surveillance. Rien ne pouvait être déclenché tant qu'on ne savait pas où se trouvait la proie.

Les cloches d'une église voisine sonnèrent dix coups, leur fracas métallique ponctuant la nuit paisible comme autant de points d'exclamation.

Le conducteur soupira. Où était cette femme?

Peut-être s'était-elle enfuie.

Si c'était le cas, où avait-elle pu aller?

Des doigts impatients pianotaient nerveusement sur le volant. Où une femme comme Jude McDermott irait-elle se cacher si elle se sentait en danger?

Elle était sûrement consciente du danger; elle devait savoir que l'affaire du van n'était pas un accident...

22 h 20, mais toujours aucun signe de vie.

Elle était peut-être avec la fille. Jude avait été la cible originelle – après tout, c'était *elle* qui détenait l'information – mais la fille offrait une trop belle opportunité.

Le but était d'éliminer ceux qui savaient.

Simon Keller savait, mais il pouvait peut-être encore servir un moment.

Jude savait : l'enregistrement l'avait révélé, en même temps que son nom.

Peut-être que si l'on visait la fille, la mère se mettrait à découvert.

Or une proie à découvert, comme chacun sait, est beaucoup plus facile à capturer…

# 21

En descendant prendre son petit déjeuner, le lendemain matin, Dina trouva son téléphone portable là où elle l'avait laissé la veille, sur la table de l'entrée. « UN APPEL EN ABSENCE », annonçait l'écran. Tout en entrant dans la salle à manger, elle écouta le message de Polly, un sourire aux lèvres.

— Tu as l'air contente, remarqua Betsy en la rejoignant à table.

— Je le *suis*, rectifia Dina en souriant. Je viens d'avoir un message de Polly : trois clients potentiels attendent que je les contacte. Une nouvelle propriété et deux rénovations, mon travail préféré.

— Quel travail ? demanda Jude en entrant dans la pièce.

— Polly m'a dit qu'au moins deux clients potentiels pour des rénovations étaient passés à la boutique.

— Oh, de quelles propriétés s'agit-il ? On les connaît ?

— L'une est la maison rouge à la sortie de la ville. Polly ignore où se trouve l'autre. Mais plusieurs endroits sont à vendre en ce moment autour de Henderson : ça peut être la maison Otis, la ferme Franklin...

Dina s'arrêta pour réfléchir.

— Il y a aussi cette maison sur Keansey Road...

— Eh bien, espérons que ces futurs clients voudront bien attendre.

— Attendre quoi ?

— Que tu puisses retourner à Henderson en toute sécurité.

— Je n'irai pas en ville, j'irai juste m'occuper de ces affaires et je reviendrai.

— Tu devrais peut-être y aller avec Simon, insista Jude.

— Simon a ses propres obligations. Si ces gens veulent sérieusement acheter, il ne serait pas correct de les faire attendre : la vente pourrait leur passer sous le nez. Et puis je ne peux pas me permettre d'ignorer d'éventuels clients.

— Je ne vois pas d'inconvénient à ça, approuva Betsy.

— Il n'y en a sans doute pas, concéda Jude. Tant que personne ne sait où tu vas.

— Personne ne le saura ; je ne le dirai même pas à Polly, promit Dina, gonflée d'un regain d'énergie. J'appellerai les clients après le petit déjeuner et verrai quelles sont leurs disponibilités.

— Si tu peux repousser jusqu'à la semaine prochaine, ce serait mieux. D'ici là tout sera peut-être réglé.

— Mais les clients se seront adressés à un autre paysagiste. Ça fait longtemps que je n'ai pas décroché une rénovation totale, et Garden Gates a besoin de contrats de ce type pour survivre. Et puis, pour être tout à fait franche, j'aspire à un certain retour à la normalité dans ma vie.

— Nous éprouvons la même chose, Jude et moi, confia Betsy. D'ailleurs nous avons prévu une petite virée au Farmers Market ce matin, tu viens avec nous ?

— Non, je préfère essayer de joindre les Fields et les Dillon le plus vite possible. Mais amusez-vous bien, lança-t-elle en souriant à ses compagnes.

— Tu m'attends, Betsy ? dit Jude. Je monte juste chercher ma veste…

— Prends la mienne, proposa Dina. Elle est dans l'entrée.

Leurs rapports semblaient infiniment plus cordiaux ce matin… Pas trop tôt, songeait Dina en regardant le van de Betsy disparaître au loin ; elle avait eu plus que sa dose de leurs prises de bec.

Dina dut laisser un message sur le répondeur de Mme Fields, mais Mme Dillon décrocha au bout de la troisième sonnerie. Au terme d'une conversation des plus cordiales, elle donna à Dina l'adresse de la propriété que son mari et elle avaient l'intention d'acquérir.

— 11 heures ce matin, ça vous va ? demanda-t-elle.

Dina regarda l'horloge : 10 h 09.

— Je pense pouvoir y être.

— Magnifique ; nous vous attendrons sur place.

Dina appela ensuite Simon, mais tomba encore sur un répondeur et laissa un message :

— J'ai un contrat important en vue – la restauration d'un jardin aux alentours de Henderson. Je rencontre les clients potentiels ce matin – prions pour que tout se passe bien avec cette chère Mme Dillon – et je rentre aussitôt après chez Betsy, promis. J'espère vous voir bientôt.

Elle resta silencieuse quelques secondes avant d'ajouter dans un murmure :

— Je crois que vous me manquez, Simon.

Ce fut au moment de dire au revoir à Mme Brady que Dina réalisa que ses clés de voiture étaient dans la poche de sa veste, celle qu'elle avait prêtée à Jude.

— … je devrais être de retour vers… mince ! Je n'ai pas de voiture.

— Pardon ?

— Mes clés sont dans la poche de la veste que ma mère a emportée.

— Vous pouvez peut-être prendre une des voitures de Mlle Pierce, suggéra Mme Brady, je ne pense pas qu'elle s'y opposerait. Elle a une BMW, une camionnette et deux Jeeps, que les palefreniers conduisent régulièrement. Prenez donc une des jeeps… Justement, voilà Eric. Il sait où sont les clés.

— Si vous êtes sûre que Betsy serait d'accord…

— Si elle laisse ses employés les conduire…

— Eric ! appela Dina par la porte donnant sur la cour, alors que le palefrenier se dirigeait vers l'écurie. Je voudrais prendre l'une des jeeps pour quelques heures, et Mme Brady m'a dit que vous saviez où sont rangées les clés.

— Pas de problème, répondit-il en lui faisant signe de le suivre dans le garage.

— Prenez la rouge, conseilla-t-il en cherchant la clé, c'est la plus récente. Vous savez manier un levier de vitesse ?

— Ça m'est arrivé, oui.

— Les papiers sont dans la boîte à gants. Vous voulez que je vous la sorte ?

— Je vais me débrouiller, merci.

Dina grimpa dans la jeep et prit le temps de se familiariser avec son tableau de bord. Elle n'avait jamais conduit de Wrangler, mais souvent pensé que ce devait être un plaisir.

C'en était un. Même sur la I-95, avec les bâches latérales relevées, la jeep tenait remarquablement bien la route ; le voyage jusqu'au Maryland fut rapide et agréable.

La propriété qu'elle cherchait se trouvait à quatre bons kilomètres de Henderson, mais Dina connaissait bien le secteur. il y avait une pancarte À VENDRE au bord de la route, lui avait indiqué Mme Dillon, mais pour atteindre la maison il fallait continuer jusqu'à l'étang, deux cents mètres plus loin. Une fois arrivée là, elle trouverait un chemin de terre, qu'elle emprunterait pendant une trentaine de mètres avant de tourner à droite. Après avoir dépassé une zone boisée, elle verrait la vieille ferme et un certain nombre d'autres bâtiments.

Dina suivit les instructions de sa cliente, guidant la jeep avec précaution sur le chemin semé d'ornières. Goudronner et débroussailler cette petite route devrait être une des priorités des futurs propriétaires, remarqua-t-elle en se demandant combien de temps les lieux étaient restés inoccupés.

Plusieurs années, si l'on considérait l'état de la ferme...

Le vieux bâtiment aux fenêtres condamnées par des planches arborait une véranda à moitié affaissée. Un bosquet de lilas y poussait, grimpant jusqu'au deuxième étage. Derrière la maison se trouvaient plusieurs dépendances – du moins ce qu'il en restait – et des pâturages délimités par des fils de fer barbelés. Une décapotable noire était garée près de la grange. Dina s'arrêta à côté.

Deux chatons blanc et noir jouaient autour d'un pneu de camion abandonné. Ils filèrent se cacher à l'intérieur quand Dina sortit de la voiture.

— Il y a quelqu'un ? appela-t-elle.

Sa voix alla se perdre dans l'étendue des champs.

— Madame Dillon ?

Pas de réponse.

Peut-être se trouvaient-ils dans la maison... Mais les portes étaient fermées. Dans la grange, alors ? Un coup d'œil à l'intérieur lui indiqua qu'elle était vide ; seul un gros chat noir était tapi près d'une moissonneuse-batteuse rouillée, juste à côté de la porte.

— Petit, petit ! murmura-t-elle.

Le chat remua la queue mais n'approcha pas.

— Viens, je ne te ferai pas de mal.

Le chat se dressa contre le volant cassé.

— Tu n'es pas un chat vraiment sauvage, n'est-ce pas ? dit-elle en tendant une main vers lui. Tu t'es enfui ? Ou quelqu'un t'a abandonné ici ?

Le chat pointa la tête et permit à Dina de le caresser.

— Ce sont tes bébés, là-bas ? Ils sont mignons, et toi aussi tu es mignon, tu sais ?

Le chat ronronnait en se frottant contre sa main.

Le grincement de la porte d'une des plus petites dépendances attira l'attention de Dina.

— Viens, le chat, on va jeter un œil.

Dina gagna la remise et poussa la porte.

— Madame Dillon… ?

Elle eut juste le temps d'entendre couiner la porte ; une masse s'était abattue sur son crâne pour l'expédier dans les ténèbres.

Dina se réveilla face contre terre, les bras maintenus dans le dos par des cordes qui lui sciaient les poignets, et la tête affreusement meurtrie. Elle mit plusieurs minutes à se rappeler où elle se trouvait et ce qui s'était passé. Se démenant pour rouler sur le dos, elle regarda le petit espace où elle était retenue prisonnière, éclairé par une unique fenêtre crasseuse à la vitre brisée. Depuis l'extérieur, un long faisceau lumineux se projeta contre le mur. Des phares, supposa-t-elle.

Les étagères qui s'alignaient sur les deux côtés de la pièce indiquaient que la petite remise avait autrefois fait office de poulailler. De fines couches de paille, grignotées par les rongeurs, les tapissaient, et quelques grains de maïs oubliés y étaient éparpillés. L'endroit sentait la terre humide et le bois pourri. Quelque part près de la fenêtre, quelque chose bourdonnait bruyamment, et Dina entendait la paille bruisser sur l'étagère la plus éloignée.

La jeune femme grimaça. Elle n'avait absolument pas envie de savoir ce qui pouvait produire ce bruissement.

Au prix de maints efforts, elle se mit en position assise et s'adossa contre le mur, considérant les options qui s'offraient à elle.

— Merde, murmura-t-elle quand elle réalisa qu'elle n'en avait aucune.

— Êtes-vous bien installée ? souffla une voix dans l'obscurité.

Dina se tendit. Elle n'avait pas entendu de bruits de pas après avoir vu la lumière des phares, pourtant ce n'était pas faute d'avoir tendu l'oreille.

— Pas spécialement.

— Bien.

La voix était profonde et rauque, comme au téléphone.

— Laissez-moi deviner. Vous êtes madame Dillon, c'est ça ?

— Je ne m'appelle pas Dillon.

— Quelle surprise !

— Vous habituez-vous à votre nouveau logement ?

Dina ne répondit pas. Scrutant la pièce obscure et crasseuse qui lui servait de prison, elle refoula un mouvement de panique.

— Naturellement, vous n'êtes pas obligée de rester ici, vous savez.

— Et vous allez me dire ce que je dois faire pour partir, pas vrai ?

— Vous n'avez qu'à me dire où trouver Jude.

— Bien sûr. Je vous dis où trouver Jude, et puis vous me détachez et ouvrez la porte. Juste après m'avoir tranché la gorge.

Dina s'interrompit, refusant que l'autre entende sa voix trembler de peur.

— Ou bien vous m'allongerez sur la route pour pouvoir me passer dessus deux fois, puisque ça semble être votre passe-temps favori.

— Peut-être que demain, après avoir passé une nuit ici, vous aurez quelque chose de plus intelligent à me dire.

Il y eut un bruit bizarre, comme si on projetait du gravier à travers la vitre brisée.

— Qu'est-ce que c'était ? demanda Dina avec méfiance.

— Du maïs, répondit la voix.

— Du maïs ?

Dina fronça les sourcils. *Du maïs ?*

— Je veux m'assurer que vous ayez de la compagnie cette nuit.

La compagnie ne tarda pas à se manifester. Dina entendit le léger bruissement s'accentuer.

— Oh, mon Dieu, pas les souris... Je déteste les souris...

Frissonnant, elle se recroquevilla contre le mur, cherchant à endiguer l'angoisse qui commençait à monter lentement, mais sûrement, en elle.

Il lui restait un dernier espoir : qu'il ne s'agisse que de souris.


## 22


Simon avait passé plus de temps que prévu à Virginia Beach, étant arrivé au domicile de Conrad Fritz pour apprendre que ce dernier était parti à l'aube et ne reviendrait que le soir.

Malheureusement, Fritz n'apporta pas plus d'eau à son moulin que ne l'avait fait Stinson.

Il avait admis avoir été au courant de la liaison de Hayward avec Blythe. Et du désir d'Hayward de ne pas renouveler son mandat. Mais d'après ses dires, *il* avait été celui qui l'en avait dissuadé.

— Je lui ai dit : « Graham, vous êtes un fichu imbécile. Cette femme sera encore là à la fin de votre deuxième mandat. À ce moment-là, vous pourrez faire tout ce que vous voulez avec elle, et dans quelques années plus personne ne s'en souciera. Mais laissez-moi vous dire tout de suite qu'il n'est pas question que vous détruisiez la carrière de ceux qui vous ont porté là où vous êtes. Alors oubliez cette idée stupide, parce que la seule façon de quitter votre bureau avant la fin de votre mandat sera de le faire les pieds devant. Et je peux vous arranger ça, s'il le faut. » Je l'aurais fait, par Dieu, s'il avait fallu en arriver là.

Conrad Fritz avait mâchouillé le bout de son cigare, puis l'avait tapoté de ses doigts grassouillets pour en faire tomber la cendre.

— Heureusement pour tout le monde, on n'en est jamais arrivé à cette extrémité. Graham s'est ressaisi ; tout était pour le mieux. Bien sûr la fille est morte entre-temps, ce qui tend à démontrer qu'on ne doit jamais bâtir sa vie autour de quelqu'un d'autre, si vous me suivez.

— Graham a-t-il changé d'avis avant ou après la mort de Blythe ?

— Oui, Blythe, c'est ça. Un beau brin de fille, je dois dire. Il a changé d'avis avant sa mort. Je m'en souviens parce qu'il m'a dit qu'il lui en avait parlé et qu'elle l'approuvait. Ensuite elle a quitté la ville un bon moment. J'ai même cru que leur histoire était terminée. Et puis voilà qu'elle réapparaît avec Kendall à la grande réception de Noël organisée par la Maison-Blanche. Je me suis dit que Graham l'avait éloignée pour éviter que la presse ne découvre son existence.

Fritz fit une pause avant de demander :

— Vous n'allez pas parler de ça dans votre livre, n'est-ce pas ?

— Non. Je ne vais pas en parler.

— Bien. Parce que le jeune Hayward étant sur le point d'annoncer sa candidature, ça ne ferait pas bon effet. Même après toutes ces années, ça ne ferait pas bon effet. Il ne faut pas jeter de l'ombre sur le candidat, si vous me suivez.

— Je vous suis parfaitement, acquiesça Simon. Je n'écrirai rien là-dessus…

*Du moins pas tout de suite.*

Simon soupira lourdement. Cette histoire restait la plus importante de sa carrière ; tous ses instincts de journaliste lui soufflaient que s'il résolvait le mystère de l'assassinat de Blythe, il tiendrait l'histoire de sa vie. Mais pour l'instant, il ne savait pas exactement ce qu'il allait faire de ce scoop monumental.

Parce que, en dépit de ce qu'une telle affaire pourrait apporter à sa carrière, il y avait une chose qu'il n'avait pas prévue en commençant ses investigations ; il n'avait pas prévu Dina.

Et c'était pour elle, commençait-il à réaliser, qu'il continuait à chercher la vérité. Uniquement pour elle.

À quel moment avait-il pris ce tournant, oubliant presque Blythe pour ne plus se consacrer qu'à Dina ?

Simon était prêt à affronter les démons de l'enfer pour protéger Dina. Maintenant et toujours. S'il avait une seule certitude aujourd'hui, c'était bien celle-là.

Il appuya sur l'accélérateur tandis qu'il approchait du Maryland. Comme il était trop tard pour rendre visite au professeur Norton, il décida de rentrer d'abord chez lui, de prendre quelques heures de repos, une douche, de se changer, puis de se pointer chez Philip Norton dès le matin pour lui raconter ce qu'il avait appris et ce qu'il suspectait ; il verrait bien si son ancien mentor avait ou non des idées sur la question.

Simon avait d'ores et déjà quasiment éliminé le mobile politique en ce qui concernait le meurtre de

Blythe. Stinson et Fritz avaient tous les deux affirmé que le président Hayward avait décidé de renouveler son mandat *avant* la disparition de celle-ci. D'un point de vue politique, la jeune maîtresse de Hayward ne représentait plus aucun danger dès lors que ce dernier accomplissait son devoir.

Par conséquent, il fallait peut-être commencer à chercher du côté de l'entourage proche : la famille Hayward. Et si, comme Simon le subodorait, un membre du clan Hayward était derrière la mort de Blythe, il devrait rapidement circonscrire ce champ d'investigation.

La vie de Dina pourrait bien en dépendre.

Dina appuya sa tête contre le mur en essayant de se calmer suffisamment pour réfléchir à un moyen de se sortir de ce trou. Dehors, les créatures nocturnes vaquaient à leurs occupations nocturnes, émettant leurs habituels bruits nocturnes. Depuis un endroit qui lui sembla très proche, Dina entendit une chouette pousser un cri strident puis, un instant plus tard, le gémissement de sa proie. Elle pressa son dos contre le mur et se mordit la lèvre inférieure pour se retenir de hurler. Elle était pratiquement sûre que sa ravisseuse était partie, mais au cas où elle guetterait dehors, Dina ne voulait pas lui donner la satisfaction de savoir à quel point elle était effrayée.

Siffler dans l'obscurité, lui aurait conseillé Jude.

Dina essaya, mais ses lèvres tremblaient trop.

Elle avait repoussé des pieds autant de grains de maïs qu'elle avait pu. De l'angle opposé de la pièce s'élevaient maintenant les bruits d'une activité accrue, et elle commençait à distinguer des ombres qui se déplaçaient dans cette direction – rien de distinct, heureusement. Tant qu'elle ne voyait que des ombres, elle pouvait se convaincre qu'il s'agissait de tout autre chose. Des chatons, par exemple, jouant à se sauter dessus... et non des rongeurs affamés en quête de nourriture.

Quelque chose frôla son pied, qu'elle frappa du talon. Le coup engendra une agitation désordonnée, puis le silence revint ; mais le bruit provenant des étagères de l'autre côté de la pièce recommença. Quelques instants plus tard, quelque chose grimpa sur son mollet ; elle frissonna, révulsée.

Dina se recroquevilla le plus possible et pria pour qu'aucune autre bestiole ne décidât de l'escalader. Elle aurait donné n'importe quoi pour ce couteau suisse qui pendait à la chaîne de son porte-clés... Ce même porte-clés auquel elle avait accroché les clés de la jeep de Betsy et qu'elle avait si négligemment jeté dans son sac – avec son portable –, avant de laisser le tout sur le siège passager.

Jude disait toujours qu'on pouvait surmonter n'importe quoi tant qu'on gardait son sens de l'humour, mais une telle morale était incroyablement difficile à respecter, dans les conditions actuelles.

Il n'y avait tout simplement rien de drôle à être enfermée dans une petite pièce sale où l'on manquait d'air, un cagibi minuscule peuplé de répugnantes et hostiles créatures poilues.

Il y eut une autre série de mouvements en direction du maïs, et Dina s'apprêtait à frapper le sol de ses talons quand l'agitation s'arrêta aussi soudainement qu'elle avait commencé. La jeune femme se recroquevilla de nouveau, le front posé sur ses genoux – position des plus inconfortables quand on a les mains attachées derrière le dos –, et essaya de se convaincre qu'elle était en train de rêver.

*Peut-être qu'au matin je me réveillerai dans mon lit, et que rien de tout ça ne sera vrai. Juste un cauchemar. Jude sera toujours ma mère et personne n'aura jamais entendu parler de Blythe Pierce.*

Il lui vint à l'esprit qu'elle n'avait pas demandé à Betsy où Blythe était enterrée.

Si je sors d'ici, j'irai sur sa tombe. Et un jour, si j'en ai le courage, j'irai peut-être aussi sur la tombe de Graham Hayward.

*Si je sors jamais d'ici...*

Le matin fut long à venir.

Dehors, le chant des oiseaux avait devancé l'aube depuis longtemps. Dina surveillait la fenêtre, se demandant quelle heure il était et espérant que le soleil se lèverait bientôt pour qu'elle puisse enfin dormir un peu. Elle n'avait pas pu fermer l'œil de la nuit, la « compagnie » étant ce qu'elle était.

Elle s'était tenue éveillée en chantonnant des airs du dernier CD de Sheryl Crow, qu'elle avait acheté une semaine auparavant, alors que tout allait pour le mieux dans le meilleur des mondes. Sa gorge était desséchée. Il y avait une bouteille d'eau dans son sac, avec son couteau suisse et son téléphone portable...

L'ironie de la situation lui arracha un soupir. Elle avait prévu l'essentiel, comme à chaque fois qu'elle faisait un déplacement – mais cet essentiel, malheureusement, était hors de portée.

Pour la énième fois, elle se demanda qui l'avait piégée et pria pour que Jude soit saine et sauve.

Jude McDermott était une cible si improbable pour une telle intrigue... Une petite bibliothécaire de campagne, bénévole dans plusieurs associations, payant ses impôts rubis sur l'ongle, en temps et en heure. Membre assidu de l'église de Henderson.

Qui se retrouvait aujourd'hui traquée parce qu'elle avait pris sous son aile l'enfant de son amie et l'avait élevée comme sa propre fille...

Dina repoussa un brusque accès de panique. La panique, se rappela-t-elle sévèrement, était la dernière chose qu'elle pouvait se permettre. Si elle devait sortir d'ici vivante, elle avait besoin de tous ses esprits.

C'est ça… Comme si elle avait un plan… gémit-elle misérablement.

Refusant de céder au désespoir, Dina se mordit l'intérieur de la joue et regarda par la fenêtre le ciel bleu qui commençait à émerger.

De temps en temps elle appelait de toutes ses forces, mais il n'y avait personne pour l'entendre.

— Merde !

Elle frappa encore le sol de ses talons, seul moyen dont elle disposait pour exprimer sa rage et sa frustration.

Comment les héros de films s'échappaient-ils de ces caves obscures où les méchants les avaient enfermés, les mains attachées dans le dos ?

Oh, ils avaient toujours quelque chose dans leurs poches qui faisait l'affaire. Ou bien ils trouvaient un objet brillant, un bout de miroir qu'ils utilisaient pour envoyer un SOS par la fenêtre avec l'aide de l'unique rai de lumière pénétrant dans la pièce.

Dina regarda la fenêtre brisée.

Fenêtre brisée. Verre brisé… Comment n'y avait-elle pas pensé plus tôt ?

Elle entreprit la fastidieuse tâche de se traîner au sol jusqu'au côté opposé de la petite pièce. Se retournant, dos au mur, elle força ses doigts engourdis à fouiller la paille à la recherche d'un morceau de verre.

— Trop petit, murmura-t-elle en rejetant un tesson pointu. Voyons ce qu'il y a d'autre… Aïe !

Une pointe s'était fichée dans la paume de sa main, l'obligeant à se contorsionner pour l'extraire avant de poursuivre sa recherche.

Le bout de verre qu'il lui fallait devait être assez long pour lui permettre d'atteindre les cordes qui retenaient ses poignets.

Il lui fallut plus d'une heure pour le trouver.

— Merci, merci, souffla-t-elle, alors que le sang coulant de ses doigts rendait le verre trop glissant et difficile à manipuler.

Elle tira le bas de son tee-shirt, épongeant le sang pour que le bout de verre ne lui échappât plus des mains.

Dina savait que, tôt ou tard, sa ravisseuse reviendrait. Elle voulait être prête.

# 23

Avant de partir pour Georgetown, Simon écouta une dernière fois le message que Dina avait laissé sur son répondeur pendant qu'il était sous la douche, juste pour le plaisir de l'entendre prononcer son nom. Il avait essayé de la rappeler, mais avait dû se contenter de sa messagerie. Il aurait préféré qu'elle se tienne encore un peu tranquille, mais en même temps il était content pour elle. Tant qu'elle serait prudente – et il ne doutait pas qu'elle le serait – tout irait bien.

Pendant le trajet qui le conduisait chez Norton, Simon eut le temps de passer en revue sa courte liste de suspects et de mobiles. Quand il parvint à destination, il avait élaboré tous les scénarios les plus probables.

— Ni Stinson ni Fritz ne sont impliqués dans le meurtre de Blythe ni encore moins dans l'agression de Dina, dit-il à Norton quand ce dernier l'eut fait entrer. Ils parlent de cette histoire comme d'une affaire ancienne à laquelle ils ne pensaient même plus. Mais il y a quelqu'un pour qui tout ça est encore d'actualité ; voilà pourquoi je pense que le mobile du meurtre n'est pas politique, mais personnel.

Simon s'assit à la table où Norton prenait son petit déjeuner, attendant une réaction. Elle fut longue à venir.

— Pourquoi venir me parler de ça, Simon, alors que vous m'avez clairement signifié que vous ne me faisiez plus confiance ? demanda-t-il finalement.

— Philip, je m'excuse d'avoir prononcé certaines paroles, déclara Simon, qui n'était pas du genre à s'obstiner quand il avait tort. J'étais hors de moi.

— Parce que vous pensiez que je vous manipulais.

— Oui.

— Me croyez-vous si je vous dis que mon seul souci était de protéger Dina, et non la réputation de son père ? Et que je comptais sur vous pour le comprendre ?

— Je vous crois, maintenant. Je suis désolé d'avoir douté de vous, de vous avoir offensé.

— Dans ce cas, j'accepte vos excuses.

— J'en suis heureux, dit Simon avec un petit sourire.

— Maintenant, poursuivez, l'invita Philip.

— Supposons que j'aie raison de penser que le mobile est personnel : personne n'aurait pu prendre la liaison de Hayward plus personnellement qu'un membre de sa famille. J'espérais que vous pourriez m'aider à réduire le nombre des suspects…

— Ça ne peut pas être Gray. Autant que je me souvienne, il n'est rentré à Washington qu'une semaine après la mort de Blythe. Je m'en rappelle parce qu'il m'a demandé à plusieurs occasions si je savais ce que son père avait.

Philip s'interrompit, comme s'il revoyait la scène.

— Évidemment, j'ai répondu que non.

— Restent Sarah et Celeste.

Norton se leva et commença à arpenter la pièce, sa pipe éteinte dans la main, le regard lointain. Simon se demanda où ses pensées l'avaient emmené.

— Une idée, Philip ? dit-il, dans l'espoir de le ramener au présent.

— Poursuivez votre hypothèse, répliqua Norton.

— Quand j'ai interviewé Celeste Hayward, je lui ai apporté un jeu de photos que j'avais trouvé dans les documents que vous m'aviez envoyés. J'y avais glissé la photo de Blythe que j'avais... *empruntée*... à Betsy Pierce. Quand Celeste l'a vue, je l'ai bien observée. Je peux vous assurer qu'elle savait manifestement que cette jeune et très jolie femme avait été la maîtresse de son mari.

— Je ne peux pas imaginer Celeste en train de commettre un meurtre. Je ne doute pas qu'elle ait souhaité la mort de Blythe des milliers de fois, mais je ne peux pas croire qu'elle soit passée à l'acte. Ç'aurait été au-dessus de ses forces.

Philip s'interrompit pour allumer sa pipe.

— Et les risques étaient trop grands. Imaginez qu'elle se soit fait prendre.

— Aurait-elle pu engager quelqu'un pour le faire à sa place ?

Norton secoua la tête.

— Encore une fois, je pense que les risques auraient été trop grands. La connaissant, je doute qu'elle aurait fait quelque chose d'aussi téméraire.

— Mais c'était la première fois qu'elle était confrontée à une telle situation, non ? Supposons que Graham lui ait parlé de son intention de divorcer et d'épouser sa maîtresse. N'aurait-ce pas été suffisant pour provoquer chez elle une réaction inhabituelle ? N'aurait-ce pas été suffisant pour la faire complètement disjoncter ?

— Graham a effectivement tout avoué à sa femme. Je ne sais pas si elle était au courant pour Dina, mais elle savait que son époux envisageait de divorcer.

— J'ai cru comprendre que, pour cette femme, rien ne comptait plus que sa position...

Simon s'interrompit, songeur, avant d'ajouter :

— Tout comme être la fille du président représentait tout pour Sarah.

Les regards des deux hommes se croisèrent.

— Quel âge avait Sarah cette année-là ? demanda Simon.

— Quinze ou seize ans.

— En âge de conduire ?

— Miles le lui avait appris, acquiesça Norton en hochant lentement la tête.

— Avait-elle facilement accès à une voiture ?

— Une de ses camarades de classe prêtait sa voiture à qui voulait bien mettre de l'essence dedans. Sarah filait avec de temps en temps, ce qui rendait dingues les services secrets, d'ailleurs ; ils se sont plusieurs fois plaints auprès de son père.

— Comment échappait-elle à leur vigilance ?

— En portant une perruque, ou en faisant porter ses vêtements par une camarade pour que les agents suivent celle-ci plutôt qu'elle-même. Ou bien elle s'enfuyait par la fenêtre. Ses amies n'étaient pas en reste pour l'aider à duper les services secrets, c'était un jeu de choix pour ces adolescentes en mal d'aventures.

— Il y a bien dû avoir des traces sur la voiture, sûrement du sang, dit pensivement Simon. Comment aurait-elle pu l'expliquer ?

— J'imagine qu'elle l'aurait tout simplement emmenée au lavage automatique.

— Difficile à cette heure de la nuit.

Simon, qui ne tenait plus en place, se mit à arpenter la pièce d'un pas nerveux.

— Et cette camarade qui lui prêtait habituellement un véhicule… connaissez-vous son identité ?

— Oui, c'est Caroline Decker.

— La sœur de Julian ? La belle-sœur de Sarah ? Philip hocha la tête.

— C'était un break Chevrolet qui avait appartenu à la grand-mère de Carolyn.

— Pouvons-nous contacter Carolyn ? Pensez-vous qu'elle se souviendra de l'état de la voiture ce jour-là ?

— J'ai le numéro de son père quelque part – sa mère est morte il y a quelques années... marmonna Philip en quittant la pièce.

Il revint quelques minutes plus tard avec un petit carnet d'adresses vert olive.

— Nous sommes parvenus à la conclusion que renverser délibérément une femme telle que Blythe était un acte téméraire, récapitula Simon tandis que Philip parcourait son répertoire. Sarah Hayward était-elle une adolescente téméraire ?

— Sarah était une jeune fille très instable. Vous ignorez manifestement qu'elle a passé plusieurs années de sa jeunesse sous neuroleptiques ; elle a même séjourné un an dans un institut psychiatrique.

— Quoi ? À quelle époque ?

— La dernière année de lycée.

— Attendez... Sarah m'a dit qu'elle avait pris une année sabbatique pour voyager avec ses parents.

— Ça, c'est la version officielle. En réalité, elle a passé un an dans une institution spécialisée en Suisse. Sarah était vraiment une enfant très perturbée, Simon.

— Pourquoi ne m'en avez-vous pas parlé plus tôt ?

— Franchement, il ne m'est jamais venu à l'esprit que Sarah pût être derrière tout ça. Jamais.

— Elle aurait pu se servir de la voiture de son amie, murmura Simon. Mais cela implique qu'elle devait être au courant pour Blythe. Son père – ou sa mère – auraient-ils pu lui parler de cette liaison ?

— Vu son état de santé mentale, ils n'auraient jamais fait ça.

— Alors comment aurait-elle pu l'apprendre ?

— Je ne sais pas.

— Qui s'est débrouillé pour que l'enquête sur l'accident s'arrête ?

— Miles. Il pensait qu'une enquête sur Blythe conduirait automatiquement à Dina, et que celui ou ceux qui avaient assassiné Blythe pourraient aussi vouloir éliminer sa fille. Graham s'est rallié à son raisonnement – aussi dur que cela fût pour lui de laisser le meurtrier de Blythe impuni – et a ordonné qu'on stoppe l'enquête. Rien ne comptait plus pour lui désormais que la sécurité de Dina.

— Miles… réfléchit tout haut Simon. Miles, qui est mystérieusement mort de «causes naturelles» quelques heures après m'avoir révélé l'existence de Dina.

— Simon, à quoi pensez-vous ?

— Quand Sarah est-elle partie en Suisse ?

— Plusieurs semaines après la mort de Blythe, Sarah a connu un grave épisode dépressif; ses médecins ont jugé qu'un traitement intensif était nécessaire. Elle devait partir hors du pays pour se protéger de la curiosité de la presse. Je me souviens du déchirement de Graham : il venait à peine de perdre Blythe et voilà qu'il devait laisser Sarah s'éloigner. Ce fut un moment très dur pour lui.

— Mais il n'a jamais soupçonné sa fille ?

— D'avoir tué sa maîtresse ? Oh non, Graham n'aurait jamais cru que sa Sarah fût capable d'une telle barbarie.

Norton secoua la tête.

— Il a rendu son dernier souffle sans savoir qui était responsable de la mort de Blythe.

— Nous devons confirmer les dates avec l'école de Sarah…

— Vous n'aurez jamais accès aux archives de Beaumont : ils sont très protecteurs en ce qui concerne Sarah. Comme il se doit.

— Alors nous essaierons de contacter un membre de cette clinique suisse…

— Vous ne trouverez aucun dossier au nom de Sarah Hayward.

— Elle était inscrite sous un pseudonyme, comprit Simon avec découragement.

— Évidemment. Sarah Dillon, je crois. Dillon était le nom de jeune fille de sa mère.

Simon leva brusquement la tête.

— Dillon… oh, non! C'est le nom de la cliente que Dina devait rencontrer aujourd'hui.

— Dieu tout-puissant…

Simon se précipita sur le téléphone et composa le numéro de Dina.

— Elle ne répond pas, souffla-t-il en regardant Philip. Dina, c'est Simon. Annulez immédiatement votre rendez-vous de ce matin. Philip Norton et moi suspectons Mme Dillon d'être la personne qui a essayé de vous renverser. Celle qui a tué Blythe. Dès que vous aurez ce message, rappelez-moi…

Il hésita.

— Donnez-lui mon numéro de portable, dit Philip en lui tendant une carte.

Simon déclina le numéro pour Dina.

— Soyez prudente, ma chérie, dit-il avant de raccrocher, puis de décrocher à nouveau le combiné. J'appelle Jude et Betsy – mince, encore un répondeur…

Simon laissa à peu près le même message, puis reposa le téléphone d'un geste rageur.

— Et maintenant? demanda Philip.

— Maintenant je prends la direction du nord. Si j'ai des nouvelles de Dina, je la rejoindrai là où elle se trouve. Sinon, j'irai jusqu'à Wild Springs.

— Je vous accompagne, décida Philip en empochant son portable. J'essaierai de joindre Betsy et Dina pendant le trajet. Et peut-être aussi Carolyn Decker.

Et s'ils avaient besoin de l'aide des forces spéciales, Norton y avait un ami qu'il pourrait appeler à la rescousse…

— Elle n'a toujours pas téléphoné.

Jude se tenait sur seuil de la porte quand Simon et Philip remontèrent l'allée.

— Nous n'avons pas eu de nouvelles de toute la journée.

— Je suppose que vous ne savez rien de cette cliente qu'elle devait rencontrer? demanda Simon, dans le vain espoir que cette Mme Dillon fût juste une cliente comme les autres.

— Seulement ce qu'elle en a dit ce matin : cette femme s'est présentée hier à la boutique ; elle et son mari avaient des vues sur une propriété située à l'extérieur de la ville, et voulaient une estimation pour la restauration des jardins.

Jude s'appuya contre le montant de la porte.

— Bonjour, Philip. Je suis désolée, je ne voulais pas vous ignorer…

— Ne vous excusez pas, Jude, il n'y a pas de problème. Je réserve mes « je suis content de vous revoir » pour de meilleures circonstances.

Norton s'avança et embrassa tendrement Jude sur la joue.

— J'avais oublié que vous vous connaissiez, remarqua Simon, avant de présenter Betsy

Norton lui tendit la main, exprimant tout le plaisir de lui être enfin présenté.

— Merci, dit-elle en les invitant à entrer. Avez-vous une idée de ce qui peut retenir Dina ?

— Nous n'avons pas arrêté d'envisager le pire tout en nous disant que nous n'étions que deux mères poules qui nous inquiétons pour rien, soupira Jude en prenant place dans un fauteuil.

— Il est encore tôt, remarqua Betsy en allant à la fenêtre. Peut-être devrions-nous lui laisser un peu plus de temps.

— Il est quand même 20 h 30, remarqua Simon en regardant sa montre.

276

— Ça n'est pas son genre, de ne pas faire signe. Elle ne va jamais nulle part sans son téléphone, déclara Jude, le front plissé d'inquiétude.

— On devrait appeler Polly pour voir ce qu'elle peut nous dire de cette Mme Dillon, suggéra Simon.

Il prit le téléphone sur la table et le tendit à Jude.

— Si vous voulez bien…

Jude composa le numéro de la maison de Polly et, quand cette dernière répondit, lui expliqua qu'elle passait le combiné à quelqu'un qui essayait de les aider à contacter Dina. Betsy se pencha en avant et pressa le bouton du haut-parleur.

— Polly, je m'appelle Simon Keller. Nous essayons de retrouver Dina, et vous êtes la dernière personne à lui avoir parlé aujourd'hui.

— Non, en fait, je ne lui ai pas parlé aujourd'hui. Je lui ai laissé un message hier après-midi.

Polly s'interrompit, puis demanda :

— Il est arrivé quelque chose à Dina ?

— Nous espérons que non. C'est sûrement une histoire de batterie de téléphone déchargée. Mais au cas où il y aurait autre chose, nous avons besoin de connaître l'endroit où elle est allée aujourd'hui. Nous savons qu'elle avait rendez-vous avec la cliente dont vous lui aviez parlé, Mme Dillon. Sauriez-vous où se trouve la propriété qu'elle souhaitait acheter ?

— Elle ne l'a pas dit. Je… je n'ai pas pensé à demander…

— Que pouvez-vous nous dire sur Mme Dillon ? Comment est-elle ?

— Oh, elle a entre quarante et cinquante ans, c'est difficile à dire. Elle est petite, blonde et bien habillée. Très séduisante. Elle est entrée et a insisté pour parler à Dina. Elle a laissé un numéro où elle pouvait la joindre…

Simon et Norton échangèrent un long regard.

— Auriez-vous ce numéro ? demanda Simon.

— Il doit être encore à la boutique. Vous voulez que j'aille voir ?

— Oui, ça nous aiderait beaucoup. Nous vous rappelons dans cinq minutes à la boutique.

Jude coupa la communication, puis regarda les deux hommes.

— Qui ? lança-t-elle d'un ton péremptoire.

— Cette Mme Dillon n'est pas vraiment une cliente, n'est-ce pas ? demanda doucement Betsy.

— Nous ne le pensons pas, dit Simon en lui prenant les mains.

— Est-ce la personne qui a essayé de tuer Dina ?

— C'est très possible.

— Savez-vous qui elle est ?

— Nous croyons le savoir.

— Qui ? répéta Jude, de plus en plus nerveuse.

— Sarah Decker, répondit Simon.

— Qui est Sarah Decker ? intervint Betsy, les sourcils froncés.

— Sarah *Hayward* Decker.

— La fille de Graham ? souffla Jude. La *fille* de Graham...

Norton hocha la tête.

— Comment le savez-vous ? demanda Jude, dont les jambes commençaient à trembler. Comment pouvez-vous en être si sûrs ?

Simon lui relata l'histoire.

— Elle a tué Blythe, et maintenant elle veut tuer Dina, résuma Betsy. On ne peut pas la laisser...

— Il faut appeler la police.

Jude tendit la main vers le téléphone.

— Ils... nous devons commencer à chercher Dina. Immédiatement...

— J'ai appelé chez Sarah, mais personne n'a répondu. J'ai ensuite téléphoné à sa mère, mais la gouvernante m'a dit que Celeste s'était rendue à Washington, chez son fils. Et quand j'ai essayé de contacter

Gray, on m'a dit que lui et Jen avaient emmené Celeste dîner dehors pour fêter son anniversaire.

— Sarah était-elle avec eux?

— Ils l'attendaient, mais elle n'est pas venue.

— J'appelle la police, décréta Jude en s'emparant du téléphone.

— Pour leur dire quoi, Jude? intervint Philip en lui prenant doucement le poignet.

— Que Dina a disparu et que nous pensons que Sarah Decker essaie de la tuer.

— C'est une accusation grave, Jude, quand on n'a aucune preuve, lui dit Simon.

— Vous devriez préparer soigneusement ce que vous direz à la police, lui conseilla Norton. Souvenez-vous que la presse...

— Je me moque de la presse. Je me moque de qui saura quoi. Tout ce qui m'importe, c'est la sécurité de Dina.

— Jude, croyez-moi, nous sommes tous soucieux de la sécurité de votre fille.

Simon se leva et vint prendre le téléphone des mains tremblantes de Jude.

— Mais chaque chose en son temps. Avant d'appeler qui que ce soit, nous devons rappeler Polly. Si elle a trouvé ce numéro, la police en aura besoin.

— Vous avez raison. En plus, elle attend depuis plus de cinq minutes; elle doit s'inquiéter.

Jude composa fébrilement le numéro de la boutique. La conversation fut brève.

— Polly n'arrive pas à mettre la main sur le bout de papier où était noté le numéro.

Jude respira un grand coup, espérant refouler la panique qui menaçait de la submerger.

— Elle rappellera si elle le retrouve. Elle va regarder dans la poubelle, mais elle n'est pas certaine que celle d'hier n'ait pas déjà été ramassée.

Norton s'avança vers Simon.

— J'ai besoin d'emprunter votre voiture pour aller chez Gray : je veux être sur place quand ils rentreront de leur soirée. J'ai quelques questions à poser à Celeste.

Il se tourna vers Jude.

— Jude, je sais ce que vous endurez, mais vous devez être très prudente sur ce que vous direz à la police. S'il y a un moyen de sortir de tout ça sans mettre au jour la vérité, je crois qu'il faudrait le trouver. Une fois que le scandale sur Dina aura éclaté, il n'y aura pas de retour en arrière possible. Sa vie ne sera plus jamais la même.

— À supposer qu'elle soit toujours en vie quand ils la retrouveront, lui renvoya Jude.

— Si je puis me permettre, je suis d'accord avec Philip, intervint Betsy. On ne devrait rien révéler que Dina refuserait de voir rendu public, à moins d'y être forcés ; c'est à elle qu'appartient cette décision. Imaginez qu'on se trompe et que Dina soit juste retardée. Comment croyez-vous qu'elle réagira si nous avons appelé la police et leur avons tout raconté ?

— Crois-tu vraiment que Dina est juste retardée ? lui lança Jude.

— Non. Non, je ne le crois pas, Jude. Mais il faut envisager cette possibilité tant que nous n'avons rien de concret.

— Jude, pouvez-vous appeler la police de Henderson et seulement leur expliquer que Dina est partie à un rendez-vous professionnel ce matin et qu'on n'a aucune nouvelle d'elle depuis ? demanda Simon. Voir ce qu'ils suggèrent ?

— Oui. Je vais aussi appeler Linda Best ; c'est un agent immobilier. Elle pourra nous dresser une liste de toutes les propriétés à vendre dans le secteur.

— Allez-y, dit Simon en désignant le téléphone. Betsy, nous avons besoin d'une description de la voiture que Dina conduisait. Le numéro de plaque…

— Je vais vous chercher ça.

Betsy se dirigea vers le hall.

— Simon, je peux prendre votre voiture… ?

Simon lui lança ses clés.

Avant de sortir de la pièce, Philip se retourna.

— Je pense comme Jude qu'il faut que les forces de l'ordre interviennent. J'aimerais contacter un vieil ami du FBI. Je peux vous assurer que ses hommes peuvent être très discrets.

— Vous avez raison, appelez-le, approuva Simon.

— C'est comme si c'était fait.

Norton quittait le salon au moment où Betsy revenait.

— Voilà les informations sur la jeep que Dina a prise ce matin.

— J'ai eu mon amie agent immobilier au bout du fil, annonça Jude. Elle va faxer la liste des propriétés au poste de police. J'ai aussi parlé à Tom Burton, officier de la police de Henderson : il va mettre ses patrouilles à la recherche de la jeep de Dina, même s'il pense qu'elle doit être quelque part en train de boire des bières avec des amis. Il a également suggéré qu'elle pouvait s'être arrêtée pour dîner avec l'un de ses clients. C'est une possibilité, non, Simon ?

Les yeux de Jude l'imploraient. Elle voulait tellement croire que Dina était hors de danger, qu'il y avait une explication logique à son silence… Que Mme Dillon était une cliente comme une autre. Que dans quelques instants Dina passerait la porte, ennuyée que son téléphone ne fonctionnât plus mais se lançant déjà dans une description animée de sa journée.

— Je ne crois pas, Jude.

— Je ne peux pas la perdre, Simon, c'est ma petite fille, je n'ai qu'elle au monde, souffla Jude, désespérée.

— *Nous* ne pouvons pas la perdre, précisa sombrement Betsy.

— Nous sommes tous d'accord là-dessus, dit Simon d'un ton énergique. Nous n'allons pas la perdre.

Il se tourna vers Betsy.

— Y a-t-il un véhicule disponible ?

— J'ai la voiture de Dina, l'informa Jude.

— Et j'ai un van. Il est équipé d'un élévateur pour mon fauteuil.

— Alors nous prendrons le van, Betsy, si ça ne vous dérange pas de conduire. Direction Henderson. Même si j'ignore ce que nous allons bien pouvoir faire en pleine nuit.

— N'importe quoi vaut mieux que rester ici à attendre, déclara Jude.

— Tout à fait d'accord, acquiesça Betsy. Allons-y. Et prions…

## 24

— Je suis persuadé que vous vous inquiétez pour rien, Jude.

Pour la deuxième fois en moins d'une heure, Tom Burton lui faisait la leçon.

— Je suis persuadé qu'elle a retrouvé… quelqu'un. Une amie, un petit ami, et qu'elle n'a pas vu le temps passer.

— Pendant une nuit entière, Tom ? N'importe quoi a pu lui arriver. Sa voiture a pu déraper et tomber dans un fossé ; elle a pu être attaquée par quelqu'un qui se cachait dans une grange abandonnée.

— On ne peut en tout cas pas vous taxer de manque d'imagination, Jude, dit-il en secouant la tête, mais en ayant le tact de ne pas sourire. Quel âge a votre fille ? L'âge de découcher sans prévenir sa mère ?

— Oui, bien sûr. Et elle l'a déjà fait. Mais, cette fois, nous séjournions chez une amie en Pennsylvanie, elle aurait dû appeler, Tom.

Jude désigna le ciel.

— Au cas où vous ne l'auriez pas remarqué, le soleil est levé. Je veux retrouver ma fille avant qu'il ne se couche.

— Je comprends. Et le meilleur moyen d'y arriver est de nous laisser une chance, à mes hommes et à moi, de nous en occuper.

— Autrement dit, je rentre chez moi et je ne reste plus dans vos pattes… Vous pensez qu'elle a juste passé la nuit à s'envoyer en l'air, c'est ça ?

La colère et la frustration de Jude étaient presque palpables. Elle serra les poings.

— Vous pensez que Dina traîne avec un type rencontré dans un bar ? Eh bien, non, je sais que non, aussi stupide que cela puisse vous paraître.

— Jude, je n'essaie pas de minimiser les faits. Mais les jeunes gens – parfois – passent la nuit dehors et, pour une raison ou une autre, oublient de téléphoner. Ça arrive tout le temps. Maintenant, je comprends que, étant sa mère, vous ne vouliez pas entendre que…

Il s'interrompit en voyant son regard s'enflammer.

— Oh, bon sang. D'accord. Nous ferons le tour des fermes à vendre. Donnez-moi cette liste que Linda Best vous a faxée.

Jude examina la liste comme pour la mémoriser avant de la lui tendre.

— Bon, si vous alliez prendre un petit déjeuner, vous trois, et si vous nous laissiez travailler, maintenant.

— Bonne idée, acquiesça Simon. J'emmène ces dames en face, au café de Henderson.

Visiblement soulagé de les voir partir, Tom leur ouvrit la porte de son bureau.

— Comment pouvez-vous manger en un moment pareil ? lança Jude à Simon.

— Je ne peux pas. Mais j'aimerais une tasse de café pour la route.

— Quelle route ? demanda Betsy.

— Jude, où croyez-vous que la police ira en premier ?

— Ils vérifieront les propriétés les plus proches de la ville, je suppose.

— Alors nous commencerons par les plus éloignées.

— Bon plan, approuva Betsy. Jude, cours chercher le café. Simon, allons prendre le van ; il ne faut pas perdre de temps.

Simon dut accélérer le pas pour rester à la hauteur du fauteuil de Betsy.

— Dépêchons-nous, Simon, j'ai un mauvais pressentiment. Très mauvais…

À midi, ils avaient déjà parcouru trente-cinq kilomètres et visité trois des propriétés figurant sur la liste. Toutes les trois étaient occupées, et aucun des habitants n'avait vu un éventuel acheteur les jours précédents.

Ils s'arrêtèrent dans une station-service pour que Simon puisse passer un coup de fil à Norton. Betsy but une boisson fraîche et Simon un café, mais Jude refusa d'avaler quoi que ce soit.

Norton n'avait aucune bonne nouvelle, mais il annonça tout de même au jeune journaliste que plusieurs agents du FBI étaient en route pour Henderson.

— Vous n'aurez qu'à me faire signe si vous avez besoin d'eux. Je suggère que vous m'appeliez régulièrement pour me donner votre position.

— Votre « ami » doit être très puissant, remarqua Simon avec une certaine réticence.

— En effet, murmura Philip avant de raccrocher.

## 25

Dina avait l'impression de s'acharner sur cette fichue corde depuis une éternité. Ses doigts couverts d'entailles saignaient à grosses gouttes, et elle devait rassembler toute la force de sa concentration pour ne pas lâcher le bout de verre glissant. Mais il lui échappait immanquablement, et elle perdait beaucoup de temps à le localiser de nouveau pour le reprendre en main.

Finalement, elle parvint à son but. La corde était suffisamment entamée pour qu'elle puisse tirer dessus et se libérer.

— Dieu soit loué! murmura-t-elle en se frottant les poignets. Vous devrez faire la fête sans moi ce soir, les petits monstres.

Elle gagna la porte et essaya de l'ouvrir, en vain : elle était verrouillée de l'extérieur. Secouer et cogner le battant n'y pouvait rien changer.

— Bon sang! cria-t-elle en flanquant un coup de pied rageur dans la porte.

S'exhortant à ne pas céder à la panique qui menaçait à nouveau de l'envahir, Dina chercha autour d'elle un autre moyen de sortir.

La fenêtre était trop haute, et il n'y avait rien sur quoi elle puisse se hisser pour y accéder...

Dina faillit d'abord ne pas l'entendre. Le bruit était si léger... Mais non, il n'y avait pas de doute : une voiture qui s'arrêtait, une portière qui claquait. Des pas sur la terre séchée. Sa ravisseuse qui revenait ? Ou quelqu'un d'autre ? Dina s'immobilisa, considérant les possibilités qui s'offraient à elle. Devait-elle appeler au secours ? Ou attendre de voir dans quelle direction se pressaient les pas ?

Ils se rapprochèrent.

Aussi silencieusement que possible, Dina se glissa dans l'angle opposé à la porte. Si elle gardait le silence, sa ravisseuse ouvrirait peut-être pour voir ce qu'elle était devenue.

— La nuit a été agréable ? Je parie que vous avez eu beaucoup d'amis pour vous tenir compagnie ?

La voix était légère et enjouée.

— Rien de tel qu'une bonne fête, n'est-ce pas, Dina ?

Un silence.

— Dina ?

*Ouvre la porte. Vas-y, ouvre la porte. Je te règle ton compte en un clin d'œil...*

Pas de réponse.

— Dina, pour l'amour du ciel, je sais que vous êtes là. Alors cessez ces enfantillages. Nous avons à parler, vous et moi.

Toujours pas de réponse.

*Ouvre-la. Allez...*

— Vous abusez vraiment de ma patience, vous savez ?

Silence.

— Bon, écoutez, si vous voulez pourrir ici, moi ça ne me dérange pas.

Les pas firent le tour de la remise avec hésitation, comme si sa ravisseuse étudiait le petit bâtiment sous toutes ses coutures.

Hésitation. Confusion.

Les pas s'éloignèrent.

Dina réfléchit à la seule information qu'elle avait : sa ravisseuse était apparemment de petite taille, à en juger par la légèreté de ses pas. Bien qu'affamée et assoiffée, Dina avait des muscles puissants, et une excellente condition physique ; en outre, l'adrénaline et la rage décupleraient ses forces. Elle pouvait affronter sa ravisseuse sans problème. Sauf, bien sûr, si celle-ci était armée...

Était-elle armée ?

Dina entendit le ronronnement d'un moteur, des pneus qui crissaient comme pour effectuer un demi-tour complet.

Puis plus rien.

Le silence avait apparemment été la mauvaise approche.

Dina arpenta la petite pièce, en se frottant les poignets, ses mains saignant encore par endroits. L'atmosphère manquait d'air, et la température commençait à grimper.

Elle chercha quelque chose pour briser un autre carreau, mais encore une fois resta bredouille. Alors elle ôta une de ses chaussures et sauta pour la cogner de toutes ses forces contre la vitre. Puis essaya tant bien que mal de se protéger le visage des bris de verre qui tombaient.

Elle poussa un grognement en secouant les bouts de verre de ses cheveux.

— Si je continue comme ça, je vais me vider de mon sang.

Avec le bas de son tee-shirt, elle essuya le sang qui coulait des nombreuses entailles zébrant sa joue droite.

Enfin ! Elle avait au moins un peu d'air, maintenant, se dit-elle en remettant sa chaussure et en revenant à la fenêtre pour regarder dehors.

Celle-ci était placée trop haut dans le mur pour que Dina puisse voir autre chose que la cime des arbres qui bordaient les champs. Elle connaissait cette propriété de réputation ; c'était un vaste domaine, inhabité depuis au moins six mois. Il n'y avait donc quasiment aucune chance que quelqu'un vienne.

Dina serra les dents et alla donner un nouveau coup dans une partie de la porte où le bois paraissait plus tendre. Rien ne céda.

Elle essaya encore.

Mais même ses plus farouches coups de pied n'eurent aucun effet.

Bon sang !

Que ne donnerait-elle pas pour cette bouteille d'eau gazeuse rangée dans son sac...

Dina pencha la tête, écouta et sourit : la voiture était de retour.

Des pas se rapprochèrent de nouveau, ceux de sa ravisseuse.

— Très bien, Dina. Voilà ce qui va se passer. Je vais vous donner une dernière chance – *une* seule – de me dire où se trouve Jude. Je suggère que vous parliez.

Comme Dina ne répondait pas, elle demanda d'un ton venimeux :

— Vous ne voulez pas connaître le « sinon » ?

— Bien sûr que si, si ça vous fait plaisir. Alors, sinon quoi ?

— Je savais que vous ne pourriez pas résister.

Il y eut un petit gloussement.

— Sinon je vais mettre le feu à votre jolie maisonnette.

— Je suppose que vous ne me laisserez pas sortir avant de gratter l'allumette ?

— Vous supposez juste.

— Que voulez-vous de Jude ?

— Elle est la dernière pièce importante du puzzle. Après vous, bien sûr. Et ce satané journaliste... Mais chaque chose en son temps. Et, au train où elles vont, ce sera à vous l'honneur.

La voix débordait d'un mélange de suffisance et de certitude.

— Quel est ce puzzle ?

— Un puzzle qui ne pourra jamais être complété.

— Oh, une seconde, vous parlez de l'affaire Blythe Pierce/Graham Hayward, n'est-ce pas ? demanda Dina en forçant le ton de la dérision.

La femme de l'autre côté de la porte resta muette.

— Vous croyez que *Jude* est la dernière personne à connaître la vérité ? Ma pauvre ! la provoqua-t-elle. Vous ne pouvez tout de même pas espérer tuer tous ceux qui sont au courant de leur histoire d'amour.

— Ce n'était pas une histoire d'amour ! Pour lui, ça n'était qu'une aventure. Blythe Pierce n'était rien d'autre qu'une petite allumeuse qui cherchait à se vanter d'avoir couché avec le président.

— Vous savez aussi bien que moi que cela n'est pas vrai, répondit tranquillement Dina. Il était amoureux d'elle, profondément amoureux. Suffisamment pour vouloir tout quitter pour elle.

— Faux ! Il n'était pas amoureux d'elle, insista la voix. Ne vous avisez pas d'affirmer une telle chose ; il ne l'aimait pas.

— Il l'aimait tellement qu'il était sur le point de quitter sa femme...

— *Non* ! Il n'aurait jamais abandonné ma mère ! Jamais ! Il aimait ma mère ! Il m'aimait !

*Ah* ! Dina sourit malgré sa situation difficile ; elle savait enfin à qui elle avait affaire.

— Sarah, vous savez qu'il allait la quitter...

— Non. Non. *Il* a dit qu'il allait la quitter, mais mon père ne l'aurait jamais fait. Jamais. *Il* mentait.

— Qui mentait ?

— Miles. Il m'a dit... il m'a dit que je devrais parler à mon père. Qu'il m'écouterait. Qu'il la quitterait si je le lui demandais. Miles a dit qu'il...

— Alors vous avez parlé à votre père au sujet de Blythe ?

— Vous êtes folle ? Je voulais seulement qu'elle parte. Que tout soit à nouveau comme avant.

— Alors vous l'avez tuée.

— J'ai dit à Miles que j'appellerais papa, mais je l'ai appelée, elle. Je n'ai eu aucun mal à obtenir son numéro. Je lui ai dit que j'avais besoin de la voir, que si je pouvais lui parler les choses me paraîtraient peut-être moins confuses. Je lui ai fait promettre de ne rien dire à mon père parce que je n'étais pas encore prête à avoir cette conversation avec lui.

— Vous l'avez eue aux sentiments, hein ?

— Elle a gobé chaque mot. Je lui ai dit que je l'attendrais en face de son immeuble.

— C'est pour ça qu'elle a traversé...

— ... et qu'elle a été si facile à tuer. Elle n'a rien vu venir... Pas comme vous.

— Comment avez-vous pu faire ça ? Comment avez-vous pu lui prendre sa vie...

— Elle était un problème. Quand un problème se pose, on trouve un moyen de le régler et on tourne la page.

Le ventre de Dina se noua face à une telle inhumanité, mais elle devait quand même poser la question.

— Étiez-vous au courant de mon existence, à ce moment-là ?

— Croyez-vous que je vous aurais laissée vivre ? Je ne savais rien. Pas avant que Miles m'en parle, ce stupide, ce traître de Miles. Tout raconter à ce fichu journaliste... Je ne pouvais quand même pas le laisser continuer à raconter cette histoire à n'importe qui. Je suis sûre que même vous pouvez comprendre ça.

Il y eut un bruit de papier que l'on déchire, puis le silence. Et bientôt une odeur...

— Qu'est-ce que c'est ?

Dina se pencha contre la porte.

— Essence.

Les pas se déplaçaient autour du bâtiment.

Quelques secondes plus tard, un rire dément s'élevait et s'éloignait en même temps que les pas.

L'herbe sèche autour du bâtiment prit rapidement feu. En quelques minutes, de la fumée s'infiltrait déjà par les murs et par les lattes du sol. Le bois pourri se consuma, puis s'enflamma dès que la chaleur l'eut séché. Piégée, Dina tomba à genoux, cherchant frénétiquement une issue. Toussant, suffoquant, elle abattit ses poings sur la porte. Des flammes vinrent lécher ses bras et ses pieds alors que le sol commençait à prendre feu.

— Je ne vais pas mourir comme ça, souffla-t-elle entre ses dents serrées. Je ne vais pas…

Elle se redressa, prit du recul et se rua sur la porte, épaule en avant. Mais le verrou tenait bon. Encore. Le verrou tenait toujours. Encore. Rien.

Les flammes étaient trop près de la porte, maintenant. Dina fut assaillie par l'odeur âcre de ses cheveux qui commençaient à brûler. Elle porta la main à sa tête, puis se laissa retomber à genoux, regardant les flammes lécher la porte.

*Encore une minute*, se dit-elle en baissant son visage au plus près du sol pour inspirer les maigres poches d'air encore présentes. *Juste une minute et le battant où se trouve le verrou sera suffisamment brûlé…*

Un morceau de plafond tomba ; Dina comprit qu'elle ne pouvait pas attendre plus longtemps.

Elle se mit debout, utilisant toute la force qui lui restait pour charger la porte.

Par bonheur, celle-ci céda enfin. Dina rampa le plus loin possible de la remise, puis resta couchée dans l'herbe, jusqu'à ce que cessent les battements douloureux qui martelaient son crâne. Elle se redressa sur ses jambes tremblantes et jeta un regard en arrière alors que le bâtiment s'écroulait sur lui-même.

— Pourquoi ne meurs-tu pas ?

La question était posée calmement, d'un ton comme détaché, avec une pointe de curiosité mais sans aucune émotion.

Dina se retourna pour voir le visage de sa ravisseuse.

Sa demi-sœur.

Sarah se tenait à moins de deux mètres d'elle, un petit revolver dans la main droite, un léger sourire jouant sur ses lèvres alors qu'elle levait la main tenant l'arme.

Poussée par un pur instinct de survie, Dina baissa la tête et fonça sur Sarah, qui tomba à la renverse. Dina se retrouva à califourchon sur elle, un peu sonnée et le souffle coupé. Elle lui saisit le poignet, cherchant à attraper le revolver, mais il avait dû être propulsé dans les buissons.

Dina bondit alors sur ses pieds, avec pour seule idée de regagner la jeep. C'était plus loin qu'elle ne se le rappelait, et elle priait à chaque foulée que les clés soient encore à l'intérieur.

Le premier coup de feu la prit complètement par surprise.

Le deuxième rasa son épaule gauche, laissant une traînée brûlante dans son sillage.

Mais Dina continuait de courir sans se retourner. Un troisième coup toucha le sol sur sa droite ; un quatrième résonna bruyamment sur le capot avant de la jeep.

Dina atteignit enfin le véhicule et se hissa derrière le volant, sa main droite cherchant les clés dans son sac malgré les tremblements incontrôlables qui l'agitaient. Oui ! Elles étaient là. Elle n'avait plus qu'à mettre le moteur en marche.

*L'embrayage,* se rappela-t-elle. *N'oublie pas l'embrayage…*

La voiture bondit en avant et cala.

Un autre coup de feu atteignit la portière du côté passager. Dina se baissa, se demandant combien de balles contenait ce si petit revolver…

Elle tourna de nouveau la clé, puis débraya et accéléra en embrayant. Dans ce que Dina reverrait plus tard comme une sorte de film au ralenti, la jeep avança.

Et percuta la silhouette qui avait surgi de nulle part pour se retrouver directement dans l'axe du véhicule qui accélérait.

Les pneus rebondirent sur une masse compacte, et Dina répugna à comprendre ce qui venait de se passer.

— Mon Dieu! souffla-t-elle, prise d'un haut-le-cœur.

Sautant de la jeep, elle s'approcha du corps mou qui gisait par terre. Elle regarda le visage immobile, le regard bleu planté dans le sien.

Sarah était encore en vie…


— Bon, c'est la septième, nota Simon tandis que Betsy remontait une longue allée pour se garer devant une vieille ferme. Et on dirait qu'elle aussi est occupée… On n'a vraiment pas de chance.

— Il en reste cinq sur la liste, rappela Jude. Betsy, fais demi-tour et prends sur la gauche.

Jude semblait examiner les alentours, comme si elle essayait de se rappeler quelque chose.

— Prends la prochaine à droite, dit-elle en désignant le croisement suivant. J'ai entendu parler d'une propriété à vendre sur Henderson Creek Road, mais elle ne figure pas sur la liste. Ralentis, maintenant. Je crois que c'était l'ancienne maison Matthews.

Betsy se pencha en avant et scruta l'horizon.

— C'est de la fumée que je vois derrière ces arbres?

— On dirait, acquiesça Simon.

— Regardez là-bas, à droite, il y a une pancarte À VENDRE.

Betsy ralentit, cherchant un chemin d'accès.

— Où est-ce que je tourne?

— Je ne sais pas. Peut-être plus loin… oui, là-bas, après l'arbre tordu, tourne là.

La surface sèche du petit chemin portait des traces récentes de pneus. Peut-être qu'avec un peu de chance…

— Regardez, s'écria Betsy. Là-bas ! La fumée vient de là. Et je vois ma jeep…

La femme gisant par terre luttait pour respirer.

Dina chercha son portable dans son sac et composa le 911 avant de se rendre compte que l'appareil était déchargé.

Sarah toussa, secouée de violents spasmes qui la laissèrent au bord de l'asphyxie.

Dina se pencha pour lui tâter le pouls. Il était faible, irrégulier.

— Je vais chercher quelqu'un…

— Pas… la peine… souffla Sarah avant de fermer les yeux.

Au même moment, le van déboula.

— Dina ! appela Simon en sautant du véhicule.

— J'ai essayé d'appeler les urgences, mais mon téléphone ne marche plus. Je ne crois pas qu'elle survivra.

— Oh, ma chérie, Dieu merci tu es vivante ! s'écria Jude en pleurs.

Elle se précipita vers sa fille qu'elle prit dans ses bras.

— Je n'ai pas voulu la toucher, murmura Dina, qui tremblait maintenant de tout son corps. Elle s'est jetée en travers de ma route… Je ne voulais pas la heurter.

Simon se pencha pour tâter le pouls de Sarah ; il ne le trouva pas.

— Elle a dit qu'elle a tué Blythe.

— Elle l'a fait, confirma Simon.

— C'était ma demi-sœur, murmura Dina. C'était ma demi-sœur, et elle a essayé de me tuer.

Dina leva les yeux alors que Betsy les rejoignait.

— Je suis désolée pour ta voiture, dit-elle, comme dans un brouillard.

— Je suis désolée de ne pas avoir été au volant à ta place, répliqua Betsy, le visage de marbre.

Elle regarda Simon et demanda :

— Elle est morte ?

Simon hocha la tête.

— C'est fini. Y a-t-il des couvertures quelque part ?

— À l'arrière du van, acquiesça Betsy. Allez-vous appeler la police ?

— Pas encore, dit Simon en courant jusqu'au van.

Il revint presque aussitôt avec deux couvertures et une bouteille d'eau, qu'il tendit à Dina.

— Buvez lentement.

Il couvrit le corps de Sarah, et tendit l'autre couverture à Jude pour qu'elle en enveloppe Dina.

— Une ambulance sera bientôt là ? demanda Dina.

— Oui, Norton nous trouvera rapidement.

— Je crois que ce sera trop tard.

— Peut-être pour elle, mais pas pour toi, murmura Jude, tenant avec précaution les mains ensanglantées de sa fille.

Simon se pencha vers Dina, cherchant d'où provenait le sang qui maculait le dos de sa chemise.

— Ça fait mal, grimaça-t-elle.

— Mais la balle n'a fait qu'effleurer votre épaule…

Il leva les yeux en entendant des grondements de moteur. Plusieurs voitures noires arrivaient en trombe.

— Ce n'est pas la police de Henderson, remarqua Jude en fronçant les sourcils.

— Non.

— Alors qui c'est ? demanda Dina en voyant plusieurs hommes sortir de chaque voiture.

— FBI. N'ayant plus de nouvelles, Norton les a dirigés vers nous.

— Comment peut-il faire ça ?

Dina commençait à être dans un état second.

— Il a apparemment des amis haut placés. Maintenant, je vous demande une minute, je veux que vous me laissiez parler. Nous allons leur dire que vous êtes en état de choc, ce qui ne sera pas un mensonge. Mais écoutez attentivement ce que je vais leur raconter : vous devrez être en mesure de répéter la même histoire lorsqu'ils vous interrogeront. Vous comprenez ?

— Oui, je crois…

## 26

Le journal du soir…

*Sarah Hayward Decker, fille de l'ex-président Graham Hayward, et sœur de Gray Hayward, membre du Congrès, est décédée en début d'après-midi des suites d'un dramatique accident de voiture. D'après le sergent Thomas Burton du département de police de Henderson, Mme Decker se trouvait sur la propriété qu'elle et son mari étaient sur le point d'acquérir quand elle a été accidentellement percutée par un véhicule conduit par la paysagiste avec qui elle avait rendez-vous.*

*Aucune charge n'a été retenue contre la conductrice du véhicule…*

## 27

— Bonjour.

Simon passa la tête dans l'embrasure de la porte et balaya la petite boutique du regard.

— Je cherchais Dina.

— Oh, dit la femme derrière le comptoir, vous devez être Simon. Dina m'a prévenue de votre visite.

Elle se dirigea vers lui, la main tendue.

— Je suis Polly. J'ai beaucoup entendu parler de vous.

— Oh ? En bien, j'espère.

— Évidemment : vous êtes le preux chevalier qui a sauvé Dina des griffes du méchant.

Simon éclata de rire.

— J'aimerais bien récolter les lauriers, mais la vérité est que Dina n'avait plus vraiment besoin d'être sauvée quand je suis arrivé. Elle est assez étonnante.

— Sans aucun doute. Et pour trouver cette femme étonnante, vous n'avez qu'à ressortir et suivre l'allée bordée d'arbres qui mène à la serre.

— Je connais le chemin. Merci, Polly. Ce fut un plaisir de vous rencontrer.

— Nous aurons l'occasion de nous revoir, j'en suis sûre.

Polly écarta le rideau et suivit Simon des yeux jusqu'à ce qu'il disparaisse derrière les feuillages.

— Mignon, apprécia-t-elle tout haut en hochant la tête avec approbation. Très, très mignon...

La porte de la serre s'ouvrit à la volée et Dina en sortit, un plateau de boutures dans les bras.

— Salut ! lança Simon.

— Salut !

Elle portait un jean maculé de terre et un haut vert d'eau qui lui allait comme une seconde peau. Ses cheveux tombaient en cascades sur ses épaules, et Simon ne put s'empêcher de plonger en pensée ses mains dans ce soyeux flot de boucles brunes.

— Vous ne devriez pas porter de poids, la gronda-t-il en s'avançant pour lui prendre le plateau des mains. Votre blessure ne date que de quelques jours.

— Ce n'est pas lourd du tout, et on ne peut pas vraiment parler de blessure, même si mon épaule est un peu raide.

Elle le laissa quand même la décharger du plateau.

— Je suis contente que vous ayez appelé. J'attendais que vous le fassiez depuis que nous nous sommes quittés.

— Je voulais vous laisser le temps de reprendre votre souffle.

— C'est fait, dit-elle en souriant.

Comme chaque fois qu'elle lui souriait, Simon se sentit littéralement fondre.

— Bien. Alors vous vous sentez mieux?

— En pleine forme. J'emmenais ces plants dehors : ils doivent se renforcer un peu avant qu'on ne les propose à la vente. Vous m'accompagnez? Je vous ferai visiter.

— Avec plaisir.

Simon transporta le plateau pour elle, puis le plaça là où elle lui indiqua de le faire, sur un coin de terre ombragé.

— Ne devraient-ils pas être au soleil? s'enquit-il.

— Les jeunes plants doivent s'habituer à la lumière naturelle et à la température extérieure progressivement. Sinon, ils meurent.

Il hocha la tête comme s'il comprenait, mais en réalité il l'avait à peine écoutée. Sa présence, son corps si près du sien, le troublait au point de lui brouiller complètement l'esprit.

— Vous voulez voir l'étang? demanda-t-elle en lui tendant la main.

Il lui prit la main et se laissa entraîner. Ils traversèrent des champs encore boueux de la pluie de la nuit précédente, Dina désignant ici et là ce qu'elle avait planté, Simon n'écoutant toujours pas. Il savait seulement qu'il était avec elle et qu'il était exactement là où il voulait être. Pour toujours.

— ... et la semaine prochaine nous enregistrons une émission pour la télé locale, sur la méthode de séchage des hortensias. J'envisage de laisser Polly s'en charger; elle est très douée pour les fleurs séchées.

— Hun hun, fit Simon parce qu'il pensait qu'il fallait répondre quelque chose à ce stade de la conversation, même s'il n'aurait pu répéter un seul mot de ce qu'elle venait d'expliquer.

— Cette année, nous avons l'intention d'augmenter notre production d'arbres fruitiers ; nous avons en effet le projet d'ouvrir une cueillette au public. Vous savez, ce système où chacun vient cueillir ses fruits et paie au panier.

— C'est une bonne idée.

Dina hocha la tête.

— Je déteste voir toutes ces pommes et ces pêches se perdre. Mais ni moi ni Polly n'avons le temps de nous en occuper.

— Est-ce que jardinier en herbe travaille toujours pour vous ?

Dina éclata de rire.

— Vous voulez parler de Will ? Oui, mais il ne sera là que vers la fin de l'été. D'ici là, la majorité des fruits seront tombés.

— Je pourrais peut-être vous donner un coup de main. Vous voyez, être votre nouveau jardinier en herbe.

— Ça ferait un bout de chemin, d'Arlington à Henderson, juste pour cueillir quelques pommes.

Elle l'entraîna vers l'étang.

— Je ne crois pas que cette vieille Mustang tiendrait le coup très longtemps.

— Mon contrat de location est mensuel, et je n'avais pas l'intention de le renouveler. Rien ne me retient là-bas.

*Rien ne me retient nulle part sauf ici…*

— Où iriez-vous ?

— Je pensais qu'une jolie petite maison dans une petite ville tranquille serait agréable.

— On n'a que ça ici…

Elle s'assit sur une souche d'arbre surplombant l'eau tranquille.

— … Vous cherchez un endroit idéal pour écrire votre histoire ?

— Quelle histoire ?

— Celle qui vous a amené ici.

Elle ne souriait plus, et son regard était fixé sur quelque chose, de l'autre côté de l'étang.

— Oh, cette histoire-là…

Simon s'assit à côté d'elle, ses mains pendant entre ses genoux, avant de reprendre :

— … La première fois que j'ai dit à Philip sur quelle piste j'étais – Blythe, Graham, et puis vous –, il m'a demandé de considérer ce qui arriverait aux gens impliqués si l'histoire était publiée. Ce qu'il adviendrait de vos vies.

— Et… ?

— Eh bien, sur le moment, je n'ai pas compris. Laisser tomber l'histoire n'avait aucun sens pour moi : je suis journaliste ; je découvre un fait, j'en parle. On m'a appris – Philip, en particulier – que rien n'est plus important que la vérité.

— Je sens un « mais » se profiler…

— Mais… je vous regarde – vous tous – et je vois tant de dégâts. Je vois Celeste Hayward, hantée par l'infidélité de son mari et brisée par la mort de sa fille. Je vois Gray se débattre avec tout ce qu'il vient d'apprendre sur sa famille, sachant que s'il brigue la présidence il devra soit mentir, soit révéler des vérités que certains – vous y compris – préféreraient garder secrètes. Je vois Jude, dont le plus grand péché a été de vous aimer au point de préserver votre sécurité à n'importe quel prix, au point de vous avouer la vérité tout en étant consciente que cela pouvait vous détourner d'elle à jamais. Et, au centre de tout, je vous vois, vous. Tout se résout autour de vous…

Simon semblait chercher ses mots.

— Je ne crois pas que ce soit le bon moment pour révéler cette histoire, lâcha-t-il finalement. Peut-être un jour… mais pas maintenant.

Elle tourna la tête vers lui et le regarda longuement dans les yeux.

— Comment pourriez-vous renoncer? demanda-t-elle. *Pourquoi* renonceriez-vous?

— Parce que je ne veux pas être responsable d'un surcroît de problèmes dans votre vie. Votre existence a été bouleversée, vous avez été agressée, enfermée dans un bâtiment en flammes, blessée à…

— N'oubliez pas les souris, l'interrompit Dina avec un faible sourire.

— Quelles souris?

— Les souris dans la remise.

Simon traça du pouce une ligne sur sa joue.

— Il y avait des souris dans la remise?

— Elles ont fait la fête toute la nuit.

Simon haussa un sourcil interrogateur.

— Sarah avait semé des grains de maïs pour s'assurer que je ne passerais pas la nuit seule.

— Très prévenant de sa part.

— Ça a été la plus longue nuit de ma vie, frémit Dina. Et vous n'avez pas mentionné le fait que je suis responsable de la mort de Sarah.

— Dina, tout le monde sait que c'était un accident.

— Je ne l'ai vue qu'à la dernière seconde et, même alors, on aurait dit une ombre. Et puis il y a eu ces instants horribles où je savais qu'elle allait mourir, et que c'était moi qui lui avais pris la vie. On n'oublie pas facilement ce genre de choses, Simon. Je doute de pouvoir les oublier un jour.

— Personne n'oublierait, Dina, mais vous ne pouvez pas non plus focaliser votre vie sur ce tragique moment. La mort de Sarah a été accidentelle et, franchement, s'il y a un responsable, c'est elle-même. Elle voulait tuer Jude et vous tuer aussi. Sans vouloir minimiser les choses, Sarah Decker n'est pas une innocente victime. C'était une meurtrière. Et si vous ne pouvez pas changer ce qui s'est passé, vous pouvez au moins laisser tout ça derrière vous.

Il l'attira contre lui.

— Vous pouvez prendre un nouveau départ. Après tout, vous avez une nouvelle vie, une nouvelle famille à découvrir.

— Ferez-vous partie de mon nouveau départ, Simon?

Elle toucha son visage en murmurant.

— Ferez-vous partie de ma nouvelle vie?

— Je l'espère. Je le souhaite.

Simon se pencha pour s'emparer de sa bouche. Les lèvres de Dina étaient douces, chaudes, et il les embrassa encore et encore, maîtrisant l'urgence du désir que ce contact éveillait en lui. Une chose était sûre : en ce moment, il était le type le plus chanceux de la terre.

— Simon, souffla-t-elle en posant un doigt sur ses lèvres. Merci pour tout ce que vous faites pour moi. Merci de ne pas écrire cette histoire. Je sais quel renoncement ça implique.

Simon haussa les épaules.

— De toute façon, je ne pouvais plus revenir en arrière, une fois que j'avais donné ma version des faits à la police de Henderson. À moins, bien sûr, de vouloir aller en prison pour faux témoignage et entrave à la justice.

Il s'interrompit pour poser un baiser sur ses lèvres.

— Et, en ce moment, mes désirs sont tout autres.

— Eh bien, si vous me parliez de vos désirs pendant que je vous fais visiter ma maison, lui proposa-t-elle en se levant.

L'idée me semble excellente, dit-il en prenant la main qu'elle lui offrait et en lui emboîtant le pas.

— Oh, je pense que ça va vous plaire... répliqua-t-elle, mutine.

Quand ils parvinrent au niveau de la serre, Dina tourna le panneau accroché à la porte pour qu'il indiquât : « Fermé ». Quelques instants plus tard, elle ouvrait la porte de l'ancienne grange, priant Simon de la suivre, et refermait derrière eux.

— Ma maison, annonça-t-elle simplement.

Simon jeta un coup d'œil autour de lui.

— Elle est à votre image, commenta-t-il.

— Merci.

Dina s'engagea dans l'escalier.

— Mais je crois que vous devriez voir le reste avant d'arrêter votre jugement.

— Vous avez raison. Je ne voudrais surtout pas faire de conclusions hâtives…

Depuis le haut de l'escalier, Simon aperçut la chambre de Dina – le vieux lit à baldaquin recouvert d'une confortable couette, les rideaux qui se balançaient doucement au gré de la brise matinale. Dina se tenait à côté du lit, lissant ses cheveux en arrière tout en le regardant. Son corps tout entier sembla vibrer quand il s'avança vers elle pour la prendre dans ses bras.

Il chercha sa bouche, la caressa de ses lèvres, l'entraînant en même temps sur le lit, leurs corps étroitement serrés l'un contre l'autre.

— Comment va votre épaule ? souffla-t-il.

— Un peu sensible, admit-elle.

— Je serai doux.

— Je l'espère bien.

Quand il enfouit son visage dans son cou, puis descendit au creux de ses seins, Dina laissa échapper un soupir et sourit. Exactement ce dont elle avait toujours rêvé. Elle fit passer son tee-shirt par-dessus sa tête et aida Simon à se débarrasser de sa chemise. Puis elle ferma les yeux et se laissa submerger par le plaisir.

— Tu avais raison, dit Simon quand son cerveau se remit à fonctionner normalement et que sa respiration retrouva un rythme acceptable. Ça m'a énormément plu.

— Je m'en doutais.

Dina s'adossa contre les oreillers et sourit.

— Hé, si tu me donnais ce boulot de cueilleur de pommes, tu pourrais fermer la serre tous les jours vers cette heure-là.

— Je dois admettre que c'est tentant, mais Polly aurait des soupçons, au bout d'un moment.

— Serait-il si grave de la laisser se poser des questions ?

— Peut-être pas.

Dina remua légèrement les jambes et demanda :

— Étais-tu sérieux en parlant de louer quelque chose dans le coin ?

— Tout à fait.

— Que projettes-tu ?

— Question boulot ?

Il se frotta pensivement le menton.

— Je veux finir mon propre livre, puis peut-être en écrire d'autres. En fait, j'ai plusieurs idées en tête que j'aimerais développer.

— Pourquoi ici ?

Elle s'en doutait mais voulait le lui entendre dire.

— Eh bien, parce qu'après tout ce qui s'est passé, j'ai commencé à m'interroger sur ce que j'attendais de la vie.

Il lui caressa doucement le bras.

— Et chaque fois j'en revenais à toi. J'imagine que si je dois conquérir ton cœur, ce sera beaucoup plus facile en vivant dans le voisinage.

— J'adorerais t'avoir dans mon voisinage, dit Dina en lui embrassant le bout du nez. Et tu as déjà conquis mon cœur.

— Même si j'ai détruit ta vie ?

— Ma vie est loin d'être détruite.

Elle lui adressa ce merveilleux sourire dont elle seule avait le secret.

— Je dirais même qu'elle est magnifique.

— Alors tu ne m'en veux pas d'avoir secoué ton bateau ?

— Il avait peut-être besoin de l'être. Celui de Jude en avait besoin, en tout cas ; ce n'était pas bon pour elle de garder ce secret aussi longtemps. Et ce n'était pas juste de mettre Betsy à l'écart pendant toutes ces années : elle est ma tante ; nous avons le droit de nous connaître. Même Jude a fini par l'admettre.

— À propos de ta famille... Je crois que tu devrais avoir bientôt des nouvelles de Gray.

— Pourquoi ?

— Il voudrait te rencontrer.

Le visage de Dina s'assombrit.

— Après tout, tu es sa demi-sœur.

— Et j'ai tué sa sœur, dit-elle en se mordant la lèvre. Que crois-tu qu'il pense de moi ?

— Je crois qu'il se pose la même question à ton propos.

— Je suppose que cette rencontre est inévitable, admit Dina, mais il me faut du temps. Tout ça a été si accablant, tu comprends ? Et je me pose encore tellement de questions.

— Comme par exemple ? demanda Simon en se soulevant sur un coude.

— Par exemple, qui a mis Sarah au courant pour Blythe ?

— Nous savons que Miles lui a demandé d'aller implorer son père de quitter Blythe.

— Pourquoi Miles aurait-il fait ça ?

— Parce qu'il était lui-même amoureux de Blythe.

— Il espérait l'avoir pour lui tout seul... ?

— C'est l'hypothèse la plus probable que nous ayons. Mais au lieu d'aller parler à son père...

— Sarah a contacté Blythe... termina Dina, pensive. Elle devait la haïr terriblement.

— J'imagine que oui.

— D'une certaine manière, j'aime à penser que mon père pouvait compter sur le Dr Norton pour veiller sur moi, déclara-t-elle.

Avant qu'il puisse réagir, elle ajouta :

— Ça me rappelle que je dois le remercier pour ce qu'il a fait après… enfin, après Sarah. Même l'incendie n'apparaît pas dans le rapport officiel.

— Le « vieil ami » de Philip s'est avéré être le directeur du Bureau. Étonnant ce qu'un coup de fil du directeur du FBI peut faire, n'est-ce pas ? Votre police locale n'a même pas paru agacée de voir les fédéraux tout prendre en main. Le chef avait l'air presque ravi.

— Un grand moment dans la vie de Tom, je crois. Il lui a suffi d'entendre « affaire de sécurité nationale » pour avoir l'eau à la bouche. Le rapport ne mentionnait même pas le revolver.

Elle s'interrompit, puis demanda :

— Qu'est devenu le revolver de Sarah, d'après toi ?

— Quel revolver ?

— Tu le sais bien, celui avec lequel elle m'a tiré dessus. Celui avec lequel elle a touché la jeep et qu'elle tenait quand elle est morte.

— Il n'y avait aucun revolver quand l'ambulance est arrivée.

Simon haussa les épaules.

— Et le rapport n'indique aucun impact de balles sur la jeep.

— Sont-ils puissants au point de pouvoir cacher tout ce qu'ils veulent ? demanda-t-elle avec étonnement.

— C'est toi qui demandes ça ? Chérie, ils se sont débrouillés pour te cacher pendant presque trente ans…

— Je suis bien ? interrogea Dina avec inquiétude en ouvrant la portière de la voiture et en posant les pieds sur le sol.

— Tu es magnifique, assura Simon. Ne t'inquiète pas ; sois juste toi-même.

— Et si ça se passe mal ? S'ils ne m'apprécient pas ?

— Hé, Dina, arrête ! Et si c'est toi qui ne les apprécies pas ? Allez, viens.

Il lui prit le bras pour l'escorter jusqu'à la porte de Jen et Gray Hayward.

Cela faisait presque trois mois que Sarah Decker était morte, six semaines que Simon Keller avait trouvé un bungalow parfait à louer juste à la sortie de Henderson. Un mois qu'il s'y était installé et une semaine qu'il avait commencé à travailler sur son premier roman, l'histoire d'un jeune journaliste hanté par un rêve de gloire.

Jen Hayward fut la première à les accueillir, et elle le fit avec beaucoup de chaleur.

— Entrez, je vous prie. Gray est de l'autre côté avec le Dr Norton.

Elle les devança à travers la maison, les conduisant jusqu'au patio.

— Gray a été sur des charbons ardents toute la journée. Il était tellement impatient de vous rencontrer...

Le jeune membre du Congrès s'avança et serra la main de Simon, les yeux rivés sur sa demi-sœur.

— Vous devez être Dina.

— Oui, répondit-elle, hésitant à lui serrer la main et soulagée que Gray tende la sienne.

— Avez-vous fait bon voyage ?

Gray avait l'air au moins aussi nerveux que Dina.

— Oui, répondit-elle. Je n'étais jamais venue dans cette région. C'est magnifique.

— Il faudra que vous voyiez la vue depuis les falaises.

Gray se tourna vers la mer.

— C'est spectaculaire... Mais permettez-moi de vous offrir un verre, dit-il en désignant le petit bar où Philip Norton se tenait, observant la scène. Que désirez-vous ?

— Un verre de vin blanc serait parfait.

— J'ai ce qu'il vous faut. Simon ?

— Je veux bien une bière. Philip, dit-il en saluant Norton de la tête.

— Simon, salua Norton en retour. Dina, c'est un plaisir de vous revoir, dit-il en lui prenant la main.

— Docteur Norton, il me tardait d'avoir l'occasion de vous remercier. Au nom de nous tous.

— Je n'ai fait que tenir mon rôle, répondit-il avant de se pencher vers elle et d'ajouter tout bas : comme je l'avais promis à votre père.

Dina croisa les bras sur sa poitrine et examina l'homme d'âge mûr au regard malicieux qui se tenait devant elle. Simon avait tout à fait raison : c'était Sean Connery tout craché. Excepté l'accent.

— Pouvons-nous nous entretenir en privé quelques instants ? lui demanda Gray en lui tendant un verre de vin légèrement pétillant.

— Bien sûr.

Elle prit congé de Norton, effleura le bras de Simon pour se porter chance et suivit Gray dans la maison, profitant de sa fraîcheur.

— Dans le bureau, cela vous convient ? proposa Gray en lui tenant la porte.

— C'est parfait, dit-elle en lui souriant timidement avant de pénétrer dans la pièce à sa suite.

— Je vous suis tellement reconnaissant d'avoir accepté de venir aujourd'hui, Dina. Je souhaitais vous rencontrer depuis… eh bien, depuis…

— Je suis surprise que vous vouliez me connaître, déclara franchement Dina. Après tout, je suis responsable de la mort de votre sœur.

— Ma sœur a pris la vie de votre mère.

Gray croisa son regard.

— Et, d'après ce que je sais, elle a essayé par tous les moyens de prendre aussi la vôtre. Ma famille et moi n'en sommes toujours pas revenus. Jamais nous n'aurions imaginé Sarah capable de telles choses... Et aucun de nous n'était préparé à la vérité, ma mère moins que tout le monde. Sarah a été... très malade... dans son enfance, mais elle a reçu les meilleurs traitements. Aucun de nous ne pouvait se douter que son mal était encore présent, sous la surface. Apparemment, la découverte de votre existence a provoqué une rechute...

— Mais personne n'a remarqué de changement dans son comportement ?

— En fait, si : Julian. Il en avait touché un mot à ma mère, environ un mois avant le drame ; Sarah était d'humeur changeante, en proie à de brusques crises de colère. Il a essayé de la pousser à consulter, mais elle a refusé. Julian avait espéré que Mère pourrait la convaincre de voir un médecin.

— Je suppose qu'elle n'a pas réussi.

— En effet. Malheureusement, personne ne s'est rendu compte de la gravité de son état.

— Comment va votre mère ? demanda doucement Dina.

— Pas bien du tout depuis la mort de Sarah. C'est une véritable horreur pour elle... Découvrir que sa fille était une meurtrière, qu'elle abritait un si terrible secret depuis tant d'années...

— Je suis vraiment désolée pour elle.

Gray déglutit péniblement.

— Tout cela est bien trop difficile à gérer pour une femme de son âge. Bien trop difficile pour nous tous, d'ailleurs : Sarah a fait du mal à tant de gens. À ses enfants, à Julian. Même sa belle-sœur s'est sentie trahie. Vous savez, je suppose, que Sarah conduisait la voiture de Carolyn la nuit du drame. Elle lui avait raconté qu'elle avait percuté un chevreuil. Découvrir ce qui s'était réellement passé a été un choc abominable pour nous tous.

— Pourquoi m'avez-vous invitée ici, Gray ?

— Parce que j'avais le sentiment que nous devions au moins nous rencontrer. Parce que j'estime que ma famille vous doit des excuses. Parce que je crois que mon père aurait voulu que je vous connaisse. Et parce que j'ai besoin de savoir dans quelle mesure vous êtes prête à divulguer la vérité.

Dina s'assit sur le bras d'un fauteuil près de la cheminée. Gray en fit autant, se plaçant en face d'elle.

— Dans aucune mesure, répondit-elle catégoriquement.

— Vous voulez dire que vous ne prévoyez pas d'ameuter la presse?

Il essaya de forcer un sourire.

— Non. En fait, je prévois de n'en parler à personne.

— Vous pourriez gagner beaucoup d'argent avec cette histoire.

— Et qu'arriverait-il à ma vie? lui renvoya-t-elle en se levant, horrifiée à cette seule idée.

— Vous seriez invitée à tous les talk-shows, on se presserait à votre porte pour vous aider à écrire le récit de vos aventures…

— Arrêtez.

Dina le regarda comme s'il avait perdu la raison.

— C'est la dernière chose que je souhaite.

— Eh bien, cela facilite les choses, dit-il doucement.

— Quelles choses?

— Simon vous a sûrement dit que je pensais me présenter à la présidentielle.

Dina hocha la tête.

— Mon parti attend de moi que je rappelle au public l'image de moralité que représentait mon père, exactement comme le fera le livre de Simon. Je doute d'en être capable.

Il leva un instant les yeux vers le portrait accroché au-dessus de la cheminée. Puis se tourna à nouveau vers Dina.

— Vous ne voulez pas que la vérité soit révélée et je respecterai votre volonté. Votre franchise rend ma décision beaucoup plus facile, parce que je ne crois pas pouvoir briguer la présidence sans être honnête envers mes électeurs.

— Je ne suis pas sûre de comprendre… Êtes-vous en train de me dire que vous laisseriez passer la chance de devenir président des États-Unis ?

— Mon père a emporté son secret dans sa tombe. C'est peut-être là qu'il doit rester.

— Gray, je suis désolée. Je ne sais pas quoi dire…

— Ma famille vous doit beaucoup plus que notre silence, Dina. Tant de choses vous ont été arrachées.

Gray essaya de sourire.

— Et puis, nous sommes du même sang, de la même chair, vous et moi. Cela doit être honoré : nous avons le même père. Ce que nous avons appris sur lui ces derniers mois ne peut annuler le fait qu'il était un homme merveilleux. Je l'aimais de tout mon cœur.

Son regard se brouilla de larmes.

— J'ai eu le privilège de le connaître. On vous l'a dénié. J'aimerais vous parler de lui, si vous le voulez bien.

— C'est très généreux de votre part, murmura Dina, profondément touchée.

— Il semble qu'il ait beaucoup aimé votre mère.

Il se leva et alla à la fenêtre.

— Tous les témoins s'accordent à le dire.

— Il a aussi aimé la mienne, à une époque, dit-il doucement.

— Alors nous avons aussi cela en commun.

Dina sentit des larmes lui monter aux yeux.

— Ce portrait, au-dessus de la cheminée, n'a été fait que quelques semaines avant sa mort.

— Vous lui ressemblez.

Dina leva les yeux vers le portrait du bel homme aux cheveux argentés, au regard direct et au sourire qui s'étirait un peu plus du côté gauche. Comme celui de son fils.

Gray s'approcha de son bureau pour ouvrir un tiroir d'où il sortit un petit paquet enveloppé qu'il tendit à Dina.

— J'ai pensé que vous aimeriez avoir ça.

Dina écarta le papier de soie et découvrit une photo encadrée de l'ex-président. Il portait un polo sur un maillot de bain et regardait par-dessus son épaule depuis la proue d'un joli voilier.

— Elle a été prise la première année où mon... notre... père était à la Maison-Blanche. C'est à peu près à cette époque qu'il a rencontré votre mère...

— C'est une photo magnifique. Il avait un visage magnifique.

Dina ne put retenir ses larmes plus longtemps.

— Vous êtes un homme de grande qualité, Gray. Je ne saurais vous dire à quel point votre gentillesse compte pour moi.

Elle s'avança et prit sa main dans la sienne.

— Si, comme on le dit, vous ressemblez à votre père, ce devait être un homme exceptionnel. L'histoire se souvient de lui comme d'un grand président. Je crois que vous devriez réfléchir à deux fois avant de décider de ne pas suivre ses traces.

— Merci, j'apprécie vraiment votre sollicitude, mais je pense qu'il vaut mieux pour tout le monde que je laisse l'occasion passer.

Il lui tapota la main, avant de la laisser s'écarter.

— Comment votre femme réagira-t-elle ?

— Elle sera cent pour cent avec moi dans cette décision. Elle me connaît suffisamment pour savoir que je ne peux pas déclarer des choses que je ne pense pas. Et puis, j'aimerais que nous fassions mieux connaissance, vous et moi. Je ne vois pas comment cela serait possible si j'occupais la Maison-Blanche.

Il leva les yeux et sourit.

— Tous les chemins ne sont pas bons à prendre, Dina.

— J'admire la force de vos convictions. Ça ne doit pas être facile de renoncer à tant d'honneurs pour y rester fidèle.

— Et ça ne doit pas être facile de renoncer à la célébrité et à la fortune – après tout, pour le restant de vos jours, vous seriez connue comme la fille du président. Qui sait ? Ils pourraient même faire un film de votre vie.

— Beurk, grimaça Dina, et ils éclatèrent de rire en chœur.

La porte s'ouvrit et un jeune garçon aux cheveux noirs passa la tête dans l'embrasure.

— Oh, pardon, papa.

Il recula.

— Ce n'est pas grave, mon garçon, entre. Je voudrais te présenter Dina. C'est… une amie…


*Ça a été ?*

Simon articula les mots sans bruit quand Dina et Gray les rejoignirent dans le patio. Norton était en train de parler du livre auquel Simon et lui avaient collaboré.

*Très bien*, fit-t-elle signe en retour, se joignant au groupe réuni autour d'une table basse en verre et bambou.

— … et je ne suis donc pas certain de l'avenir du livre, conclut Norton.

— Pourquoi son avenir est-il incertain, si ma question n'est pas trop indiscrète ? s'enquit Dina.

Elle se tenait derrière la chaise de Simon, une main posée sur son épaule.

— Eh bien, le but de cet ouvrage était de soutenir la candidature de Gray, lui rappela Norton. S'il décide de ne pas se présenter, on peut s'interroger sur la pertinence d'une telle publication.

— J'espère que vous n'essayez pas d'influencer ma décision, plaisanta Gray.

— Vous savez bien que non, mon ami. Ma longue association avec votre famille prime sur tout autre intérêt.

— Pardonnez-moi... mais le traiteur est là, s'excusa Jen en regardant le van qui remontait l'allée. Je reviens tout de suite.

— Simon, une autre bière ? proposa Gray.

— Non, merci.

Il se leva.

— Mais j'aimerais bien admirer cette vue sur la mer avec Dina avant le dîner.

Il prit la jeune femme par la main pour l'entraîner vers la vaste pelouse qui s'étendait entre le patio et la mer.

— Alors, tout s'est bien passé ? lui demanda-t-il dès qu'ils furent hors de portée de voix.

— Eh bien, j'avoue que j'étais très intimidée, au début, mais Gray a été incroyablement gentil ; il m'a donné une magnifique photo de Graham. C'est un homme extraordinaire.

— Je suis d'accord avec toi, il est assez exceptionnel.

— Je crois bien que nous pourrions devenir amis.

Elle soupesa cette idée.

— Peut-être même qu'un jour je pourrai le considérer comme mon frère.

— Je suis content que tout se soit bien déroulé, dit-il en passant un bras autour de son épaule. Que crois-tu que Jude en pensera ?

— C'est difficile pour elle, mais elle devra s'adapter. Je pense qu'elle y arrivera ; elle n'a toujours voulu que mon bonheur.

— Elle a de la chance que tu lui fasses une si totale confiance.

— Je l'aime.

C'était une raison suffisante, la seule nécessaire pour Dina. Elle ferma les yeux et offrit son visage au soleil.

— Crois-tu que Celeste savait que Sarah avait tué Blythe ?

— Je me suis moi aussi posé la question.

— Gray dit que sa mère est bouleversée d'avoir appris ce qu'a fait Sarah, mais...

— Mais on est en droit de se demander si elle ne l'a pas couverte. Après tout, elle a envoyé Sarah en Suisse peu de temps après la mort de Blythe.

— Jude n'était peut-être pas la seule à garder un secret pour protéger son enfant, murmura Dina.

— Je doute que nous sachions un jour la vérité, déclara Simon en penchant la tête contre la sienne.

Pendant de longues minutes ils restèrent ainsi, tout près l'un de l'autre, baignés par l'air marin, la chaleur du soleil et le bruit de l'océan en contrebas.

— Parle-moi de la femme du Dr Norton, dit soudain Dina. Que lui est-il arrivé exactement ?

— Elle s'est suicidée.

— Oh, mon Dieu ! C'est horrible !

— Elle avait perdu son fils quelques années auparavant – il avait été kidnappé. Elle n'a pas laissé de mot, mais il ne fait pas de doute qu'elle n'a pas supporté d'affronter une journée de plus sans savoir ce qui était arrivé à son fils.

Dina frissonna à l'idée d'une telle tragédie.

— C'était leur seul enfant ?

— En fait, c'était son fils à elle. Elle avait été mariée une première fois et était restée veuve. Elle avait aussi une fille, qui doit avoir la trentaine aujourd'hui. Mais Elisa et Philip n'ont eu aucun enfant ensemble.

— C'est tellement triste. Triste pour elle, pour sa fille. Triste pour lui...

— Il ne s'en est jamais vraiment remis.

Ils atteignirent le bord de la falaise et contemplèrent en silence la vaste étendue de l'océan. En bas, les vagues s'écrasaient violemment contre les rochers.

— Je pense à Graham, dit finalement Simon. Son unique faiblesse dans sa vie a été Blythe. Son amour pour elle devait être si puissant qu'il n'a tout simplement pas eu la force de s'en détourner.

— Ça ne rend pas son comportement plus moral, nota doucement Dina.

— Non. Mais je dois admettre que je commence à le comprendre. L'amour peut être assez fort pour changer quelqu'un, pour le pousser à faire des choses qu'il n'aurait jamais imaginé pouvoir faire.

Il lui caressa le lobe de l'oreille du bout de son nez.

— Par exemple, je n'aurais jamais imaginé être capable de me lever à l'aube tous les jours.

— Tu n'es pas obligé de te lever en même temps que moi, dit-elle riant. Tu pourrais dormir...

— Ah, mais je raterais l'occasion de t'aimer dès le lever du jour, rétorqua-t-il en l'embrassant. Sans parler de ton super-café.

— C'est donc mon café qui te retient.

— Ça et tes nombreux talents.

Il lui énuméra à l'oreille ceux qu'il préférait, et elle s'esclaffa à nouveau, le son de son rire allant se mêler au grondement des flots.

Simon, debout derrière elle, l'enveloppa de ses bras.

— Alors, tu es contente d'être venue ? demanda-t-il en enfouissant son visage dans son cou. Tout est bien qui finit bien ?

— Oui, je suis contente. J'ai une famille, maintenant, et j'ai envie de la connaître. Mais ne t'avise pas de considérer une seule seconde que ceci est la fin, Simon Keller.

Elle se tourna vers lui, enlaçant son cou.

— Parce que ce n'est que le début, mon amour...

# Découvrez les prochaines nouveautés
## de la collection

# *Amour et Destin*

Des histoires d'amour riches en émotions déclinées en trois genres :

*Intrigue*          *Romance d'aujourd'hui*          *Comédie*

Le 3 janvier                                    *Romance d'aujourd'hui*
### *Blue Bayou – 1 : Retrouvailles en Louisiane*
de JoAnn Ross (n° 7404)
À la suite de son divorce et de la mort de son ex-mari, Danielle
Dupree revient dans sa ville natale avec son fils afin de tout recom-
mencer de zéro. Le destin s'acharne sur Danielle, qui apprend que
son premier et unique amour, Jack Callahan, est lui aussi de retour
dans la petite ville de Louisiane. Une seule rencontre et tous deux
savent que leur flamme est intacte. Mais, depuis treize ans qu'ils ne
se sont pas vus, bien des événements ont bouleversé leurs vies.
Avant de pouvoir espérer une seconde chance, Danielle et Jack
devront tout se dire...

Le 10 janvier                                                    *Intrigue*
### *Prise dans la toile*
de Janelle Taylor (n° 7491)
Matt ne supporte plus le caractère volage de son frère Robert. Un
soir où il le surprend à draguer une jeune femme dans un bar, les
deux frères se battent. Matt ne se doutait pas alors que le lendemain
Robert serait retrouvé mort dans une ruelle. Mia, elle, est à la
recherche de sa sœur jumelle Margot, qui a disparu suite à un
contrat insolite : elle devait flirter ouvertement avec des hommes
mariés, afin de prouver leur infidélité. Mais ses cibles sont décédées
les unes après les autres. Pour Matt comme pour Mia, Margot détient
la clé de cette affaire. Ensemble, ils tenteront de la retrouver...

Le 24 janvier                                                    *Comédie*
### *Cupidon, m'entends-tu ?*
de Alexandra Potter (n° 7492)
Grace, la trentaine, attend depuis deux ans que son fiancé daigne
l'épouser. Deux ans de trop, car elle lui annonce le soir de son anniversaire qu'elle le quitte. Rhian, sa copine mère célibataire, est
complexée par ses kilos en trop. Et vous savez ce qu'elles ont en
commun ? Une farouche envie de trouver le grand amour !

Le 3 décembre

### Un cœur à vendre

de Jane Feather (n° 4172)

Angleterre, XIXᵉ siècle. Une superbe demeure, des centaines d'hectares de bois et de champs, décidément, c'est un bel héritage qui attend Sylvester – à condition d'épouser l'une des quatre petites-filles du défunt comte de Stoneridge... Quelle idée stupide! Mais il n'y a pas d'autre moyen d'entrer en possession de cette fortune. Sylvester éperonne son cheval lorsque son regard tombe sur une sauvageonne plantée au beau milieu du ruisseau. Sans doute une bohémienne en train de braconner des truites, songe Sylvester, troublé par cette jeune beauté...

### Déclarations scandaleuses

de Jane Feather (n° 7416)

Angleterre, fin du XIXᵉ siècle. Les trois sœurs Prudence, Chastity et Constance dirigent anonymement un journal féminin. Lorsqu'elles calomnient un lord, ami fidèle de leur père, pour manque de moralité, celui-ci assigne le journal en justice. Comment trouver un avocat prêt à les défendre sans révéler leur identité à quiconque – pas même à leur propre père, ignorant de leurs activités? Reste à Prudence à convaincre sir Gideon, le brillant ténor du barreau...

ainsi que les titres de la collection

# Escale Romance

### *De nouveaux horizons pour plus d'émotion*

7307

Composition Chesteroc Ltd
Achevé d'imprimer en France (La Flèche)
par Brodard et Taupin
le 5 décembre 2004 – 27071.
Dépôt légal décembre 2004. ISBN 2-290-33701-3
1ᵉʳ dépôt légal dans la collection : mai 2004

Éditions J'ai lu
84, rue de Grenelle, 75007 Paris
*Diffusion France et étranger : Flammarion*